KB141327

현대어본 명주보월빙

현대어본

명주보월빙

9

역
주

최
길
용

이 저서는 2010년도 정부재원(교육부 인문사회연구역량강화사업비)
으로 한국연구재단의 지원을 받아 연구되었음(NRF-2010-327-A00283)
This work was supported by the National Research Foundation of
Korea Grant funded by the Korean Government(NRF-2010-327-A00283)

서문 ● ●

텔레비전이나 라디오가 없던 시절, 소설은 우리 선인들에게 무료한 일상을 달래며 인간사의 다양한 문제들에 대한 여러 생각들을 공유하게 해주던 매우 유용한 미디어였다. 아낙네들의 길쌈하던 일자리나 밤 마실 자리에도, 고관대가 귀부인들의 침실이나 근엄한 사대부들의 책상위에서도, 길가는 사람들로 붐비던 남대문이나 종로거리에서도, 소설은 오늘의 TV나 라디오처럼 사람들의 눈과 귀를 사로잡았다. 그리하여 아낙네들은 소설 없는 밤을 견디지 못하여 금반지나 쌀자루를 들고 세책가를 뻔질나게 들락거렸고, 먹고살 길이 막막했던 어느 곱상한 총각은 여자 강독사로 변장을 하고 판서대감댁 마님 방을 드나들며 소설을 읽어주다 불륜사실이 들통 나 죽음을 당하기도 했다. 그런가하면 공청에서 소설 삼매경에 빠져있던 어느 대감님은 갑작스러운 방문객에 화들짝 놀라 공문서로 소설책을 덮어놓고 시치미를 떼기가 다반사였는가 하면, 종로의 한 담뱃가게 점원 녀석은 전기수가 들려주던 삼국지에 팔려 있다가, 악한 조조가 착한 유비를 몰아붙이는 대목에서 화가나, 담배 썰던 칼을 들고 나와 애꿎은 전기수를 찔러 죽이는 살인사건이 일어나기도 했다.

이렇듯 18-19세기 조선사회는 온통 소설열독에 빠져 있었다. 글을 아는 사람이든 모르는 사람이든, 양반이든 평민이든, 남자든 여자든, 노인이든 젊은이든 할 것 없이 삼천리 방방곡곡이 소설열풍에 휩싸여 있었다. 그렇게 될 수 있었던 것은 무엇보다도 소설이란 장르의 문학적 특성 곧 이야기 문학이 갖는 접근의 무제한성에 있다. 우리 모두가 알고 있는 바와 같이, 이야기는 사건의 흐름을 통해서 이해되는 것이지, 꼭 글자를 통해서만 이해되는 것이 아니다. 비록 글자로 쓰인 이야기라 하더라도, 그것을 누군가가 대신 읽어주거나, 먼저 읽은 사람이 읽은 내용을 말해주는 것을 듣고도, 얼마든지 그 이야기의 내용을 이해할 수가 있고 공감을 가질 수가 있다. 이러한 특성 때문에, 당시에는 글자를 모르는 사람이나 책읽기를 고역스럽게 여기는 사람을 위해, 책을 대신 읽어주는 강독사나, 책을 먼저 읽고 그 내용을 구수한 입담으로 풀어 이야기해주는 전기수와 같은 새로운 직업인이 나타나기도 하였다.

그러나 이 시대를 한국문학사에서 소설의 시대로 꽃피우게 한 것은 뭐니 뭐니 해도 한글필사본소설들의 범람이다. 한글필사본소설들은 한글의 쓰기 쉽고 빨리 쓸 수 있다는 장점과, 필사본의 간편하면서도 저렴한 제책 방식이 갖는 장점을 최대한 활용한 것으로서, 가정이나 궁중 세책가 등에서 다투어 소설들을 베껴 돌려가며 읽었었다. 특히 세책가에서는 여러 종의 한글필사본들을 다량으로 확보해 놓고 본격적으로 소설 대여업에 나섬으로써, 이 시대 소설열풍에 더 큰 불을 지폈다.

이 작품 〈명주보월빙〉연작 235권(〈명주보월빙〉100권, 〈윤하정삼문취록〉105권, 〈엄씨효문청행록〉30권)은 위에서 말한 바의 18세기 말 한국고소설의 전성시대에 나왔다. 그 작품분량은 원문 글자 수가 도합 332만3천여 자(〈보월빙〉1,475,000, 〈삼문취록〉1,455,000, 〈청행록〉393,000)에 이를 만큼 방대하여, 당대 조선조 소설문단의 창작적 역량을 한눈에 보여주는 대작이다. 이 연작은 한국고소설사상 최장편소설로 꼽히는 작품일 뿐 아니라, 동시대 세계문학사에서도 그 유례를 찾아볼 수 없는 대장편서사체이다. 그 분량이 하루에 3-4시간을 들여 하루 한권씩을 꼬박꼬박 읽어낼 수 있는 아주 성실한 독자라고 할 때, 무려 235일간을 읽어야 다 읽어낼 수 있는 분량이니, 이 작품이 당시 궁중에서도(낙선재본), 일반대중들 사이에서도(박순호본: 이것은 세책본이다) 널리 읽혀졌던 사실을 염두에 둔다면, 당대 우리사회의 소설열독 풍조와 세책가의 활황이 어느 정도였을 지를 가히 짐작하고도 남게 한다.

양식 면에서, 《명주보월빙 연작》은 중국 송나라를 무대로 하여 윤·하·정 3가문의 인물들이 대를 이어 펼쳐가는 삶을 다룬 〈보월빙〉·〈삼문취록〉과, 윤문과 연혼가인 엄문의 인물들이 펼쳐가는 삶을 다룬 〈청행록〉으로 이루어져, 그 외적양식 면에서는 〈보월빙〉-〈삼문취록〉-〈청행록〉으로 이어지는 3부 연작소설이며, 내적양식 면에서는 윤·하·정·엄문이라는 네 가문의 가문사가 축이 되어 전개되는 가문소설이다.

내용면에서 보면, 이 연작에는 모두 787명(〈보월빙〉275, 〈삼문취록〉399, 〈청행록〉113)에 이르는 수많은 인물군상이 등장하여, 군신·부자·부부·처첩·형제·친구 등 다양한 인간관계에서 벌어지는 숱한 사건들을 펼쳐가면서, 충·효·열·화목·우애·신의 등의 주제를 내세워, 인륜의 수호와 이상적인 인간 공동체의 유지, 발전을 위한 선적가치(善的價値)들을 권장하고 있다. 아울러 주동인물군의 삶을 통해 고귀한 혈통·입신양명·전지전능한 인간·일부다처·오복향수·이상향의 건설 등과 같은 사대부귀족계급의 현세적 이상을 시현해놓고 있다.

필자는 이 책 『현대어본 명주보월빙』의 편찬에 앞서 『교감본 명주보월빙』(全5권, 학고방, 2014.2)을 편찬 간행한 바 있다. 이 교감본 명주보월빙』은 〈명주보월빙〉의 두 이본, 곧 100권100책으로 필사된

'낙선재본'과 36권36책으로 필사된 '박순호본'을 원문내교(原文內校)와 이본대교(異本對校)의 2단계 원문교정 과정을 거쳐 각 텍스트의 필사과정에서 생긴 원문의 오자·탈字·오기·연문·결락들을 교정하고, 여기에 띄어쓰기와 한자병기 및 광범한 주석을 가해 편찬한 것으로써, 컴퓨터 문서통계 프로그램이 계산해준 이 책의 파라텍스트(para-text)를 제외한 본문 총글자수는 539만자(낙본 2,778,000자, 박본2,612,000자)에 이른다.

이 책은 위 두 이본 중 선본인 낙선재본 교감본(2,778,000자)을 대본으로 하여 이를 현대어로 옮긴 것으로, 그 총분량은 282만자에 달한다. 앞의 교감본이 연구자를 위한 전문학술도서 국배판 전5권으로 편찬된데 비해, 이 현대어본은 중·고·대학생과 일반대중을 위한 교양도서(소설)로 성격을 전환하고, 그 규격을 경량화 하여 신국판 전10권으로 편찬함으로써, 책의 부피가 주는 중압감과 지나치게 작고 빽빽한 글자가 주는 눈의 피로를 해소하기 위해 노력했다.

이 현대어본의 편찬 목적은 고어표기법과 한자어·한자성어·한문문장체 표현 위주의 문어체 문장으로 되어 있는 원문을, 현대철자법과 현대어법에 맞게 번역하거나, 한자병기, 주석, 띄어쓰기를 가해 가독성(可讀性)이 높은 텍스트로 재생산하여, 일반 독자들에게 '읽기 쉬운 책'을 제공하는데 있다. 그리고 이렇게 함으로써 독자들이 누구나 쉽게 우리의 고전문학에 접근할 수 있게 하고, 일찍이 세계 최고수준의 소설문학을 창작하고 향유했던 민족문학에 대한 이해와 자긍심을 높이 갖도록 하는 데 있다.

아무쪼록 이 책의 출판을 계기로 이 작품이 더 많은 독자들과 연구자,

문화계 인사들의 사랑과 관심을 받게 되고, 영화나 TV드라마 등으로 제작되어 민족의 삶과 문화가 더 널리 전파되어 갈 수 있기를 기대한다. 이 작품들 속에 등장하는 앵혈·개용단·도봉잠·회면단·도술·부적·신몽·천경 등의 다양한 상상력을 장착한 소설적 도구들은 민족을 넘어 세계인들의 사랑과 흥미를 이끌어내기에 충분할 것으로 믿어 의심치 않는다.

끝으로 어려운 출판 여건 속에서도 『교감본 명주보월빙』(全5권)에 이어, 전10권이나 되는 이 책의 출판을 흔쾌히 맡아주신 도서출판 학고방의 하운근 대표님과, 편집과 출판을 맡아 애써주신 직원 여러분께 깊은 감사를 드린다.

2014년 4월 20일
최길용
(전북대학교겸임교수)

●● 일러두기

이 책 『현대어본 명주보월빙』은 필자가 〈명주보월빙〉의 두 이본, 곧 100권100책으로 필사된 '낙선재본'과 36권36책으로 필사된 '박순호본'을, 원문내교(原文內校)와 이본대교(異本對校)의 2단계 원문교정 과정을 거쳐, 각 텍스트의 필사과정에서 생긴 원문의 오자·탈자·오기·연문·결락들을 교정하고, 여기에 띄어쓰기와 한자병기 및 광범한 주석을 가해 편찬한 『교감본 명주보월빙』(全5권, 학고방, 2014.2.)의, '낙선재본 교감본'을 대본(臺本)으로 하여, 이를 현대어로 옮긴 것이다.

그 방법은 원문 가운데 들어 있는 ①난해한 한자어나, ②한문문장투의 표현들, ③사어(死語)가 되어버려 현대어에 쓰이지 않는 고유어들을, 1.현대어로 번역하거나, 2.한자병기(漢字倂記)를 하거나, 3.주석을 붙여, 독자가 그 뜻을 쉽게 이해할 수 있도록 하되, 그 이외의 모든 고어(古語)들은 4.표기(表記)만 현대 현대철자법에 맞게 고쳐 표기하는 방식으로 이 책 『현대어본 명주보월빙』을 편찬하였다.

여기서는 위 1.-4.의 방법에 대해 한 두 개씩의 예를 들어 두는 것으로, 본 연구의 현대어본 편찬방식을 간단하게 밝혀두기로 한다.

1. 번역

한문문장투의 표현이나 사어(死語)가 된 고어는 필요한 경우 현대어로 번역하였다.

㉠ '조디장ᄉᆞ(鳥之將死)이 기셩(其聲)이 쳐(悽)ᄒᆞ고, 인지장ᄉᆞ(人之將死)의 기언(其言)이 션(善)ᄒᆞ다.'ᄒᆞ니, 슉뫼 반ᄃᆞ시 별셰(別世)ᄒᆞ시려 이리 니르시미니

⇒ '새가 죽을 때면 그 소리가 슬프고, 사람이 죽을 때면 그 말이 착하다' 하니, 슉모 반드시 별세(別世)하시려 이리 이르심이니,

㉡ 그대 집 변고는 불가사문어타인(不可使聞於他人)이라. 우리 분명이 질녜 무사히 돌아감을 보아시니, 그 사이 변괴 있음이야 어찌 몽리(夢裏)의나 생각하리오마는

⇒ 그대 집 변고는 남이 들을까 두려운지라. 우리 분명히 질녀가 무사히 돌아감을 보았으니, 그 사이 변괴 있음이야 어찌 꿈속에서나 생각하였으리오마는

㉢ 안비(眼鼻)를 막개(莫開)'라

⇒ 눈코 뜰 사이가 없더라.

㉣ 성각이 망지소위중(罔知所爲中) 차언(此言)을 듣고

⇒ 성각이 당황하여 어찌해야 할지를 알지 못하는 가운데 이 말을 듣고

㉤ 기불미새(豈不美之事)리오?

⇒ 어찌 아름다운 일이 아니겠는가?

ⓑ 사어(死語)가 된 고어는 필요에 따라 번역하였다.

예)써지우다/처지게 하다 떨어지게 하다　다리다/당기다

　　-도곤/-보다　　아/아우　　아이/아우 동생　　남다/넘다

　　아쳐ᄒ다/흠을 잡다 싫어하다 미워하다　　ᄲᅡᆫ다/뽑다

　　무으다/쌓다 만들다　　흉희(胸海)/가슴　　나/나이

2. 한자병기(漢字併記)

어려운 한자어 가운데 한자만 병기하여도 그 뜻을 쉽게 이해할 수 있는 말은 구태여 주석을 붙이지 않고 한자만 병기하였다.

　ㄱ 신부의 화용월틱(花容月態) 챤연쇄락(燦然灑落)ᄒ여 창졸의 형용ᄒ여 니르지 못ᄒᆯ디라.
　　⇒ 신부의 화용월태(花容月態) 찬연쇄락(燦然灑落)하여 창졸에 형용하여 이르지 못할지라.

3. 주석(註釋)

한자병기만으로 뜻을 이해할 수 없는 한자어나, 사어(死語)가 된 고어는, 주석을 붙여 그 뜻을 밝혀 두어, 독자가 쉽게 이해할 수 있게 하였다.

　ㄱ 윤태위 빅의소틱(白衣素帶)로 죄인의 복식을 ᄒ여시나, 화풍경운(和風慶雲)이 늠연쇄락(凜然灑落)ᄒ여 농미봉안(龍眉鳳眼)이며 연함호뒤(燕頷虎頭)오 월면단슌(月面丹脣)이니
　　⇒ 윤태우 백의소대(白衣素帶)1)로 죄인의 복색을 하였으나, 화풍경운(和風慶雲)이 늠연쇄락(凜然灑落)ᄒ여, 용미봉안(龍眉鳳眼)2)이며 연함호두(燕頷虎頭)3)요 월면단순(月面丹脣)4)

이니

주) 1) 백의소대(白衣素帶) : 흰 옷과 흰 띠를 함께 이르는 말로 벼슬이 없는 사람의 옷차림을 말함.

2) 용미봉안(龍眉鳳眼) : '용의 눈썹'과 '봉황의 눈'이란 뜻으로, 아름다운 눈 모양을 표현한 말.

3) 연함호두(燕頷虎頭) : 제비 비슷한 턱과 범 비슷한 머리라는 뜻으로, 먼 나라에서 봉후(封侯)가 될 상(相)을 이르는 말.

4) 월면단순(月面丹脣) : 달처럼 환하게 잘생긴 얼굴에 붉고 고운 입술을 가짐.

ⓛ 촌촌(寸寸) 젼진ᄒ여 걸식 샹경ᄒ니, 대국 인믈의 셩흠과 번화ᄒ미 번국과 니도ᄒᆫ디라.

⇒ 촌촌(寸寸) 전진하여 걸식 상경하니, 대국 인물의 성함과 번화함이 번국과 내도한지라1).

주) 1)내도하다 : 매우 다르다. 판이(判異)하다.

ⓒ 즈녀를 셩취(成娶)ᄒ여 영효(榮孝)를 보미 극히 두굿거오나 내 스스로 ᄆᆞ음이 위황 (危慌)ᄒ니

⇒ 자녀를 성취(成娶)하여 영효(榮孝)를 봄이 극히 두굿거우나1) 내 스스로 마음이 위황(危慌)하니

주) 1) 두굿겁다 : 자랑스럽다. 대견스럽다.

4. 현행 한글맞춤법 준용

고어는 그것을 단순히 현대철자법으로 고쳐 표기하는 것만으로도 그

90% 이상이 현대어로 전환된다. 따라서 현대어본 편찬 작업의 중심은 고어를 현대철자법으로 바꿔 표기하는 작업에 있다 할 것이다. 이 책에서의 현대어 전환표기 작업은, 번역을 해야 할 말을 제외한 모든 고어 원문을, 현행 한글맞춤법을 준용하여, 현대 철자법으로 고쳐 표기하는 방식으로 진행하였다. 그리고 그 작업에는 다음의 몇 가지 원칙이 적용되었다.

① 원문의 아래아 (·)는 'ㅏ'로 적음을 원칙으로 한다.
(ᄌᆞ녀⇒자녀, 잉ᄐᆡ⇒잉태, 영ᄋᆞ⇒영아, 이 ᄀᆞᆺ흔⇒이 같은, 예외; 업거ᄂᆞᆯ⇒ 없거늘)

② 원문의 연철표기는 현대어법을 따라 분철표기를 원칙으로 한다.
(므어시⇒무엇이, 본바들⇒본받을, 슬프믈⇒슬픔을, 고으믈⇒고움을, 아라⇒알아)

③ 원문의 복자음은 현행 맞춤법 규정을 따라 표기한다.
(ᄡᅣᆼ뇽⇒쌍룡, ᄯᅳᆺ⇒뜻, ᄡᅩ아⇒쏘아, ᄭᆡᄃᆞᆺ디⇒깨닫지, ᄲᆞᆯ니⇒빨리, ᄯᆞ로더니⇒따르더니)

④ 원문의 표기가 두음법칙·구개음화·원순모음화·단모음화 등의 음운변화로 인해 달라진 말들은 현행 맞춤법 규정을 따라 표기 한다.
(뉴시⇒유씨, 녕아⇒영아, 텬죠⇒천조, 뎐상뎐하⇒전상전하, 믈⇒물, 쥬쥬⇒주주)

5. 종결·연결·존대어미 등의 원문 준용

문어체 위주의 원문 문장은 구어체 위주의 현대문장과 현격한 문체적 차이를 갖고 있다. 특히 문장의 종결어미나 연결어미, 존대어미는 글의 문체적 특성을 드러내는 매우 중요한 요소들이기 때문에 역자가 이를 현대문의 문체로 고쳐 표현하는 것은 한계가 있을 수밖에 없다. 그것은 문어체 문장이 갖고 있는 장중(莊重)하고도 전아(典雅)하면서 미려(美麗)하고 운율적(韻律的)인 여러 미감(美感)들을 깨트려놓음으로써, 원전의 작품성을 크게 훼손할 수가 있기 때문이다. 따라서 이 책에서는 원문의 종결·연결·존대어미들을 원문의 형태를 준용하여 옮기되, 앞의 원칙(4. 현행 한글맞춤법 준용)에 따라 철자법만 현대 철자법으로 고쳐 옮겼다. 다만 연결어미의 반복적 사용으로 문장이 매끄럽지 못하거나 지나치게 길어진 경우에는 이를 적절히 교정하였다.

목차 ●●

명주보월빙 권지팔십일

어시에 성씨 일야(日夜) 꾀하다가, 양씨가 침소에 옴을 크게 환희하여, 정신 흐리는 약을 술에 화(和)하여, 납향을 불러 왈,

"네 나와 동사동생(同死同生)하니, 이 술을 네 주인의 복시자(服侍者)[1]를 고루고루 먹인 후 내게 고하라. 상공이 가 처치하리라."

하고, 황금 일정(一鋌)과 갖은 포육(脯肉)을 먹이니, 향이 은금을 주며 꾀는 것을 보고, 응수하여 욕심이 대발하니, 주모의 사생을 염려치 않고 흔연 응낙하여, 주호(酒壺)를 가지고 선삼정으로 돌아가니, 성씨 기쁨을 이기지 못하더라.

이교 마침 벽수정 근처에 갔다가 설유랑 비자를 만나 우연히 말하다가, 태우가 염난을 접근하던 줄 듣고 난의 근본을 들어, 어려서 부모를 잃은 사람으로 근본을 모른다 하는지라. 이교 즉시 돌아와 이 말을 전하니, 성녀 불승분노 왈,

"양씨를 없애지 못하여 일생 통완(痛惋)하거늘 벽수정 유랑은 어떤 것이관데, 요색(妖色)을 길러 귀신이 다 된 정생에게 붙들리게 하였는고? 내 그 뜻을 물어 양씨와 한가지로 죽여 설분하리라."

---

1) 복시자(服侍者) : 섬기는 사람. 시중드는 사람. 돌보는 사람. *복시(服侍) : 섬기다. 시중들다. 돌보다.

춘교·이교 손을 저어 왈,

"작은 것을 참지 못하면 큰 꾀를 이룰 수 없다 하니, 소저는 빠른 노를 그치고 원려를 생각하소서."

성씨 점두(點頭) 왈,

"네 말이 다 나에게 유익하니 어찌 좇지 않으리오. 모름지기 벽수정 미인을 여등이 자세히 보아 얼굴을 안즉 내 설분(雪憤)하는 날이 머지않으리라."

양비(兩婢) 응명하여 각각 유랑을 보러 가는 체하고, 염난을 익히 살피되, 난이 금금(錦衾)을 머리까지 싸고 낯을 듦이 없으니, 그 얼굴을 보지 못하더라.

태우 염난의 비상함을 본 후, 일념이 방하(放下)치 못하여 근본을 자세히 알고자 하는 고로, 양금오 제 사자가 연기 상적 하고 벼슬이 간의태우로 동관지의(同官之義)와 붕우지정(朋友之情)을 겸하여 각별한지라. 서로 심회를 은닉치 않더니, 일일은 관부(官府)에서 만나 종용이 문 왈,"

"소태수 별호(別號)가 청계인 줄 알거니와 자녀를 몇을 두며 실리(失離)한 일이 없느냐?"

양태우 추연 왈,

"소숙(蘇淑)의 명도 괴이하여 남다른 청덕으로 슬하의 한낱 자녀가 없으니, 망숙모(亡叔母) 수다 자녀를 기르지 못하시고, 소숙이 청강 현령(縣令)으로 나가실 적 숙모 기세하시고, 수월 된 여아를 계부 관사(官舍)에 보내다가 도중 적환에 죽으니, 일로 우리 부숙이 주야 참통(慘痛) 비절(悲絶) 하시나니라."

정 태우 왈,

"그 적환에 죽은 여아의 이름이 무엇이뇨?"

양생이 괴이히 여겨 왈,

"그 때 아등이 어려 종매(從妹) 이름을 자세히 모르거니와, 형이 어찌 수상히 묻느뇨?"

정생이 소왈,

"내 알고자 함이 아니라, 우연히 들으니 소청계 여아 염난이 부모를 못 찾아 일생 슬퍼한다 하기로, 천하의 동성명(同姓名)이 많으나 계암이라 하니, 알지 못하여 물음이로다."

양생이 종매 염난을 알되, 죽은 것을 이름을 일러 부질없어 모르노라 하였더니, 정생의 말을 이상이 여겨 문 왈,

"과연 깨닫나니 형언이 옳도다. 만일 천우신조(天佑神助)하여 종매 적환(賊患)에 면사(免死)하였으면 큰 경사니, 형은 알거든 이르라. 소청계 여아 염난이 부모를 찾으려 하던 말을 어디서 들었느뇨?"

정생이 소왈,

"원방 사람에게 무심히 들었노라. 수월 후 그 말하던 사람이 또 올 듯하니 자세히 물으리라."

양 태우 곧이듣고, 재삼 당부 왈,

"그 사람이 오거든 내 집으로 보내라."

정생이 난의 근본을 알고, 부실로 맞을 생각이 불 일듯 하여 벽수정에 가 유랑더러 왈,

"내 그 여자의 문벌을 모르고 한갓 잉첩으로 취코자 하였으나, 얼굴을 보고 욕을 보임이 없으니, 내 행사 하혜(下惠)[2] 미자(微子)[3]에 부끄럽

---

2) 하혜(下惠) : 유하혜(柳下惠). 중국 춘추시대 노(魯)나라의 현자(賢者). 성은 전(展), 이름은 획(獲), 자는 금(禽) 또는 계(季). 유하(柳下)에서 살았으므로 이것이 호가 되었으며, 문인(門人)들이 혜(惠)라는 시호를 올렸으므로 '유하혜(柳下惠)'로 불렸다. 대도(大盜)로 유명한 도척(盜跖)이 그의 동생이다. 겨울밤에 추위에 떠는 여인을 자기 침상에 뉘어 몸을 녹여주었으나 그의 평소 행동이 단정

지 않도다. 금일 저의 표종(表從)을 만나 근본을 자세히 알았으니, 오래 지않아 그 부친이 올 것이니, 부녀 상봉이 머지않고, 내 저에게 무례치 않았나니 어미는 이 뜻을 소씨더러 일러, 부형을 찾아 간 후 명정언순(名正言順)이 취(娶)하리니, 일과 말을 달리 하리오."

유랑이 난의 부친이 찾아 올 것이란 말에 환행하여 답왈,

"소소저 한갓 기질(氣質)뿐 아니라, 백행(百行)에 미진(未盡)함이 없으며, 단중하여 사녀(士女)의 거동이러니, 원래 상문규수(相門閨秀)랏다. 아지못게라![4] 그 부친이 지금 어데 계시니까?"

생 왈,

"소공이 일삭 내에 여아를 찾아 올 것이니 때만 기다리라. 어찌 잔말을 하느뇨?

언파에 나가니, 유랑이 다시 묻지 못하고 방중에 들어가 시말(始末)을 다 이르니, 난이 흐느낄[5] 뿐이라.

생이 일시 유정(有情)하고 성녀를 잠깐 잊었으나, 도봉잠의 빌미로 은애는 무궁하여 침소의 들어가니, 성씨 천만 교태로 만 가지 사색(辭色)을 지어 유희방탕(遊戲放蕩) 하더니, 야심 후 납향이 이르러 양씨 시녀 등을

하였기 때문에, 그의 결백을 의심하는 사람이 없었다고 한다.

3) 미자(微子) : 미자계(微子啓). 중국 은나라 말기의 현인(賢人). 기자(箕子), 비간(比干)과 함께 은말 삼인(三仁; 세 어진 사람)으로 꼽힌다. 이름은 계(啓)이고 은나라 마지막 왕인 주(紂)의 이복형이다. 주를 간(諫)했지만 받아들이지 않자 조상을 제사 지내는 제기들을 갖고 산서성 노성(潞城) 동북쪽에 있던 미(微) 땅으로 갔다. 주나라 무왕이 주(紂)를 정벌하자 항복했는데, 무왕은 그를 미(微) 땅의 제후로 봉했다. 그래서 미자(微子)라고 한다.

4) 아지못게라! : '모르겠도다!' '모를 일이로다!' '알지못하겠도다!' 등의 감탄의 뜻을 갖는 독립어로 작품 속에서 관용적으로 쓰이고 있어, 이를 본래말 '아지못게라'에 감탄부호 '!'를 붙여 독립어로 옮겼다.

5) 흐느끼다 : 몹시 서럽거나 감격에 겨워 흑흑 소리를 내며 울다.

다 요약을 먹여 지운6) 말을 하니, 성녀 대희하여 생더러 이르되,

"아득히 모름이나 마가 골육을 생각하면 비위 거슬려 견디지 못 하리로소이다."

생이 분산 시에 죽이겠노라 하니, 성씨 소왈,

"마가 골육을 존당은 반드시 정문 골육으로 아시어, 선삼정에 옮기고 친히 분산을 대후(待候)하시나니, 양씨 세권이 합문을 진동하나이다."

생이 청파에 분연하여, 벽상의 장검을 **빼어**들고 일어서며 왈,

"엄전(嚴前)에 사죄를 당하나, 음부를 쾌히 죽이리라."

성씨 일어나 칼을 앗고, 낯빛을 화히 하여 공교로이 이르되,

"양씨 죄상은 만사무석(萬死無惜)이나 존당의 사랑이 지중(至重)하시니, 군이 만일 저를 죽이면, 대인 노기 열화 같아서 목전에 군자를 무찌를7) 것이니, 주편(主便)할8) 바를 생각하여, 양씨를 한 잎 채석(彩席)에 말아 연정(蓮井)9)에 넣음이 옳으니이다."

생 왈,

"장부 처자(妻子)를 암사(暗死)튼 못하리니, 그대 가르친 계교로 선삼정에서 나오게 하였으니, 죽이기를 당하여 가만히 함은 불가하다."

성씨 왈,

"정도(正道)와 권도(權度)가 있으니, 군자 양씨 죄를 광명정대(光明正大)히 법부의 고할 바로되, 양가 안면을 거리껴 좋은 일같이 두었으니, 어찌 죽임을 요란이 하리오."

생이 침음 왈,

---

6) 지우다 : 눕히다. 넘어뜨리다. 늘어뜨리다. 죽이다.
7) 무찌르다 : 닥치는 대로 남김없이 마구 쳐 없애다.
8) 주편(主便)하다 : 자기에게 편하도록 스스로 주장하다.
9) 년정(蓮井) : 연못. 연꽃을 심은 못.

"그대 말이 사곡(邪曲)하나 엄노(嚴怒)를 아직 면코자 함이니 좇지 않으리오."

성녀 가장 기쁜 중, 납향이 말을 참지 못하리니, 혹자 가중이 나를 의심하여 불미한 말을 물을 적에 누설키 쉬우니, 저 노주를 함께 죽게 하리라."

하고 가만히 이르대,

"첩이 살피니 납향이 주모를 꾀와 군자를 원망하고 마가를 북두같이 섬기니, 향을 같이 죽이소서."

생이 말마다 기특히 여겨 순순 응낙하고 선삼정에 이르니, 납향이 소저 유모 시녀 등을 다 약술을 먹여, 일제히 장외의 쓰러져 아무 상을 모르니, 향이 시험하여 모든 동류의 뺨을 치고 살을 뜯되 아픈 줄을 모르니, 향이 쟁그라움을 이기지 못하여 생이 와 양씨 죽임을 죄더니, 이윽고 생이 들어오매 제 시녀 다 인사를 모르고 움직이지 못하는지라.

생이 살생지심(殺生之心)이 급하여 살피지 못하고 바로 소저 침상에 이르니, 양씨 잉태 만월에 산점(産漸)10)은 없고 여러 번 경혼(驚魂)에 약질이 놀라고 상함이 많은 고로, 매양 허한(虛汗)이 구슬 구르듯 하고, 잇붐이 심하여 차야(此夜)는 베개에 비겨 몽롱이 눈을 감았더니, 지게 여는 소리와 장 들치는 거동에 잠깐 눈을 뜨니, 생이 곁에 있는지라. 그 얼굴을 보매 놀라움이 사갈 악호를 본 듯, 혼백이 이체(離體)하되, 마음을 굳게 잡아 안색을 불변하고 천연이 일어나 앉으니, 찬란기이(燦爛奇異)한 광채가 실중에 황홀하되, 태우의 실성발광(失性發狂)함이 현처의 숙요(淑窈)한 심덕과 명혜(明慧)한 성행을 알지 못하고, 요녀의 참언을 고혹(蠱惑)하여 죽일 의사 급하니, 긴 설화를 않고 방중을 두루 살펴 한

---

10) 산점(産漸) : =산기(産氣). 달이 찬 임신부가 아이를 낳으려는 기미.

필 깁이 서안 위에 있음을 보고, 깁을 끊어 여러 조각에 내어 양씨 앞에
나아가, 양안을 부릅뜨고 이르대,

"음악발부(淫惡潑婦)가 천지간 관영(貫盈)한 죄를 짓고 안연이 화당고
루(華堂高樓)에 명부(命婦)로 자처함도 괴이할 뿐 아니라, 일분 염치 있
을진대 마가 골육을 낳지 않아서 죽음이 옳거늘, 의법히 내 집에서 분산
코자 함이 천만인을 겪은 창녀에서 더한 인물이라. 당당이 음부의 머리
를 베고 수족을 이처(離處)하여 후세 음부를 징계할 것이로되, 차마 못
하는 바는 영엄(令嚴)의 안면을 거리껴 법부의 고치 못하고, 고요히 죽
여 정·양 양문의 부끄러움을 씻고, 음부의 시신을 맑은 물에 띄워 수신
과 한가지로 늙게 하나니, 나를 한(恨)치 말라."

언필에 깁으로 양씨 수족을 단단히 매기를 시작하매, 큰 힘을 다하여
살이 으깨지기를 그음하는지라11). 소저 광부의 욕설과 광기를 좋은 일
같이 참고 견딤은 존당 구고의 양춘혜택(陽春惠澤)을 저버리지 못함이
요, 친부모 생휵지은(生慉之恩)과 구로지혜(劬勞之惠)를 한 일도 갚지
못하고, 서하지탄(西河之嘆)12)을 끼쳐 양가 친당에 불효함이 자기 뜻
이 아님을 함인(含忍)하고, 스스로 심회를 널리 하여 망측한 누언(陋言)
을 물외(物外)로 던져 풍운의 길시를 기다리더니, 금야에 생의 핍살(逼
殺)코자 함을 보고, 말로 애걸함이 효험 없을 줄 알아, 이에 소리를 맹
렬이 하여 왈,

"첩이 비록 불민(不敏)하나 일찍 궁흉대악(窮凶大惡)의 죄를 짓지 않

---

11) 그음하다 : ①끝을 내다. 한계나 기한 따위를 정하여 무슨 일을 하다. ②작정하
다. 끝장내다. 결판내다.

12) 서하지탄(西河之嘆) : 자식을 잃은 탄식. '서하의 탄식'이라는 뜻으로, 공자(孔
子)의 제자인 자하(子夏)가 서하(西河)에 있을 때 자식을 잃고 너무 슬픈 나머지
소경이 된 고사에서 온 말.

았나니, 군이 어찌 허무지사(虛無之事)를 주출(做出)하여 정실을 함해
코자 하느뇨? 군이 만일 첩의 죄를 명백히 한 후, 부형을 청하고 엄구께
살려두지 못할 줄로 고한 뒤, 죽여도 늦지 않으니, 심야에 그윽이 남모
르게 죽임이 그 허물이 군에게 있고 첩신(妾身)은 무죄함이라. 군은 모
름지기 다시 생각하고 패광악사(悖狂惡事)를 마심직 하니, 첩의 약녁
(弱力)으로 군의 강용을 당치 못하여 힘힘히 죽으나, 천지신지(天知神
知)하니 첩의 무죄함을 알 것이요, 군의 패덕이 복록에 유해할 것이니
타일 후회 있을지라. 이제 참측(慘-)한13) 말로 첩을 의심하고 복아로
써 군의 골육이 아니라 하니, 첩이 하수(河水) 멀어 귀를 씻지 못함을
한하나니, '오기(吳起)의 살처(殺妻)'14)를 효칙하여 복아를 세상에 나
지 못하게 함이 골육상잔(骨肉相殘)하는 마디라. 첩의 한 목숨 죽음이
두 인명을 살해함이니, 혼야(昏夜)에 뉘 알 것이냐? 하나, 죄는 지은 곳
으로 자연 돌아가나니, 첩의 원억한 누얼(陋-)15)인들 얼마 하여 신백
하며, 군의 패광지사(悖狂之事)인들 얼마 하여 후회 될동16) 알리요."

생이 더욱 대로하여 입을 틀어막고 소저의 몸을 단단히 동여, 한 잎
거적에 넣어 싸매니, 소저 정신과 인사는 있으나 생인을 공연이 돗자리
에 싸 시신을 동여매니, 천금약질(千金弱質)이 어찌 견디리오. 일성탄식
(一聲歎息)과 두 번 느끼는 원억(冤抑)이 천지신명(天地神明)이 한가지
로 참연할 바라. 양씨 엄홀하여 인사를 모를 뿐 아니라, 입을 틀어막았

---

13) 참측(慘-)하다 : 지나칠 정도로 한심하고 더럽다. *측하다 : 추악하다.
14) 오기(吳起)의 살처(殺妻) : 중국 전국 시대(戰國時代)의 병법가 오기가 자신의
    충심을 입증하기 위해 아내를 베었던 고사.
15) 누얼(陋-) : 사실이 아닌 일로 뒤집어쓴 더러운 허물. 얼; 겉에 들어난 흠이나
    허물. 탈.
16) -ㄹ동 : '-ㄹ지'의 뜻을 나타내는 어미로 무지(無知), 미확인의 경우에 흔히 쓰
    인다.

으니 숨이 막혀 물에 넣지 않아도 죽음이 반듯할러라.

납향이 요악 흉녀의 금을 받으매 주모를 사지에 넣고 앙화(殃禍) 없을 줄로 알아, 장 사이로 생의 거동을 좋은 일같이 엿보더니, 생이 양씨를 동여 옆에 끼고 향을 불러 촉을 잡히고 연정으로 달리려다가, 향이 저를 마저 죽일 줄은 모르고 흔연히 촉을 잡아 섰으니, 생이 그윽이 생각하되, "향이 주모와 동사(同事)[17]하다가 주모 죽되 슬퍼하는 일이 없으니, 그 심정이 가살(可殺)이라. 나는 양씨를 죽여 후환을 제방(制防)하려 함이나, 향은 악악한 심사 천하에 둘이 없을 것이니 어찌 물에 밀쳐 죽이리오."

의사 이의 미처 벽상에 걸린 장검을 빼어 들고, 양씨 시신을 가벼이 옆에 껴 향을 앞세우고 행보 신속하여 연정에 이르니, 때 춘 이월 회간이라. 빙설이 처음으로 녹고 춘풍이 화창하여 물결이 잠잠하니[18], 원간 정부 연정이 여럿이요, 생이 양씨 넣는 곳은 깊이 백척(百尺)이나 하여 수근(水根)이 밖으로 통하여 취운산을 연하였는지라. 생이 양씨를 높이 들어 물 가운데 던지니, 경각에 흉용(洶湧)한 물결이 일어나 간 바를 모르니, 차호석재(嗟乎惜哉)[19]라. 양씨 얼음이 맑고 옥이 티 없는 행사(行使)[20]와 화월(花月)이 수태(羞態)[21]하는 색광(色光)으로, 초년 명도 험난함이, 성씨 같은 적국을 만난 연고로, 정세홍 광부(狂夫)의 불명지사(不明之事)가 이에 미치니, 태신십삭(胎身十朔)에 복아(腹兒)를 품고 연정(蓮井) 흉용한 수중에 참혹히 빠지니, 만일 하늘과 귀신이 보호

---

17) 동사(同事) : ①같은 종류의 일을 함. 또는 그 일. ②함께 일을 함.
18) 자아지다 : 잦아지다. 심해지다. 거세지다.
19) 차호석재(嗟乎惜哉) : 아! 가엾다.
20) 행사(行使) : 행동이나 하는 짓.
21) 수태(羞態) : 부끄러워하는 태도.

치 않으면 능히 살기를 얻으리오. 아지못게라! 양씨 사생이 어찌 된고? 차하를 분해(分解)하라.

정생이 양씨를 물에 들이치고, 다시 장검을 들어 납향을 베어 왈,

"네 주인이 내게는 죄인이나 네게는 주모라. 일호나 노주지의(奴主之義)를 생각할진대 그 죽음을 비척(悲慽)함이 옳거늘, 흔흔(欣欣)함이 측량없으니, 너를 살려두면 후세 불충비(不忠婢)를 징계치 못하리라."

하니, 향이 한 말을 못하고 검하경혼(劍下驚魂)이 되니, 머리 수중의 떨어지고 몸은 연정 앞에 거꾸러지니, 향이 성녀의 금을 탐하여 어진 주모를 갱참(坑塹)에 함닉하고, 긴 세월에 금은을 모아 의식이 풍비(豐備)하면, 일생 괴로운 근심이 없을까 흔행(欣幸)하다가, 하늘과 귀신이 미워하여 생의 베인 바 된지라. 생이 양씨를 물에 넣고 향을 베니 쾌활함을 이기지 못하여 하되, 광심(狂心)에도 일분 염려에, 엄친(嚴親)이 아시면 과도함이 있을까, 잠깐 불평함이 있어, 성녀의 침소로 가려 하다가, 행여 선삼정 양씨의 기용집물(器用什物)에 마가의 것이 있으며, 또 흉서가 더 있는가 보려, 도로 선삼정으로 들어 오니라.

성녀 향을 도로 양소저 침소로 보내고, 즉시 주찬을 갖추어 곳곳에 암약(瘖藥)22)을 넣어 벽수정에 가 설유랑을 먹이고, 여차여차 말로써 의심 없이 한 후, 유랑이 인사를 모르거든 그 미인을 잡아오라 하니, 춘교 이교 변용하여 주찬을 가져 유랑을 보고, 양소저 말씀으로 가로되,

"금야에 마침 상공이 해월루에서 연회하시므로 약간 주찬을 장만하였더니, 유랑이 본디 잠이 적으니 자리에 나아가지 않았을 듯하여, 사오 배 술과 두어 그릇 안주를 보내나니, 유랑은 첩의 정을 알라."

---

22) 암약(瘖藥) : 벙어리가 되게 하는 약.

유랑이 청파에 화류(花柳)의 기색(氣色)이 있으니, 저 요비(妖婢) 개용단을 마셔 양소저의 시비 얼굴이 되었음을 어찌 알리오. 본디 소저의 정을 감격하던 바로, 흔연히 술을 마시고 제 비자 등을 나눠 먹이니, 양 요비 쟁그라움을 이기지 못하여 저 삼 노주의 인사 모름을 기다려, 이윽고 유랑이 입은 채 자리에 쓰러지고, 양 비자 거꾸러져 아무 상을 모르거늘, 양 교 깃거 소씨에게 달려들어 그 덮은 것을 벗기고 운발을 잡아당겨 일으킨데, 염난이 정생에게 욕을 본 후는 주야 경심통원(驚心痛寃)함을 이기지 못하고, 지란(芝蘭) 약질(弱質)이 간장을 살라 음식에 맛을 모르고, 상처 낫지 못하여 괴로이 신음하더니, 천만 기약치 않은 변을 당하여 차악경해(嗟愕驚駭)함을 이기지 못하나, 평생 힘을 다하여 그 머리 드는 손을 쥐어뜯으며 소리를 높여 왈,

"내 평생 너희와 수원(讐怨)이 없어 서로 알지 못하거늘, 너희 무슨 연고로 내 머리를 잡아당겨 일으키느뇨?"

양 교 부답하고 진력(盡力)하여 잡아가려 하나, 소씨 연연(軟軟)함이[23] 버들가지같이 약한 허리와 난초같이 힘없는 기질이로되, 양 교를 잘 물리치고 좌우로 막아 순히 잡혀 갈 거동이 아니라, 하 급하여 도로 선수정으로 와 동류 십여 인으로 난을 잡을 새, 소씨 세 급함을 보고 바삐 의상을 수습한 후, 유랑을 아무리 흔들어 깨워 일으키나 인사를 모르는지라. 창황망극하여 칼을 얻어 자문하려 하되, 유랑이 난의 죽기를 방비하여 칼과 수건붙이를 감춘 고로 얻을 길이 없거늘, 양 교 동류 십여 인으로 소씨의 수족과 머리를 잡아끌어 빨리 달릴 새, 제녀(諸女)가 난의 입을 틀어막아 소리를 못하게 하고, 총총히 끌어가는 모양이 참참(慘慘)하여, 견자로 하여금 자닝히[24] 여길 바로되, 무인심야(無人深夜)에

---

23) 연연(軟軟)하다 : 무르고 약하다.

만뢰구적(萬籟俱寂)[25]하니 뉘 알 리 있으리오.

적은 듯 사이에 선수정에 이르니, 성녀 바야흐로 금로(金爐)에 불을 피우고, 너른 쇠를 달구며 드는 칼을 번득여, 벽수정 미인의 오기를 기다리더니, 제녀가 난을 잡아 정하(庭下)에 꿇리려 하니, 난이 꿇지 않는지라, 성녀 급히 이르되,

"여등이 그 요녀를 뒤 청하(廳下)로 잡아 오라."

제녀 응명하고 후정하(後庭下)로 잡아오매, 성녀 후창(後窓)을 열치고 친히 그 머리털을 무주릴[26] 새, 간간이 살이 떨어지니 붉은 피 돌지어[27] 흐르되, 소씨 그 입을 막았으니 한 말을 못하고 한갓 비분할 뿐이라. 성녀 난을 삭발한 후 큰 바[28]를 가져 제녀로 하여금 뒤뜰 소나무 가지에 거꾸로 매어 달고, 불에 달군 쇠를 주어 그 일신을 헤지 말고 두루 지지며[29], 사이사이 철편으로 어지러이 두드리라 하니, 다른 시녀는 차마 못하되 양 교는 성녀의 간악을 응시하여 난 별물이라. 양부인으로부터 태우의 유정자(有情者)는 시기함이 제 적인에서 더한지라. 소씨는 태우와 운우지정을 맺지 않은 줄을 알되, 그 자색이 양씨나 다르지 않은고로 일시에 짓밟아 없애려 하는 고로, 춘교는 매를 들고 이교는 단쇠[30]를 잡아 먼저 소씨 볼을 지지고, 그 몸을 두드리더니, 생이 또 선삼정에 가 양씨 협사를 다 뒤져 마가 흉서가 있는 가 뒤지되, 음비한 서찰은 없고 다만 양공의 부인 글월 서너 장이 있으니, 딸을 각골통원(刻骨

---

24) 자닝하다 : 애처롭고 불쌍하여 차마 보기 어렵다.

25) 만뢰구적(萬籟俱寂) : 자연계에서 나는 온갖 소리가 다 잠잠하여 고요함.

26) 무주리다 : 함부로 끊거나 자르다.

27) 돌지하다 : 돌돌 솟아나오다. *돌돌 : 물이 좁은 도랑을 따라 흐르가는 모양.

28) 바 : 참바. 삼이나 칡 따위로 세 가닥을 지어 굵다랗게 드린 줄.

29) 지지다 : 불에 달군 물건을 다른 물체에 대어 약간 태우거나 눋게 하다.

30) 단쇠 : 높은 열에 달아서 뜨거워진 쇠.

痛冤)이 여긴 설화뿐이요, 소저 또한 상서(上書)31)를 봉하여 경대 위에 얹어두었으니, 짐작에 명일로 모친께 문후할 서사(書辭)라.

오직 부모 존후(尊候)32)를 묻잡고, 자기 신루(身累)가 액경(厄境)의 기괴함 탓임을 일컬어, 일이 되어 감을 보시고 과려치 마심을 청하되, 조금도 생을 원망함은 없는지라. 생이 다 본 후 소매에 넣고 선수정에 가니, 성녀 바야흐로 소씨 죽임을 결단(決斷)하여 소나무에 높이 달고 흉독한 형벌을 행하다가, 생을 보고 놀라 후창을 닫거늘, 생이 뒤뜰에 여러 시아가 분분이 모였음을 괴이히 여겨 문지(問之)하니, 어시에 성씨 요녀 춘교 등으로 더불어 화형(火刑)으로 옥인을 마치려 하더니, 태우 선삼정에 가 양씨 노주를 죽이고 들어와 쉬고자 하더니, 성녀 자기를 보고 대경실색하여 후창을 닫으나, 신색이 저상하고 후정 인적이 자연 번잡한지라.

태우 경아하여 문기고(問其故)하니, 성녀 대간대악(大奸大惡)이나 살인지사(殺人之事)를 도모함이 중난(重難)한 고로, 창졸에 꾸며 대답지 못하고 묵연하니, 태우 가장 괴이히 여기고 또한 마음이 동하여 친히 몸을 일으켜 후창을 열치는지라. 성녀 요물(妖物)이 황황급급하여 급히 이르되,

"마침 죄 지은 시녀를 다스리나니, 군자 구태여 보아 무엇 하리오."

태우 부답하고 후창을 열치고 보니, 이 때 모든 시녀 정히 소씨를 결박하여 나무에 달고 촉을 낮같이 밝혔는데, 철편으로 짓이기며33) 단 쇠로 지져 아주 마치고자 하더니, 태우의 문 여는 소리를 듣고 제녀 다 실

---

31) 상서(上書) : 웃어른에게 글을 올림. 또는 그 글.
32) 존후(尊候) : 주로 편지글에서, 남의 건강 상태를 높여 이르는 말.
33) 짓이기다 : 빨래 따위를 이리저리 뒤치며 마구 두드리다.

색하여 일시에 물러서니, 태우 보건대 높은 소나무에 청상녹의(靑裳綠衣)34)를 한 여자를 거꾸로 매달았으며, 그 아래 금로에 숯불을 성히 피우고, 넓은 편심(片心)35)을 무수히 달궈, 일변 그 여자의 살을 지지며, 또 식은 쇠를 고쳐 달궈 곳곳을 지지니, 닿는 곳마다 누린내 자욱하고 기름이 줄지어 흐르니, 춘교는 철편을 들어 간간이 짓두드리니, 매 끝이 지나는 곳마다 성혈(腥血)이 임리(淋漓)하고 피육이 으깨지나, 그 여자 한낱 벙어리와 목인(木人) 같아서 일성을 개구치 않고 맞기만 참혹히 하니, 만일 목석(木石)과 금철(金鐵)이 아닌즉 벅벅이 한낱 시신이라.

그 경색의 참참함이 삼대구수(三代仇讐)와 백년대척(百年大隻)36)이라도 차마 보지 못할 것이요, 시호(豺虎) 사갈(蛇蝎)의 심정이라도 차마 매를 들지 못할 것이로되, 성녀 노주(奴主)는 별물악종(別物惡種)이라. 태우 견파에 비록 취광상심(醉狂喪心)한 사람으로 아는 것이 없으되, 오히려 정씨 여맥(餘脈)이라. 일단 총명식안(聰明識眼)으로 저 소씨 성녀의 독한 수단에 머리털을 다 베여 삭발되고, 얼굴로부터 만신(滿身)이 성한 곳이 없어 한 덩이 육괴(肉塊) 되었으나, 그 선풍염태(仙風艶態)를 애모(愛慕)하여, 중심에 부디 그 부모를 찾아 저로써 천륜(天倫)이 단원(團圓)37)한 후, 취(娶)하여 백년동주(百年同住)함을 남산송백수(南山松柏壽)38)로 맹세하였으니, 일념에 잊지 못하는바 소씨 염난을 알지 못하리오. 연연약질(軟軟弱質)이 독수(毒手)에 아깝게 마침을 대

---

34) 청상녹의(靑裳綠衣) : 푸른 치마와 녹색 저고리. 또는 그것을 입은 차림의 사람.
35) 편심(片心) : 조각. 쇳조각.
36) 백년대척(百年大隻) : 백년 곧 일생토록 잊지 못할 원수.
37) 단원(團圓) : ①모나지 않고 둥글둥글함. ②가정이 원만함. ③이산했던 가족이 서로 만남.
38) 남산송백수(南山松柏壽) : 남산에 있는 소나무와 잣나무가 오래도록 푸르름을 잃지 않고 살아오고 있듯이 그처럼 오래 사는 수명(壽命). ≒남산수(南山壽).

경대로(大驚大怒)하여 준급한 성이 두우(杜宇)[39]를 꿰뚫듯 한지라.

급히 칼을 빼어 들고 내리달아 맨 것을 끄르며 신색(身色)을 살피니, 털을 낱낱이 무질렀는데[40] 살조차 깎았으니, 피 곳곳에 엉겨 두루 맺혔고, 고운 낯이 뜯기었고 할퀴어 피가 고랑고랑[41] 흐르는데, 수건으로 입을 틀어막았으니 겉으로 독형(毒刑)의 아픔과 안으로 호흡을 통치 못하는데, 비분이 흉격에 막혀 생도(生道) 망연(茫然)하니, 속절없이 옥이 부서지고 꽃이 떨어짐이 쉬운지라. 또한 의상이 살을 가리지 못하고 곳곳이 기름이 흘렀으며, 옥골설부(玉骨雪膚) 으깨지며 불에 지지여 형상이 참불인견(慘不忍見)이라.

태우 참연비절(慘然悲絶)하여 성녀 노주의 대간대악(大奸大惡)을 목도(目睹)하매, 비록 상성발광지인(喪性發狂之人)이나 대로대분(大怒大憤)하여, 행여 소씨 일분이나 생도(生道) 가망(可望)이 있을까 만져보니 적이 온기 있는지라. 그 입에 막은 것을 빼고 제녀를 호령하여 바삐 선향정에 가 양부인 시녀를 불러오라 하니, 제녀 혼비백산하여 연망(連忙)히 응성하고 선향각으로 가는지라. 비록 약을 먹어 정령(精靈)이 없고, 상쾌한 위인이 그릇되어 성녀에게 침혹함이 아니 미친 곳이 없으나, 제 뜻이 간간이 불쾌한 후는 천성이 엄격하므로 과급한 성이 발치 아니하리오.

양 교 소씨를 잡아온 후는 도로 회면단(回面丹)을 마셔 본형을 내었더니, 태우 후창으로 내달으니 춘교는 철편을 버리고 빨리 피하나, 이교는 화철(火鐵)을 놓아 버릴지언정 미처 피치 못하고 있더니, 생이 수미곡

---

39) 두우(杜宇) : 온 세상.

40) 무지르다 : 닥치는 대로 막 깎거나 잘라버리다. 말을 중간에서 끊다.

41) 고랑고랑 : 고랑마다. 줄줄이. *고랑 : 두둑한 땅과 땅 사이에 길고 좁게 들어간 오목한 곳.

절(首尾曲折)을 묻지 않고, 납향을 벤 칼을 요하(腰下)에 꽂고 있다가 분연이 빼어, 이교의 머리를 얼핏 베어 적혈이 임리한 것을 성씨의 낯에 던지며, 진목(瞋目) 질왈(叱曰),

"명천(明天)이 조림(照臨)하고 신명(神明)이 재방(在傍)커늘 차마 못할 불의악사(不義惡事)를 이토록 행하느뇨? 소계암이 태자소부(太子少傅)로 명초하시는 은명을 당하여 오래지 않아 올지라. 그대 남의 여자를 살(殺)하고 능히 목숨을 보전하랴?"

언필에 성씨의 친신(親信)한 시녀 수인을 머리를 베어, 다 성녀의 낯에 던지매, 방중에 적혈이 가득하고 성녀 만면 일신에 피 두루 묻고, 상앞에 세 머리가 구르매 그 흉참키를 어디에 비하리오. 성녀 대간대악이나 생래(生來)에 사람의 머리를 이같이 모아 놓기는 듣도 보도 못한 일이라. 면여토색(面如土色)하여 벙어리 같이 말을 못하니, 제녀가 막불전율(莫不戰慄)하여 떨기를 마지않아, 유사지심(有死之心)하고 무생지기(無生之氣)하여 아무런 줄을 모르는지라.

생이 제녀를 호령하여 대(大) 양부인 침전으로 보내어 왈,

"차인이 전 태수 소공의 여자니 존수(尊嫂)께 종제(從弟)라. 소생이 그 부모 잃은 정리(情理)를 참연(慘然)하여 부디 소공을 찾아 부녀 상봉케 하려 하였더니, 성녀 공연이 소씨를 참해(慘害)하여 불에 지져 죽이려 하니, 소생이 경해차악(驚駭嗟愕)함을 이기지 못하고, 수수(嫂嫂) 보시면 놀라실 바를 모르지 않되, 지친지정(至親之情)으로 구호하시는 도리 타인과 다르실지라. 고로 소씨를 존수기 보내나이다."

전어(傳語)하고, 또 밖에 시노 등을 명하여 춘교를 잡아 대하(臺下)에 꿀리매, 생이 마저 베고자 하되, 소씨 곡절을 물을 곳이 없어 베지 않고 엄히 저주려[42] 형위(刑威)를 베풀 새, 좌우로 차를 가져오라 하니, 성녀 심정 변하는 요약을 갖추 두어, 한갓 도봉잠[43]뿐 아니라, 현혼단

(眩昏丹)44) 익봉잠45) 유(類) 가득하여, 익봉잠은 사람이 먹으면 십년 감수(十年減壽)하고, 현혼단(眩昏丹)은 후설(喉舌)을 넘기매 어림장이46) 같아서 실성(失性)하는 고로, 성녀 빨리 몸을 움직여 장외의 가, 현혼(眩昏)·익봉잠을 아울러 차(茶)에 화(和)하여47), 암축(暗祝) 왈,

"정생이 미인 향한 정을 끊고 첩에게 은애 온전케 하소서."

하고 시녀로 생에게 올리니, 생이 그 사이 더딤을 대로하여, 시녀를 엄히 장책하랴 주의를 정하고, 목이 갈함으로 일기(一器) 차를 다 마시니, 문득 정신이 아득하고 기운이 현란(眩亂)하여 두골이 땅기는48) 듯하니, 능히 인사를 수습치 못하는지라. 일신만체(一身萬體)49)의 골절(骨折)이 녹는 듯하니, 능히 진정치 못하나, 오히려 요약이 장부(臟腑)에 편만(遍滿)치 못한 고로, 성녀 통해함이 없지 않아 이곳에 누울 뜻은 없는 고로, 급히 일어나 서당으로 가며 이르대,

"내 신기(身氣) 곤뇌(困惱)하여 나가니, 금야는 편히 쉬고 명조에 대인께 고하고 악인을 처치하리라."

설파에 밖으로 나가니, 성녀 바야흐로 놀란 것을 진정하고, 춘교로 하

---

42) 저주다 : 형문(刑問)하다. 신문(訊問)하다.
43) 도봉잠 : 사람의 마음을 변심시키는 약. 한국 고소설에서 악류들이 특정인의 마음을 변심시켜 자신들의 뜻대로 조종하기 위해 흔히 쓰는 소설적 도구.
44) 현혼단(眩昏丹) : 사람의 마음을 변심시키는 도봉잠류의 요약. 이 장면의 설명을 보면, 독성이 강하여 사람이 한 번 먹으면 실성(失性)하여 어림쟁이가 된다고 한다.
45) 익봉잠 : 사람의 마음을 변심시키는 도봉잠류의 요약. 이 장면의 설명을 보면, 독성이 강하여 사람이 한 번 먹으면 십년을 감수(減壽)한다고 한다.
46) 어림장이 : 어림쟁이. 일정한 주견이 없는 어리석은 사람을 낮잡아 이르는 말.
47) 화(和)하다 : 무엇을 타거나 섞다.
48) 땅기다 : 몹시 단단하고 팽팽하게 되다.
49) 일신만체(一身萬體) : 온 몸.

여금 전악기를 불러 삼 비자의 형체(形體)를 밖으로 내어 보내고, 각각 지아비와 부모를 금백을 주어 후장(厚葬)하라 하고, 춘교 등 제녀로 더불어 어지러운 것과 피를 다 서릊어50)라 하고, 스스로 심사(心思) 공구(恐懼)하여, 익봉잠과 현혼단을 태우를 먹였으니, 반드시 차사는 관계치 않을 듯하되, 의심스럽고 두려운 바는, 전혀 몰랐던 벽수정 미인이 소공(蘇公)의 여(女)로, 양평장의 생질(甥姪)이요, 양부인 종제(從弟)임이라. 양부인이 차사를 알았으니, 존당 구고께 저의 행악을 고하여, 모든 시비를 독형으로 형문(刑問)하면, 한갓 소씨의 원을 갚을 뿐 아니라, 반드시 소(小)양씨의 누명을 신설함을 꾀할 것이라 하여, 사사난려(事事亂慮) 백출(百出)하여 촌장(寸腸)을 사르더니, 명조에 또한 일어나지도 않아서 자중지란(自中之亂)이 되었더라.

이 때 태우 요약이 한 번 후설(喉舌)을 넘은 후, 천만 강인(强忍)하나 골체(骨體) 녹는 듯, 정혼(精魂)이 미란(迷亂)하여 채죽헌에 나아와 미처 의대도 끄르지 못하고 상요(床褥)에 몸을 던지매, 혼혼(昏昏) 아득하여 만신(萬神)51)이 사라져 진(眞)이며 몽(夢)임을 분간치 못하고, 혼혼(昏昏)하여 상요에 늘어져 있더라.

차시 선향정 시녀 춘난 등이 소소저를 데려 선향정에 이르니, 이 때 대양부인이 심사 불안하여 야심토록 취침치 않고, 가부(家夫)의 불모장려(不毛瘴癘)52)를 근심하고 아우의 홍안박명(紅顔薄命)을 아끼더니, 문득 선수정 시녀 이르러 태우의 명을 전하고, 시비를 부른다 하는지라.

---

50) 서릊다 : 거두어 치우다. 정리(整理)하다.
51) 만신(萬神) : 온 정신.
52) 불모장녀(不毛瘴癘) : 미개한 지방에서 생기는 유행병. *불모지(不毛地); 어떠한 사물이나 현상이 발달되어 있지 않은 곳. 또는 그런 상태를 비유적으로 이르는 말. *장려(瘴癘) : 기후가 덥고 습한 지방에서 생기는 유행성 열병이나 학질.

부인이 경아하여 이에 춘낭 등 삼녀를 보냈더니, 이윽고 삼 비자가 소년 여자의 반생반사(半生半死)한 것을 업어 들여오니, 부인이 경괴의아(驚怪疑訝)하여 그 연고(緣故)를 물으니, 제녀 이에 선수정 변고와 태우의 전어를 자세히 고하고, 이 여자 소소저 염난임을 고하니, 부인이 귀로 제녀의 전언을 듣고 눈으로 소씨의 일신 상처를 보매 경해차악(驚駭嗟愕) 하고, 분완통회(憤惋痛懷)하여 쌍안에 맑은 진주(珍珠) 자연 솟아나는지라.

소씨를 붙들어 자기 협실(夾室)에 들어와 새 금리(衾裏)53)를 포설하고 편히 뉘매, 삼다(蔘茶)에 회생단을 화(和)하여 구중(口中)에 떠 넣고, 약을 상처에 바르며 살피니, 소씨 일신(一身) 면부(面部)에 한 곳도 성한 곳이 없고, 한 덩이 육괴(肉塊) 되었으나, 안모(顔貌)에 성덕(聖德) 광휘(光輝) 어리어, 백태천염(百態千艶)이 갖추 기이하여, 한갓 소공의 수연쇄락(粹然灑落)함과 그 숙모 양부인 모습을 품수하였을 뿐 아니라, 비상(臂上)에 주필(朱筆)이 의심 없는 종제(從弟)라.

부인이 그 숙모 부부의 현심지덕(賢心之德)으로 다만 일녀를 끼쳐 강보(襁褓)에 실리(失離)하고 사생을 몰랐다가, 이제 기괴한 화란 가운데 천륜을 단원함이 있으니, 그 신세 험난(險難) 비고(悲苦)함이 이 같음을 참연(慘然) 자상(自喪)하여, 그 명(命)이 독수(毒手)에 상하여, 아관(牙關)54)이 경각에 진(盡)할 듯함을 보매, 행여 쇄옥낙화(碎玉落花)하는 탄이 있을까 초조함이, 아예55) 사생을 모름만 같지 못한지라.

종야(終夜) 구완56)하매 효신(曉晨)에 미쳐 바야흐로 숨을 내쉬고 눈

---

53) 금리(衾裏) : 이불 속.
54) 아관(牙關) : 입속 양쪽 구석의 윗잇몸과 아랫잇몸이 맞닿는 부분.
55) 아예 : 일시적이거나 부분적이 아니라 전적으로. 또는 순전하게.
56) 구완 : 구원(救援). 어려움이나 위험에 빠진 사람을 구하여 줌.

을 들어 좌우를 보고, 부인과 여러 시녀 가득함을 보매, 능히 자기 아무 곳에 있는 줄을 모르고, 원간 성녀의 독수에 마치게 되었던 바로, '어찌 이곳에 있어 사람의 구함이 되었는가?' 알지 못하고, 다만 자기 명도 사사에 궁박하여 생전에 부모를 모르고 남에게 매 맞아 죽음이 천대(泉臺)에 잊기 어려운 설움이라. 하염없이 옥루(玉淚) 방방하여 오열유체(嗚咽流涕)하니, 양부인이 그 회생함을 보고, 연망이 손을 잡고 추연 위로 왈,

"현제(賢弟)는 슬픔을 위로하라. 지난 액경은 도시 명도 궁박함이라. 허다 기괴화란(奇怪禍亂) 가운데 천륜이 단원하리니, 인간낙사(人間樂事) 이 밖에 없을지라. 지난 액회는 일컬어 무엇 하리오. 나는 곳 현제의 이종표형(姨從表兄)[57] 양씨니, 양평장의 딸이요, 평북공 부인이라. 숙모 현제를 생하신 수월이 못하여 귀천(歸天)하시고, 소 숙부 즉시 전당 영윤(令尹)을 삼으시니, 현제를 천리(千里) 해도(海島)의 데리고 가실 길이 없어, 비복 등을 맡겨 부친 관사(官舍) 항주(杭州)[58]로 보내시니, 비복 등이 항주로 가다가 적환을 만나 실리(失離)하다 하니, 거의 십여 년 춘추(春秋)라. 반드시 적환(賊患)에 죽음으로 알고, 살아 있을 것은 만무(萬無)하니, 우저(愚姐) 등이 매양 모이면 숙부모의 성심숙덕(聖心淑德)으로 일녀를 보전치 못하심을 주야통석(晝夜痛惜)하더니, 천우신조(天佑神助)하여 이제 무사히 생존함을 보니 어찌 영행치 않으리오. 이 벅벅이 숙모의 재천지령(在天之靈)이 도우심이거니와, 다만 삼숙숙의 소년 호신(豪身)에 걸림이 되어, 성씨의 암특(暗慝)한 수단에 옥부방신(玉膚芳身)이 저같이 중상하여, 신체발부(身體髮膚)를 훼상(毀

---

57) 이종표형(姨從表兄) : 이종사촌 형.
58) 항주(杭州) : 중국 절강성(浙江省) 북부에 있는 도시.

傷)하였으니 어찌 경악치 않으리오마는, 이는 다 현제의 시명(時命)이 부조(不調)함이라. 괴란(怪亂) 가운데 천륜(天倫)이 단회(團會)59)함을 경사로 알고 어지러운 타렴(他念)을 두지 말라."

소씨 청파의 일희일비(一喜一悲)하고 반신반의(半信半疑)하여 양구(良久) 후에, 능히 병체(病體)를 움직이지 못하여, 다만 옥수로 부인 무릎을 붙들고 일성애호(一聲哀呼)에 체읍행류(涕泣行流)하니, 누수(淚水) 산산(潸潸)하여60) 홍험(紅臉)61)에 연락하고, 옥성이 경열(哽咽)62)하여 왈,

"죄제(罪弟) 염난이 죄악이 심중(深重)하여 강보지초(襁褓之初)에 자정을 여의옵고, 또 엄친을 실리(失離)하여 생세 십여 년에 부훈모교(父訓母敎)와 부은자혜(父恩慈惠)를 받잡지 못하고 천루(賤陋)히 장성(長成)하오니, 오히려 유미(幼微)할 적은 세사를 알지 못하였거니와, 자라매 미처 고금(古今)을 잠깐 헤아리건대, 비금주수(飛禽走獸)라도 어미를 아는 데, 염난은 홀로 어버이를 모르는 죄인이라. 숙야(夙夜) 창천에 축수(祝手)63)하여 살아서 귀천간(貴賤間) 소생(所生)한 터를 안다면, 석사(夕死)라도 무한(無恨)64)일까 하더니, 의외에 탕자의 욕을 보나 오히려 잔천(殘喘)이 지금 투생(偸生)함은, 아무쪼록 천륜을 단원(團圓)할까 희망하더니, 작야에 간인에게 잡혀가 허다 참욕과 참측(慘-)65)한 형벌로 부모유체를 이같이 훼상하니, 악정자춘(樂正子春)66)

---

59) 단회(團會) : 원만하게 모임.
60) 산산(潸潸)하다 : 눈물 빗물 따위가 줄줄 흐르다.
61) 홍험(紅臉) : 붉은 뺨. *험은 '검(臉; 뺨 검)'의 변음(變音).
62) 경열(哽咽) : 목이 멤.
63) 축수(祝手) : 두 손바닥을 마주 대고 빎.
64) 석사(夕死) 무한(無恨) : 저녁에 죽어도 한이 없음.
65) 참측(慘-) : 비참하고 추악함.

의 죄인이라. 다만 빨리 죽어 참분(慙憤)함을 모르고자 하더니, 저저(姐姐) 어찌 아시고 소제의 잔명을 구하시니까? 저저의 현심성덕이 소제를 살리고자 하시나, 지난 역경(逆境)과 참욕(慘辱)을 생각한즉, 심담(心膽)이 붕렬(崩裂)한지라. 어찌 살 뜻이 있으며, 대인(對人)할 면목이 있으리까? 잔명(殘命)이 완악(頑惡)함을 슬퍼할 따름이로소이다."

설파에 오열비읍(嗚咽悲泣)함을 마지않으니, 좌우 시녀 추연 감창(感愴)치 않는 이 없더라.

양부인이 참연(慘然) 애석(哀惜)하여 재삼 위로하고, 태우의 전어로 좇아 들은 바를 다 이르되,

"소씨 비로소 성녀 노주가 자기를 혹형할 적, 태우 친견하고 구하여 대양부인 침소로 보냄을 깨달으니, 자기의 괴이한 경상과 살을 다 들어내어, 태우가 본 줄을 더욱 부끄러워하고 슬퍼하며, 태우 이교 등을 베어 피 흐르는 머리를 성녀 앞에 들이쳤더라. 말을 들으매, 연약한 마음에 흉참히 여기더라.

양부인 유랑 시비 등이 부인을 권하여, 차사를 존당에 고하여 악사 발각함을 고하니, 부인이 탄 왈,

"불가하다. 악인이 '고삐 길면 자연 밟히는 탄'이 일어나 스스로 정적(情迹)이 패루(敗漏)하여 변(變)이 날 것이니, 내 어찌 간인을 겨뤄 시비중(是非中)에 처하리오. 성씨 비록 악착하나 도리어 저의 몸에 대화(大禍) 머지않을 듯하고, 소씨 일시 액회 비상함이나 상천(上天)이 소소(昭昭)하여 반드시 현인을 보응하리니, 오제(吾弟) 어찌 풍운의 길시

---

66) 악정자춘(樂正子春) : 중국 노나라의 효자. 성(姓)은 악정(樂正), 이름은 자춘(子春). 증자(曾子)의 제자. 마루를 내려오다 발을 다치자, 부모로부터 온전하게 받은 몸을 순간의 방심으로 상하게 하여 효(孝)를 잃은 것을 반성하며, 여러 달 동안을 문밖을 나오지 않고 근신(謹愼)하였다. 『소학』〈계고(稽古)〉편에 나온다.

를 만나지 못할까 근심하며, 간인이 매양 무사하리오. 여등은 수구여병
(守口如甁)67)하라. 간정(奸情)이 발각함이 벅벅이 오래지 않으리라."

제녀 부인의 명달한 의논을 들으매, 석연(釋然)68) 돈오(頓悟)하여
배사수명(拜謝受命) 하더라.

성녀의 악사 어느 때에 발각하며, 태우 작야의 흉사를 몸소 저질러 백
옥무하(白玉無瑕)한 숙완현처(淑婉賢妻)를 박살하고, 비록 가살지죄(可
殺之罪)나 또한 인명(人命)이거늘, 납향·이교 등 사녀(四女)를 베었으
니, 어찌 군자의 행실이리오. 날이 밝으매 존당 부모 듣고 어찌 처치한
고? 차하(此下)를 분석하라.

양소저 성덕자질(聖德資質)과 색모재예(色貌才藝)로 참참한 누명을
무릅써 복아(腹兒)를 분산치 못하고, 삼오청춘(三五靑春)에 가부의 박
정무식(薄情無識)함이 오기(吳起)69)에 더한 거조로, 심야에 성녀현처
를 참살하니 어찌 차마 사람의 할 바이리오. 하늘이 현인의 애매함을 살
피시어 어느 비자가 구하여 낸고?

선시에 월앵이 양소저의 위란한 신세를 근심하여, 주야 절민한 염려
일시도 방하치 못하나, 태우를 두려 변복하고 취운산에 왕래하여 소저
의 소식을 듣보더니, 하루는 대양부인 유모(乳母)의 곳에서 야반(夜半)
을 당하여 잠을 드니, 몽중(夢中)에 소저를 본즉, 태우 소저를 구박하여

---

67) 수구여병(守口如甁) : '입을 병마개 막듯이 꼭 막는다'는 뜻으로, 비밀을 잘 지
　　켜서 남이 알지 못하도록 함을 이르는 말.
68) 석연(釋然) : 의혹이나 꺼림칙한 마음이 없이 환하다.
69) 오기(吳起) : 중국 전국시대(戰國時代)의 병법가(B.C.440~B.C.381). '오기살처
　　(吳起殺妻)'의 고사로 유명하다.

동여 연정에 들이치니, 문득 흉용한 물결을 인하여 소저의 몸이 하염없이 취운산 앞 냇물에 흘러 나왔는지라. 월앵이 소저의 시신을 붙들고 통곡하다가 경각(驚覺)하니, 정신이 황홀하고 슬픈 회포 무궁한지라.

일어나 앉아 생각하되,

"나의 몽사 불길하니, 아무려나 시내 가에 가 볼 것이라."

하고, 화심(火心)을 크게 하여 잡고 시내에 이르니, 홀연 연정으로 좇아 살 쏘듯 흘러오는 것이 있거늘, 자세히 보매 한 잎 채화석(彩畵席)에 무엇을 동인 것이 있는지라. 앵이 빨리 들어가 채석 동인 것을 이끌어 평지에 올리려 한즉, 무거움이 태산 같되, 겨우 움직여 평지의 올리매, 가쁜 숨을 진정하여 동여맨 것을 풀어보니 분명한 소저라. 몽사의 맞음을 깨달아 슬프고 분함을 이기지 못하여, 머리를 땅에 마구 찧으며 실성통곡하더니, 홀연 횃불이 비추며 허다 하리추종이 전차후옹(前遮後擁)[70]하여 나아오다가 차경을 보고, 거상(車上)의 낙양후가 하리(下吏)를 명하여, 그 우는 사람이 붙들고 있는 것이 어떤 주검인가 알아 오라 하니, 원래 낙양후 중문 밖 옥룡산 구평장 부중에 가 담화하다가, 야심하매 돌아오는 길이라.

월앵이 하리 물음을 듣고 낙양후의 위의를 보니, 일변 반갑고 기쁨이 넘쳐 급히 수레 앞에 나아가 소저의 시신임을 자세히 고하고, 실성통읍(失性慟泣)함을 마지않으니, 낙양후 청파에 경해차악(驚駭嗟愕)함을 마지않아, 즉시 수레에서 내려 앵으로 하여금 횃불을 잡으라 하고, 하리를 물리치고 친히 나아가 양씨의 시신을 살펴보니, 매끼[71] 동이기를 흉히 하여, 깁으로 입을 트러막아, 기운을 통치 못하고 숨을 내쉬지 못하여

---

70) 전차후옹(前遮後擁) : 여러 사람이 앞뒤에서 에워싸고 보호하여 나아감.
71) 매끼 : 곡식 섬이나 곡식 단 따위를 묶을 때 쓰는 새끼나 끈.

엄홀(奄忽)한 거동이요, 아주 죽든 아니하였는지라. 낙양후 그 입에 틀어막은 것을 빼고, 하리를 명하여 부중에 가 양낭 십여 인으로 하여금 편한 상(床)을 가져오라 하니, 수유(須臾)에 앞에 이르니, 낙양후 앵으로 하여금 소저의 시신을 붙들어 상에 올려 시녀로 하여금 조심하여 부중으로 모시라 하니, 진부 시녀 등이 월앵의 변복하였음을 괴이히 여기고, 양 소저의 시신을 보매 놀라 일시에 바삐 모셔 진부에 이르니, 낙양후 양씨를 상에 뉘인 채 두고 주부인 침소에 들어오니, 부인이 오히려 취침치 않았다가 의상을 수렴하여 공을 맞을 새, 낙양후 양씨의 액화(厄禍)를 바삐 전하고, 친히 상을 붙들어 더운 방에 뉘고 새도록 구호할 새, 주부인의 남달리 어진 마음으로써, 양씨의 참참(慘慘)한 경상을 보매 눈물이 하수(河水) 같아서, 그 손을 잡고 머리를 어루만져 탄 왈,

"이 같은 용화기질(容華氣質)로 가부의 뜻을 얻지 못하여, 참참한 곡경과 망측한 누얼을 온가지로 당하여, 하마 수중(水中) 귀신이 될 번 하니 어찌 원통치 않으리오."

낙양후 탄 왈,

"양씨의 익수지환(溺水之患)을 짐작건대 세흥의 광사(狂事)라. 명일은 정부 소식을 들으려니와, 윤보의 숙연한 훈자(訓子) 가운데 세흥 같은 패자(悖子)가 있음은 심상치 않은 일이라. 윤보의 예(禮) 중키로써 세흥을 안전에 용납지 말고자 하던 것이니, 저는 설상가상(雪上加霜)하는 죄를 지어 현처를 물에 밀어 넣으니, 윤보가 알면, 어찌 세흥을 살려두려 하리오."

주부인이 길이 탄식하고 날이 밝도록 약물을 드리워 구호하매, 소저 점점 생기 있어 얼음 같은 수족에 온기 일어나고, 숨소리 평상 하더니, 이윽고 눈을 떠 좌우를 보다가, 낙양후와 주부인이 자기 곁에서 구호함을 보고, 가장 황공 불안 한 사색이 있으니, 진후 부부 함께 가로되,

"현질부(賢姪婦)의 요조현숙(窈窕賢淑)함은 우리 밝히 아는 바라. 세홍의 광망무식(狂妄無識)함이 현질(賢姪)을 알지 못하고, 요처(妖妻)에 고혹(蠱惑)하여 인사불성이 되었거니와, 그대 숙자인혜(淑姿仁惠)함으로 하늘이 살핌이 계실진대, 허무한 누얼을 자연 풍우같이 벗을지라. 일시 액경을 슬퍼 말고 심사를 널리 하여, 분산에 해로움이 없게 하라."

인하여 익수한 곡절을 물으니, 양씨 능히 대할 바를 알지 못하여, 옥면이 취홍(醉紅)하여 성안(星眼)이 가늘어지며 오래 말을 못하다가, 날호여 대왈,

"불초 소첩이 백행이 무일가취(無一可取)라. 자연 사람이 그릇 여기고 액경이 층첩(層疊)하여 망극한 누얼을 무릅쓰옵고, 다시 익수지환(溺水之患)을 당하오니, 도시 소첩의 명도(命途)라 누구를 원하리까?"

낙양후 부부 양씨 자기를 물에 밀치던 자를 자세히 이르지 않음을 보매, 반드시 태우임을 알아 구태여 다시 묻지 않고, 오직 구호함을 지성으로 하니, 월앵이 비로소 의복을 고치고 곁에서 구호하니, 소제 앵을 보매 반가움이 극하나 존전(尊前)이라 말을 못하고, 자기 몸이 살아 진부에 있음을 괴이히 여기되, 곡절을 묻지 아니하더라.

차시 정부에서 태부인이 아침마다 양씨의 야래(夜來) 안부를 묻는지라. 시녀를 선삼정에 보내어 야간 안부를 알아오라 하니, 시녀 돌아와 고하되,

"소저는 아무리 찾아도 가신 곳을 알지 못하고, 숙직하던 시녀 양낭배는 장 밑에서 잠이 깊어, 크게 소리하여 부르되 움직이지 아니하더이다."

태부인이 대경차악하여 진부인을 돌아보아 왈,

"이 어찌된 말이며 무슨 변이뇨? 현부 친히 선삼정에 가보고 오라."

진부인이 또한 차언을 들으매 놀라고 심신이 차악(嗟愕)하여 바삐 선

삼정에 이른즉, 모든 시녀 다 쓰러져 아무런 상(狀)이 없이 누었고, 양씨는 그림자도 없는지라. 진부인이 일시에 시녀 등을 헤쳐 소저를 찾아보라 하고, 바삐 대양씨를 부르니, 대양씨 바야흐로 소씨를 구호하며, 일변 사람을 본부에 보내어 소저의 살아있는 연고를 고하고, 부친의 오시기를 기다리더니, 존고의 부르시는 명을 듣잡고 아픈 것을 강인하고, 의복을 수렴하여 선삼정에 이르니, 진부인이 소양씨의 없음을 이르고 차탄 왈,

"내 침소에 소부를 둘 것이로되, 태란이 사태(死胎)함을 인하여 심중에 의혹하여 주저할 차, 화부인이 이에 와 구호하겠노라 하시매 소부를 먼저 침소로 옮겼더니, 일야지내(一夜之內)에 간 곳이 없으니, 이는 반드시 패자(悖子)가 들어와 소부를 참혹히 해하여 없이 함이라. 소부 만상변고(萬狀變故)를 경력(經歷)하여도, 그 몸이 보전하였을진대 무슨 근심이 있으리오마는, 세흥의 궁극함이 현부를 해함이 아니 미친 곳이 없으니, 내 차마 이 말을 상공께 인들 전하리오."

대양씨 존고의 말씀을 듣자오며 아우의 간 곳이 없음을 보매, 자기 화액을 겪을 적도곤 더 놀랍고 차악하니, 무슨 말이 나리오. 옥면화협(玉面花頰)에 쌍루(雙淚) 종횡하여 왈,

"망측한 누얼을 무릅쓰매 죽음이 반듯하고 삶이 어렵거늘, 존당 구고의 양춘혜택이 미(微)한 몸에 젖어, 지금까지 보전함을 얻었사옵더니, 일야지간(一夜之間)에 그 거처 없음이 심상치 않은 변괴라. 제 본디 불타 죽는 고집[72]을 효칙(效則)할 뜻이 있으니, 심야에 무단이 하당할 리

---

[72] 불 타 죽는 고집 : 중국 춘추시대 노(魯)나라 백희(伯姬)의 고집을 말함. 백희는 송나라 恭公(공공)에게 시집갔다가 10년 만에 홀로 됐는데, 궁궐에 불이 났을 때 관리가 피하라고 했으나 부인은 한밤에 보모 없이 집을 나설 수 없다고 고집해서 결국 불속에서 타 죽었다. 『열녀전(烈女傳)』〈정순전(貞順傳)〉'송공백희

없을지라. 벅벅이 사화(死禍)를 당하였으리니, 어찌 참통치 않으리까?”

진부인이 장외에 쓰러져 있는 시비를 다 일으켜 앉히나, 제 시녀 다넛을 잃은 이 같아서 비록 잠을 깨어 눈을 뜨나, 머리를 바로 갖지 못하는 거동이, 필연 무슨 병을 얻은 모양이라.

진부인이 참악(慘愕)함을 이기지 못하여, 좌우로 의열을 불러, 소양씨의 없음을 이르고 시녀 등의 괴이한 거동을 이르니, 의열이 양씨의 액회(厄會) 비상하여 만상변고를 갖추 당함을 참연하여, 마침내 누얼 중 죽지 않을 줄 헤아려 존고의 경참한 심사를 위로하고, 청명정대(淸明正大)하는 약을 가져 제 시녀의 입에 부으매, 이윽고 소양씨의 시녀와 진부인의 명으로 소양씨를 지키던 양낭(養娘)73)의 입으로 좇아, 한없는 독한 물을 흘리고, 저마다 하설(下泄)74)이 급하여 측간(厠間)으로 가는지라. 진부인 고식(姑媳)이 양낭 등이 독약 먹었던 줄 깨달아 일마다 경참하여 하더라.

진부인이 양식부더러 왈,

“세흥이 광패(狂悖)할지언정 공교롭고 요사치는 않은지라. 시녀 등을 위엄으로 구속할 법은 있거니와, 요약을 먹여 정신을 흐리올 리는 없으니, 그 가운데 별단 묘맥(妙脈)이 있을진대, 양소부 또한 사화(死禍)를 당하였도다. 대양씨 또한 소씨의 화액을 고하여 가로되,

“망숙모 소태수의 일녀를 여차여차 도중에서 적환(賊患)에 죽은가 하였더니, 기특히 일명을 보전하여 마 유인(孺人)75)의 얻어 기른바 되었더니, 마 유인이 죽으매 설 유랑이 거년에 벽수정에 두었으되 그 있음을

(宋恭伯姬)’ 조(條)에 기사가 보인다.

73) 양낭(養娘) : 여자 종. 주로 혼인한 여종을 일컫는다.

74) 하설(下泄) : 설사(泄瀉)를 함.

75) 유인(孺人) : 조선 시대에, 구품 문무관의 아내에게 주던 외명부(外命婦)의 품계.

아득히 몰랐더니, 삼숙숙이 여차여차 전어하시고, 종제를 첩의 곳의 보내어 계시나, 성씨의 참혹히 해함을 받아 두발(頭髮)을 무지르고, 일신을 화철(火鐵)로 지저 차마 보지 못하게 되었으니, 성씨 그 적인을 해함은 괴이치 않거니와, 소씨조차 죽이고자 하니 그 흉심이 어찌 놀랍지 않으리까?"

진부인이 들으매 말마다 차악경해 하여 왈,

"성씨의 작악이 이지경에 미치매, 한갓 그 악악(惡惡)한 것을 책망할 것이 아니라, 세흥의 제가(諸家) 잘 못함이니, 내 자식을 못 낳으매 남의 자식을 책망함이 불가하나, 이 일은 아마도 묻어두지 못하리니, 상공께 차사를 고하고 세흥과 성녀를 처치하리라."

언파에 태원전에 이르러 차사를 고하니, 태부인이 차악하여 누수 종횡하여 왈,

"우리는 그 분산(分産)을 염려하여 선삼정으로 옮길 뜻을 두나, 아자(兒子)는 세흥을 의심하여 양소부를 아무 데도 옮기지 못하게 하는 것을, 우리 아자더러 이르지도 않고 제 방으로 보냈다가 이 화(禍)를 보니, 이 참통한 비원을 어찌 참으리요."

진부인이 심회 경악하되, 태부인 슬퍼하심을 절민하여 사색을 화히 하고 위로 왈,

"전자에 윤·양 등 삼부를 다 실리하되, 오히려 그 위인과 상모를 믿어 심회를 관억하시더니, 저의 팔자 각각 길하고 복록이 완전한 고로 삼부 다 참화의 보전함이 있으니, 소양씨따려[76] 죽음을 피치 못하지 않으리니, 원컨대 존고는 물우(勿憂) 소려(掃慮) 하시고 저의 액회(厄會) 진하여 즐거이 돌아옴을 기다리소서."

---

76) -따려 : -라도. 다른 경우들과 마찬가지임을 나타내는 보조사.

태부인이 체읍(涕泣) 타루(墮淚) 왈,

"사람마다 윤·양·경 등의 복은 쉽지 못하고, 세흥이 양씨를 죽이고자 발분망식(發憤忘食)하기의 미쳤다가, 근일에 홀연이 뉘우치는 체하니 더욱 흉괴한 의사(意思)이런가 하노라."

정언간(停言間)에 진부로 좇아 시녀 주부인의 소찰을 드리거늘, 진부인이 받아 보니 문득 희보(喜報)라. 만분(萬分)[77] 영행(榮幸) 하여 태부인께 뵈옵고 제부를 다 알게 하나, 아직 잠잠하여 모르는 체함을 이르니, 제부 수명하고 태부인이 흐르는 안수(眼水)를 거두지 못하여서, 기쁜 심사를 이기지 못하나 각별 희색이 없고, 진부인이 주부인께 답간을 닦아 아직 소양씨를 그 곳에 머물러 극진구호 함을 청할 뿐이러라.

차일 성씨는 심회 황황(遑遑)하여 신성(晨省)에도 불참하고, 금평후는 필흥을 데리고 들어와 신성하나, 작야에 태우의 광거(狂擧)를 알지 못하는 고로, 각별 소양씨와 태우를 들놓아 언두(言頭)에 올리지 않는지라. 진부인이 소양씨의 액화를 전치 않음은 태우의 거동을 채 보려 함이러니, 날이 늦어 조반이 되도록 태우의 들어오는 일이 없으니, 태부인이 필흥더러 왈,

"유흥은 입번(入番)하였거니와, 세흥은 어찌 지금 들어오지 않으냐?"

필흥이 대왈,

"소손은 야야께 시침하고 모셔 들어온 고로 지금 삼형을 보지 못하였나이다."

태부인이 다시 이르되,

"네 이제 나가 세흥을 불러 오라."

---

77) 만분(萬分) : '십분(十分)'을 과장하여 이르는 말. 늑백분(百分). *십분(十分); 아주 충분히.

공자 수명하여 삼형을 찾을 새, 서당에 없으므로 채죽헌에 이르매 태우 익봉잠·현혼단을 아울러 먹어, 기운이 흐리고 정신이 현란(眩亂)할 뿐 아니라, 일신골절(一身骨節)이 아니 아픈 곳이 없으니, 가뜩 수패(瘦敗)하였던 면모 더욱 초초하여, 일야지내에 형각(形殼)만 걸려, 어린 듯이 베개에 쓰러져 통성(痛聲)이 의의(依依)하니78), 공자 경악하여 형의 손을 잡고 문 왈,

"형장이 근간 질환이 잦으시고 신관79)이 쇠약하여 계시던 것이거니와, 일야지내(一夜之內)에 무슨 별증(別症)으로 이다지도 하시니까?"

태우 사지백해(四肢百骸)가 아니 아픈 데가 없음을 이르고, 안광이 더욱 정기를 잃어 거동이 위태롭기에 이르렀으니, 공자 염려하나 조모의 기다리심을 생각하여 형더러 왈,

"왕모 형장을 불러 오라 하시기 왔더니, 형장이 이렇듯 하시니 소제 들어 가 이 소유(所由)를 고하고 의약을 다스리리이다."

태우 혼혼불성(昏昏不醒)하여 능히 대답지 못하는지라. 공자 우황(憂惶)하여 형의 몸을 붙들어 편히 뉘고, 서동을 명하여 곁을 떠나지 말라 하고, 즉시 들어와 삼형의 증세(症勢) 비경(非輕)함을 고하니, 금평후 정색 왈,

"세흥이 병이 있을진대 너희 구호할 뿐이라. 대수롭지 않은 질양으로써 놀라시게 하고 자위를 혼동하느뇨?"

태부인이 태우의 행사를 무상이 여기나, 그 병이 비경타 함으로 필흥을 당부하여 의치(醫治)나 착실히 함을 이르고, 양씨의 액화를 전치 않으니 공이 아득히 모르더라.

---

78) 의의(依依)하다 : 부드럽고 약하다.
79) 신관 : '얼굴'의 높임말.

날이 늦으매 양평장이 밖에 왔음을 통하니, 금후 외루에 나와 빈주 예필에 평후 먼저 말씀을 펴 가로되,

"소제 형을 오래 보지 못하니 비린지맹(鄙吝之盲)[80]을 이기지 못하되, 천흥이 출정하고 인흥이 선산으로 내려가매, 편친의 슬하(膝下) 적막하시니, 일시를 여가(餘暇)치 못하여 귀부에 가지 못하였거니와, 형은 어찌 소제를 찾지 않으시더뇨?"

양공이 답 왈,

"소제 근간 질양(疾恙)이 잦은 고로 오래 형을 상견치 못하니, 울울함을 이기지 못할 뿐 아니라, 창백의 출정하던 날 예백을 보니 그 얼굴이 환탈(換奪)하여 형용만 남았으니, 놀라운 심사를 방하(放下)치 못하여 금일 서랑을 보고자 별러 왔더니, 예백이 어데 있느뇨?"

금후 탄 왈,

"형은 돈아로써 그 마음이 온전한가 여기거니와, 세아 상성실혼(喪性失魂)한 지 오랜지라, 자연 그 마음의 병이 깊이 든 연고라. 혹자 장수하면 죽기를 면할 것이요, 불연즉 이팔청춘(二八靑春)에 느꺼이 세상을 마칠 것이니, 제 인물을 생각하면 이제 죽으나 아깝지 않되, 위로 편친의 상도(傷悼)하심과 아래로 소부의 참담한 정사를 생각하면, 소제 또한 부자지정(父子之情)이라. 사망지화 없음을 바라되, 그 거동이 아마도 죽기가 쉬우니 세흥 같은 자식은 아예 없음만 같지 못하여, 소제의 심화를 도울 뿐이로다."

양공이 태우의 병이 깊음을 염려하나, 정공의 말을 과도히 여겨, 웃고 왈,

"예백이 본디 단정수행(端整修行)한 선비는 못되나, 풍류영걸(風流英

---

80) 비린지맹(鄙吝之盲) : 서로 보는 것을 인색하게 하기를 소경처럼 하였다는 뜻으로, 오랫동안 서로 보지 못한 아쉬움을 표현한 말.

傑)로 기상이 당당하고 위인이 상쾌하여, 창백의 뒤를 따를 바니, 실성
외입(失性外入)이 그 일시 액회를 때움이요[81], 구태여 사생에 가지는
않을 바니, 형이 어찌 천륜자애(天倫慈愛)로써 이런 말을 하느뇨?"

정공이 답 왈,

"사생이 천명이니 인력으로 미칠 바 아니라. 세간에 독자를 죽여 상명
지통(喪明之痛)[82]을 당하는 이도 살거든, 단명하여 죽은들 현마[83] 어
찌 하리오."

양공이 장녀의 서간으로써 생질녀의 참화를 듣고 이에 왔으나, 구태
여 정공더러 사색치 않음은, 아직 세밀한 사기를 알지 못하였으므로 소
씨에 대한 말을 않고, 필흥을 돌아보아 태우의 통처(痛處)를 묻고, 정공
과 이윽히 담화하다가, 날호여 채죽헌에 이르러 태우를 볼 새, 태우 상
석에 몸을 버려 양공의 들어옴을 보되 몸을 움직이지 못하며, 통성이 의
의(依依)하여[84] 병세 비경하니, 양공이 놀라움을 이기지 못하여, 그 손
을 잡아 맥후를 살펴 머리를 짚어 가로되,

"너의 기운이 남달라 좀 병에 흔들리지 않더니, 근간 형용이 수패하여 염
려 있더니, 금일 보니 증세 경치 않은지라, 어찌 치약(治藥)치 않았느뇨?"

태우 정신이 흐리고 인사 아무런 상(狀)이 없어, 양공의 소리를 듣고
자기 병을 이같이 염려함을 보고, 작야에 그 딸을 물에 넣어 죽임이 오
히려 참수(慙羞)한지라. 머리를 베개에 던져 양구무언(良久無言)이라

---

81) 때우다 : 큰 액운을 작은 괴로움으로 면하다.
82) 상명지통(喪明之痛) : 눈이 멀 정도로 슬프다는 뜻으로, 아들이 죽은 슬픔을 비
    유적으로 이르는 말. 옛날 중국의 자하(子夏)가 아들을 잃고 슬피 운 끝에 눈이
    멀었다는 데서 유래한다.
83) 현마 : 설마, 차마.
84) 의의(依依)하다 : 어렴풋하다. 부드럽고 약하다.

가, 날호여 대왈,

"소생의 질양(疾恙)이 이렇듯 비경(非輕)하와 살기를 바라지 못하니, 존당의 우려를 무궁히 끼치나이다."

양공이 크게 염려하여 서동으로 하여금 정공을 청하여 왈,

"소제 이에 와 영랑(令郞)의 질양을 살피니 병세 비경한지라. 형이 본디 의술이 고명하거늘 어찌 한 첩 약을 써보지 아니하느뇨? 청컨대 잠깐 와 영랑의 병을 보고 약을 바삐 쓰게 하라."

금평후 마지못하여 채죽헌으로 나아가더라.

하회 어떠한고? 그 끝을 분석(分析)하라.

명주보월빙 권지팔십이

화설 정공이 양공의 전어를 듣고 마지못하여 채죽헌에 이르니, 태우 혼미한 가운데 부친의 오신 줄 듣고 겨우 움직여 상하에 내리나, 앉을 길이 없어 머리를 베개에 박고 죽은 듯이 엎디었는지라. 정공이 들어와 차경(此景)을 보고 미우(眉宇) 수집(愁集)함을 이기지 못하여, 그 손을 잡아 진맥하매 심지허약 함이 썩은 나무 같은지라. 다시 독약이 복장(腹臟)에 어리어 심폐(心肺)[85] 심히 병들었는지라. 그 상시 기운이 장건(壯健)하던 바로써, 오히려 광언망설(狂言妄說)을 아니하니 다행하나, 범범한 인물로 이를진대 벌써 광분질주(狂奔疾走)하였을 듯하니, 금후 묵연히 말을 안 하나 경해(驚駭)함이 무궁하여, 필연을 나와 약명을 써 필흥을 주어 왈,

"이 약을 지어 여형을 먹이려니와, 벌써 심폐(心肺) 상키를 많이 하였으니, 병근(病根)을 아직 없이 할 길이 없으리로다."

공자 약명을 받자와 군관을 주어 약을 지으라 하고, 형의 곁에 있어 구호함을 지성으로 할 따름이라. 양공이 평후더러 왈,

"이제 창백이 나가고 형이 친히 예백의 병을 살펴 구호치 않으면, 회

---

85) 심폐(心肺) : 심장과 폐를 아울러 이르는 말.

소지경(回蘇之境)을 보기 어려우니, 청컨대 형은 예백의 일시 광망함을 유심(有心) 치부(置簿)치 말고, 부자천륜지정(父子天倫之情)으로써 그 위질(危疾)을 등한이 알지 말라."

정공이 미우를 찡겨 왈,

"욕자(辱子) 무상하여 제 몸을 병들게 하니 뉘 탓을 삼으리오. 소제 실로 형의 이름 곳 아니면 제 병을 보고자 뜻이 없는지라. 천륜의 정이 세아에게 다다라는 그쳐짐이 아니라, 제 인물을 헤아리면 죽어도 아깝지 아니하니 형은 괴이히 여기지 말라."

언파(言罷)에 양공을 권하여 식부(息婦)를 보라하고 즉시 나가니, 양공이 태우의 병을 우려하여 쉬이 차성(差成)함을 당부하고, 날호여 필흥으로 더불어 선매정에 들어오니 대양씨 하당영지(下堂迎之)하니, 필공자는 형의 병을 일컬어 즉시 나가매, 양공이 여아의 손을 잡고 방중에 들어가, 바삐 문 왈,

"금조의 네 서간을 보니, 생질녀(甥姪女)가 살았다 하니 영행한지라. 내 평생 참통비절(慘痛悲絶)하는 바더니, 천지신명이 우리 매저(妹姐)의 심덕과 소형의 청행(淸行)을 살피시어, 염난이 삶이 있으니 내 자식을 잃었다가 찾음이라도 이의 더하지 못하리로다."

소제 이에 침병(枕屛)을 밀고 장(帳)을 들고 염난 소저의 얼굴로써 야야 보시게 하고 왈,

"종제 벽수정에 있으되 소녀 아득히 알지 못하였다가, 작야에 태우 여차여차 전하고 종제를 보내매, 비로소 숙모의 일녀인 줄 깨달아, 소숙의 친필로 비상(臂上)에 쓰신 것을 보고, 창감(愴感)한 심회를 이기지 못하는 가운데, 그 상처가 이렇듯 참참(慘慘)하니 능히 보지 못하리로소이다."

양공이 눈을 들어 질녀를 보매 의형미목(儀形眉目)이 매저와 방불(彷佛)한 곳이 많으나, 그 운발(雲髮)이 하나도 없고, 면모(面貌) 두루 상

하여 능히 일신을 움직이지 못하고, 한갓 슬퍼하는 눈물이 방방하여 옥면화시(玉面花顋)를 적시는지라. 공이 한 번 보매 참연비상(慘然悲傷)함을 이기지 못하여, 그 옥수를 잡고 팔을 어루만져 타루(墮淚) 왈,

"만사 명야니 슬퍼함이 무익하거니와, 너의 팔자(八字)[86] 이다지도 궁극할 줄은 실로 의외(意外)라. 금일 숙질이 상견할 줄 알리오."

인하여 지난 바를 이르며 소공의 상경함이 머지않음을 전하여, 숙질의 무궁한 정이 부녀에 감치 아니하더라.

소씨 상처가 자못 대단하니 양공이 성씨의 용심을 통완분해(痛惋憤駭)함이 비길 곳이 없으나, 남의 집 부녀를 질욕치 못하고 흔극(釁隙)[87]을 일컫지 못하여, 차녀(次女)를 찾으니, 부인이 작야 변고를 고하매, 아무의 한 바인 줄 모르되 익수지환(溺水之患)을 만나 사경(死境)을 지냈으나, 시방 진부의 있으되 태우의 병이 비경(非輕)하고 존구 알지 못하시는 일이니, 부질없이 아는 체 마심을 청한데, 양공이 이 말로 좇아 태우의 광패실성(狂悖失性)이 극진하여 차녀를 물에 밀친 바를 거의 짐작하나, 화홍관대(和弘寬大)한 장부라. 여아가 광부(狂夫)의 해함을 받아 아주 죽었으면 통도참상(痛悼慘傷)할 바이거니와, 그 수복이 완전함을 인하여, 월앵이 건저 내고 낙양후 구하였음을 행열(幸悅)하여, 다만 이르되,

"풍상변액(風霜變厄)이 아무 곳에 미치나 사는 것이 으뜸이라. 내 어찌 아름답지 않은 말을 먼저 아는 체 하리오. 금일 저를 못 보고 가는 것이 훌연(欻然)[88]하나, 사경을 면하여 진부에 편히 있음이 만행이라. 예

---

86) 팔자(八字) : 사람의 한평생의 운수. 사주팔자에서 유래한 말로, 사람이 태어난 해와 달과 날과 시간을 간지(干支)로 나타내면 여덟 글자가 되는데, 이 속에 일생의 운명이 정해져 있다고 본다.
87) 흔극(釁隙) : 틈. 벌어져 사이가 난 자리.

백이 일시 상성외입(喪性外入)하여 여차 광패지사(狂悖之事) 있으나, 마침내 상활(爽闊)하고 쾌단(快斷)[89]한 위인이라. 한 번 깨달음이 있을 것이니, 여아의 액운이 진(盡)키를 기다리려니와, 또 질아가 참혹히 상하였으나, 예백이 먼저 나의 질녀임을 알아낸 것이 비상한 일이라. 아무려나 예백의 유모를 불러 전후수미(前後首尾)를 물을 것이라."

하고 시비로써 설 유랑을 부르라 하니, 시녀 벽수정에 가 유랑을 아무리 흔들어 깨워도 인사를 모르는지라. 시비 하릴없어 이대로 고하니, 대양씨 성녀의 간계 무궁하여 선삼정 시녀 등을 약을 먹였음을 깨달아, 윤부인께 차사를 고하여 구함을 청하니, 의열이 즉시 주영 현앵을 명하여 약을 주어 유랑을 구하라 보내니, 양공이 유랑의 인사 차림을 기다리지 못하여 소씨를 거느리고 바삐 돌아 갈 새, 금후 태우의 아름답지 않은 소행을 들은즉, 가뜩 증념하는 가운데 반드시 크게 다스릴진대, 태우의 병중 신상에 유해할까 염려하여, 친녀와 생질녀의 액경을 아득히 모르는 체하고, 소소저를 너른 교자에 편히 뉘여 정공이 모르게 데려 가나, 자기 차녀의 신세 위란하여 아무리 할 줄 모르거늘, 또 생질녀를 탕자가 눈 가운데 봄이 되었음을 각골통원(刻骨痛冤)하더라.

금후 양공의 권함을 좇아 태우의 병을 살펴 약을 이루매, 공의 의술이 신기한 고로, 태우 익봉잠과 현혼단을 먹어 장부 끊는 듯 앓던 증이 적이 나음이 있으되, 오히려 쾌소함이 멀었고, 육칠일 중통(重痛)하는 가운데, 성씨를 잊지 못하여 섬어(譫語)[90] 중에 성씨를 자주 들놓으니, 필공자 형의 실성이 점점 더함을 한심하되, 야야께 이런 말을 고치 못하

---

88) 홀연(欻然) : 어떤 일이 생각할 겨를도 없이 급히 일어나는 모양.

89) 쾌단(快斷) : 시원스레 처단함.

90) 섬어(譫語) : 헛소리. 잠꼬대.

더라.

차시 설유랑이 주영 등의 구함을 입어 암약(瘖藥) 먹었던 것을 상토
하설(上吐下泄)[91]하여 버리니, 겨우 인사를 차려, 성씨가 소소저를 후
려 끌어 잡아다가 참혹히 해함을 비분통해 하나, 가중이 태우의 질환으
로 황황하고, 태부인과 진부인이 양씨의 액경을 아는 체 않으므로, 유랑
이 소씨의 참액(慘厄)을 금후께 고하지 못하고, 일이 되어 감을 보려 하
더라.

이러구러 일순이 되매 태우의 통세 적이 나음이 있으나, 실성은 태심
(太甚)하고 소씨를 성씨 잡아다가 참혹히 해함을 처음은 대로하여, 세
시녀의 머리를 베어 성씨 앞에 들이치고 춘교를 엄치하려 하다가, 현혼
단과 익봉잠이 한 번 후설을 넘은 후는 소씨를 아득히 잊고, 만사 등한
하여 칠팔일을 중통(重痛)하는 가운데, 성씨 밖은 생각는 일이 없다가,
겨우 머리를 들어 일어나매 바로 선수정에 들어와 성씨를 볼 새, 성씨
대간대악이나 생의 시험(猜險)한 호령에 기운이 다 주러질 뿐 아니라,
소씨를 대양씨 침소로 보냈으니, 한 끝이 드러나면 악사 세세히 발각할
지라. 저의 신세 아무리 될 줄 알지 못하여 초전번뇌(焦煎煩惱)[92]하매,
폐식잠와(廢食潛臥)하여 병을 칭하고 존당 신혼성정(晨昏省定)에도 불
참하더니, 태우를 대하매 놀라온 듯, 분한 듯, 능히 마음을 걷잡지 못하
는 가운데, 또한 반가움이 무궁하매 눈물이 비 오 듯하여, 울기를 마지
않으니, 태우 미친 마음과 흐린 정신에 소씨를 참해하던 바를 다 잊고,
성씨의 천교만태의 기기묘묘함을 흠애하며 그 슬퍼함을 연애하여, 손을

---

91) 상토하설(上吐下泄) : 위로 토(吐)하고 아래로 설사하여 쏟음.
92) 초전번뇌(焦煎煩惱) : 몹시 애를 태우며 괴로워 함.

잡고 가로되,

"생이 여러 날 유질하여 그대를 보지 못하고 병중에도 잊지 못하더니, 그대는 어디를 앓기에 형용이 수척(痩瘠)하였느뇨?"

성씨 태우의 정신이 소씨를 능히 생각지 못함을 암희하여, 그 잊은 바를 이름이 무익하여, 다만 병이 없고 사친지회 간절함을 일컬어 귀녕함을 청하니, 생이 그 머리를 짚으며 화시(花顋)를 접하여 왈,

"그대는 한갓 사친지회(思親之懷)뿐 아니라, 병중 혼자 있는 데 아무도 들이밀어 볼 이 없으니, 자연 심회 울적하여 못 견딜 일이 많으니, 생이 수고로우나 이제는 그대를 위하여 사군찰임(事君察任)과 봉친여가(奉親餘暇)에는 무고히 방을 떠나지 아니하리라."

인하여 천만은애(千萬恩愛)와 만종풍류(萬種風流)를 비길 곳이 없어, 생이 성씨를 귀중함과 성씨의 호총(呼寵)93)하는 욕심이 상하(上下)키 어렵되, 오히려 성씨 장부의 총세(寵勢)를 다 욕심껏 낚으려 하는 마음은, 태우의 성씨 후대(厚待)하는 정에 오히려 덜하더라.

차시 정예부 선산의 나아가 투장(偸葬)94)한 것을 파내고, 급히 상경하되 일삭이 지난지라. 부중에 돌아와 존당 부모께 배알하니, 태부인과 정공 부부의 반김이 극하나, 세흥의 실성이 날로 더함을 인하여 절박한 근심을 이기지 못하니, 예부 태우의 실성을 깊이 우려하는 바로되, 존당의 성려를 동(動)치 않으려 좋은 낯빛으로 위로 왈,

"세흥의 상성(喪性)이 절박하오나 이는 저의 액회 비상한 연고라. 염려하여 미칠 길이 없사오니, 의치(醫治)나 착실히 하여 보사이다."

---

93) 호총(呼寵) : 총애를 구함.
94) 투장(偸葬) : 남의 산이나 묏자리에 몰래 자기 집안의 묘를 쓰는 일.

태부인이 아자(兒子)가 있음으로 양씨의 액경을 이르지 아니하더라.

예부 사군찰직(事君察職) 여가에 태우를 지켜 전일 백형같이 이심(已甚)히[95] 세홍을 움직이지 못하게 하매, 태우 차형(次兄)의 용력은 백형만 못한 고로, 더욱 한 때를 안접(安接)[96]치 못하고 형의 잡은 것을 떨쳐 일어나려 하니, 예부 평생 용력을 다하여 놓지 않으니 이러구러 또한 여러 날이라. 가중 제 부인이 연하여 분산(分産)하여, 의열은 또 한 옥동을 생하니, 경부인은 옥녀를 낳으며, 대양부인은 쌍태에 양가(兩個) 기린을 생하니, 태부인과 정공 부부의 기쁨이 측량없으되, 소양씨 십일 삭이 되도록 분산치 않음을 공이 더욱 궁금히 여기되 진부에 간 줄 알지 못하고, 진부인 협실에 있는 줄로 알아, 일일은 공이 진부인 침소에 들어와 양씨를 부르니, 아주 소제 나직이 대왈,

"양형이 외가의 가선 지 벌써 습순(拾旬)[97]이 되었나이다."

공이 괴이히 여겨 부인을 돌아보아 문 왈,

"아부 무슨 연고로 진부로 갔나이까?"

부인이 매양 공을 대하여 양씨의 변을 전치 못함은, 태우의 몸의 중형이 있을 바를 참연할 뿐 아니라, 성씨의 거동을 채 보고자, 소양씨의 유무를 언두에 일컫지 않아, 일양(一樣) 함인한 바더니, 금일 공의 묻기를 당하매 어찌 은닉하리오. 이에 추연 대왈,

"첩이 불명암매(不明暗昧)한 연고로 하마 양소부를 보전치 못할 번하니, 명공께 고함이 참괴(慙愧)하도소이다. 저 적에 시녀 태란이 사태함을 인하여, 첩의 방에 산흉(産凶)이 심히 측할 뿐 아니라, 양공 부인의

---

95) 이심(已甚)히 : 지나칠 정도로 심하게.
96) 안접(安接) : 편안히 마음을 먹고 머물러 삶.
97) 습순(拾旬) : 10일.

서사가 여차여차하여 여아 임산(臨産)하거든 친히 오렸노라 하니, 첩이 마지못하여 양씨를 선삼정으로 돌아 보내되, 시녀 양낭의 무리를 각별이 가려 양소부를 보호케 하고, 혹자 세흥의 작난함이 있거든 즉시 고하라 하였더니, 모야(暮夜)에 시녀 등이 다 정신을 버려 인사 어림장이가 되고, 양씨는 간 곳이 없으니 차악경해(嗟愕驚駭)함이 전자(前者)에 경씨를 잃은 때에서 더하더니, 주형(朱兄)의 서찰을 보매, 월앵이 제 주인을 물에서 여차여차 건져 내고, 거거(哥哥) 구평장 집에 가 야화하다가 오는 길에 그 경상을 보고, 즉시 소부를 구하여 돌아갔는지라. 첩이 이 소유를 군후께 벌써 고코자 하되, 세아 유질하고 아름답지 않은 설화를 시작하기 싫은 고로 못하였더니, 이제야 그 변액(變厄)을 다 고하나이다."

공이 청파에 대경차악하여 신색이 변함을 깨닫지 못하는지라. 오래도록 말을 못하더니 날호여 가로되,

"양소부를 제 침소로 도로 보내는 날은 변이 있을 줄 앎으로, 자위 태란의 사태를 사위로이[98] 여기사 양씨를 사침(私寢)으로 옮김을 의논하시거늘 불가함을 고하였더니, 부인이 나의 말을 듣지 않고, 구태여 양소부를 선삼정에 우겨 보냈다가 그런 변을 만나게 하니, 으뜸은 부인의 탓이라. 요행 월앵이 제 주인을 건저 내고, 진형이 구하여 사변(死變)을 면하나 그 상함이 오죽하리오. 범사에 남유녀강(男柔女强)[99]이 길조(吉兆)가 아니라. 생이 용우(庸愚)하나 부인의 가장(家長)이거늘, 내 뜻을 우겨 자부로 하여금 사화(死禍)를 당케 하니 그 무엇이 유익하리오. 부인의 불명함이 진정 세흥의 자모 됨 즉 하도다."

---

98) 사의롭다 : 사위롭다. 꺼림하다. *사위; 미신으로 좋지 아니한 일이 생길까 두려워 어떤 사물이나 언행을 꺼림.

99) 남유녀강(男柔女强) : 남자는 무르고 여자는 강함.

언파에 미우(眉宇) 숙연하고 노기 참엄(斬嚴)하여 좌우 불감앙시(不敢仰視)라. 공이 부인으로 더불어 동주(同舟) 삼십여 년에 한 번 노기를 요동함이 없어 상경여빈(相敬如賓)하고, 전일 북공의 불고이취지사(不告而娶之事)100)로 잠깐 하당(下堂)함이 있으나, 이는 북공을 저히고자 함이요 진정이 아니더니, 금일은 미온(未穩)함이 평생 처음이라. 부인이 공의 노기를 보매, 다남자(多男子)의 욕(辱)101)을 깨달아 다시 말을 아니 하나, 자기 양씨를 사침(私寢)으로 보냄을 잘 못하였으므로 그윽이 불평하여 한갓 뉘우칠 뿐이더라.

공이 날호여 외루의 나와 태우를 엄치(嚴治)하고, 성씨의 간악을 들어내어 쾌히 출거(黜去)코자 하되, 그 죄를 적발할 길이 없어 침음상냥(沈吟商量)102)할 즈음에, 요인의 간계 그칠 줄 모르는지라.

성녀 양씨를 해하고 태우로 하여금 연정(蓮井) 물에 밀쳐 없앤 지 십순(拾旬)에, 존당 구고 그 유무를 거드는 일이 없고, 소씨를 참해하여 대양부인 침소로 보낸 지 오래나, 가중이 저의 사나움을 이르는 이 없음을 보고, 간특한 심천과 옅은 헤아림으로써 괴이(怪異)함을 이기지 못하여, 춘교로 더불어 가만히 이르되,

"존당 구고 양씨의 음행을 의심하시되, 친옹의 안면을 거리껴 그 죄를 적발치 않고, 거짓 덕 있는 체하고 양씨를 자애하다가, 일야지간(一夜之間)에 흔적 없이 죽임을 오히려 무던히 여겨, 찾을 의사를 않고, 대양씨는 제 종제를 그렇듯 상하여 보냈으되, 사문규수(士門閨秀)로써 시녀 양낭도 받지 못할 형벌을 당하였으매, 말끝을 냄이 참괴하고, 그 자라난

---

100) 불고이취지사(不告而娶之事) : 부모의 허락을 얻지 않고 장가를 든 일.
101) 다남자(多男子) 욕(辱) : 아들을 많이 두면 그만큼 욕을 많이 듣게 됨.
102) 침음상냥(沈吟商量) : 속으로 깊이 생각함.

곳이 천비(賤鄙)하여, 정부 비자의 무휼한 바 됨을 남 들리지 않으려 잠잠할 뿐 아니라, 정군이 소양씨 같은 절색숙완(絶色淑婉)도 무고히 보채여 죽이도록 서둘매, 저 양씨 다시 정가에 혼인하기를 괴로이 여겨 소씨를 타처에 혼취코자 함으로, 정군이 소씨의 얼굴 본 바를 영영이 감추려 하매, 그 가운데 나의 허물이 물시(勿視)된 바 되니 이 또 나의 복이라. 정군이 그 때 소씨를 그렇듯 상하게 한 것을 대로하더니, 익봉잠·현혼단의 효험이 신기하여, 소씨를 영영 잊고 나에게 침혹함이 황홀지경에 있으니, 다시 두려워하고 근심할 일이 없는지라. 내 또 한 장 서간을 이뤄 구고로 하여금 양씨를 흉히 여겨 아주 생각하는 뜻을 끊게 하리라. 네 변복 변화하여 여차여차 함이 어떠하뇨?"

춘교 흔연 대왈,

"명대로 하리니 어서 서간을 만들어 주소서."

성씨 즉시 한 장 서간을 만들어 긴긴(繁繁)히 봉하고, 춘교로 하여금 개용단을 마셔 남자의 얼굴이 되게 한 후, 인가(人家) 노복의 일습(一襲) 의대(衣帶)를 주어 개착(改着)하게 하니, 춘교 봉서(封書)를 가지고 바삐 원문(園門)을 내달아 앞문에 이르매, 이날 마침 정예부 관부로부터 돌아와 바야흐로 말을 내리더니, 춘교 나아와 앞에 절하거늘, 예부 문 왈,

"네 어디로 좇아 이에 이르렀느뇨?"

춘교 왈,

"소인은 계주 자사 진노야 댁 노자라. 주인의 서랑 마상공이 소인을 명하여 취운산 정부 택중(宅中)을 찾아 다녀오라 하거늘, 이에 이르렀나이다."

예부 우문 왈,

"마상공이 너를 이리 보내 다녀오라 함은 무슨 연고뇨?"

춘교 거짓 말대답을 어려이 여기는 체하여 고왈,

"이 곳에 양평장 댁 시녀 있다 하시어 부디 급한 서간을 전하라 하여 왔나이다."

예부 춘교의 말을 들으매 눈으로 얼굴을 보니 사광지총(師曠之聰)103)과 이루지명(離婁之明)104)으로써 어찌 깨닫지 못하리오. 이 조각을 타 양씨의 누얼을 신설하고 요인의 간정을 발각고자 함으로 짐짓 가로되,

"네 그 서간을 양부 시녀를 보고 주려하냐?"

춘교 대왈,

"마 상공 분부 정녕하고 양부 시녀 납향을 주라 하시니 다른 이는 못 주리로소이다."

예부 소왈,

"네 그 서간을 나를 줄진대 수고로우나 납향을 주리라."

춘교 가장 난안(難安)히105) 여겨, 낯빛을 낮추어 고개를 숙이고 오래 응치 못하거늘, 예부 일마다 간악함을 통해하되 사색치 않고, 그 서간을 달라 하여 납향을 보고 잘 전하마 하니, 춘교 쟁그라움을 이기지 못하되, 가장 깃거 않는 거동으로 재삼 머뭇거리다가, 날호여 품 사이로 좇아 일봉 서간을 내어 드리며, 왈,

"이 서간을 납향을 주시며 계주 마 상공께서 온 것이라 하면, 납향이 알아 전하오리니 노야는 납향을 명하시어, 진자사 댁에 소인이 있음을

---

103) 사광지총(師曠之聰) : 사광(師曠)의 총명이란 뜻으로, 중국 춘추(春秋) 때 사광이란 사람이 소리를 잘 분변하여 길흉을 점쳤다는 고사에서 유래한 말.
104) 니루지명(離婁之明) : 눈이 매우 밝음을 비유적으로 이르는 말. 중국 황제(黃帝) 때 사람인 이루가 눈이 밝았다는 데서 나온 말이다.
105) 난안(難安)히 : 마음 놓기가 어렵게.

전하시고, 답간을 써다가 소인을 주라 하소서."

언파에 절하고 피코자 하거늘, 예부 영리한 노자 사오 인을 명하여 그 뒤를 따라 가다가 결박하여 오라하고, 자기는 그 서간을 가지고 청죽헌에 들어오니, 금평후 바야흐로 성씨 죄를 적발할 모책을 얻지 못하여 민민(憫憫)하다가, 예부를 보고 미우를 찡기고 왈,

"네 태주로서 돌아온 지 여러 날이로되 양씨의 변액(變厄)을 듣지 못하였는다?"

예부 아득히 모르는 바라. 궤복(跪伏) 주왈,

"양수의 별단 액회(厄會)는 듣잡지 못하였나이다."

공이 양씨의 익수지환(溺水之患)을 이르고 태우의 행사를 분완통해(憤惋痛駭)하니, 예부 고왈,

"세홍의 광망함도 통해하거니와, 세사를 경력치 못한 아해, 요사(妖邪)한 곳에 빠져, 눈으로 보는 바 다 요참(妖讒)[106]이라. 현처의 숙덕성행은 알지 못하고 도리어 참혹(慘酷)한 곳에 의심을 두어 양수를 없애고자 함은, 한갓 제 죄로 이르지 못하와, 악사를 비저 낸 요인(妖人)의 탓이라. 소자 아까 기괴(奇怪)한 서간을 잡고 가져 온 놈을 결박하여 오라 하였사오니, 이 마디에 양수를 신백(伸白)할까 하나이다."

인하여 소매로서 일봉 서간을 내어 부전의 드리고, 서간 가져 왔던 놈의 하던 말을 다 고하니, 공이 크게 깃거 왈,

"이 조각이 양소부를 구하리로다."

정언간(停言間)에 노자들이 춘교를 긴긴히 결박하여 계하에 꿀린데, 변형변복(變形變服)하였으므로 정공 부자의 총명으로도 춘교인 줄은 알지 못하고, 다만 간당의 부린 바인 줄 알아, 공이 물어 가로되,

---

106) 요참(妖讒) : 요망한 일을 꾸며 남을 해침.

"여등이 저 놈을 어디 가 잡아왔느냐?"

노자 등이 대왈,

"소인 등이 예부 노야의 명을 받자와 가는 대로 따라 가온즉, 타처로 가지 않아 전원문(田園門)으로 들어가거늘 잡아왔나이다."

공이 이에 형위를 베풀고 소리를 엄히 하여 가로되,

"내 벌써 간정을 밝히 아는 바라. 네 계주 진자사 댁 노자라 하여도 곧이들을 리 없으니, 형벌의 괴로움을 면코자 하거든 너를 가르쳐 서간을 주어 이곳에 보내던 자를 바로 고하라."

춘교 천만 의외에 이 같은 변을 당하여, 일월이 어둡고 천지 망망(茫茫)하나, 심정이 대간(大奸)이요, 위인이 별물(別物)이라. 이에 사색(辭色)을 십분 강작(强作)하여, 가로되,

"소인은 계주로서 올라와 귀택을 찾아 왔삽나니 어찌 진자사댁 노자가 아니리까? 일분이나 의심됨이 있거든, 소인을 이곳에 가두어 두시고 계주에 사람을 보내시어 자사 노야와 마상공께 소인의 왔으며 아니 왔음을 알아보소서."

공이 대로하여 사예(司隷)[107]를 호령하여 일장에 피육이 후란(朽爛)키를 그음하여 치라 하니, 사예 청령하고 춘교를 형판(型板)에 매고 영한(獰悍)한 힘을 다하여 치기를 시작하매, 일장에 피육이 떨어지며 적혈이 가득하니, 춘교 대간대악(大奸大惡)이나 자라기를 성씨 버금으로 하여, 청의하류(靑衣下類)의 괴로운 태장(笞杖)도 지내어 본 일이 없는지라. 불의에 중형을 당하여 혀를 빠뜨리고 정신을 잃으나, 실사를 직초

---

107) 사예(司隷) : 중국 주나라 때 추관(秋官; 조선시대 형조를 달리 이르던 말)에 소속된 관리. 여기서 사예(司隷)는 사대부가에서 형리(刑吏)의 역할을 맡은 노복(奴僕)을 일컫는 말로 쓰이고 있다.

(直招)할 뜻이 없어, 다만 진부 노자(奴子)라 하여 형벌을 받으니, 공이 더욱 분노하여 하리를 명하여 쇠를 달궈 그 일신을 지지며 실사(實事)를 고하도록 저주라[108] 하니, 춘교 이에 당하여는 살 뜻이 없어 생각하되,

"내 진충갈녁(盡忠竭力)하여 주인을 돕고, 소저로 하여금 적인을 쓸어버려 태우의 은총을 온전히 받게 하고자 하였더니, 계교는 사람이 하나 일을 이루기는 하늘에 달렸으니, 이제 우리 노주를 하늘이 돕지 않아 패망케 하니, 어찌 순설(脣舌)로 발명하여 미치리오. 내 들으니 정노야는 인명을 아끼신다 하니, 차사(此事)를 고하여도 내 죽기를 면하리라."

하여, 소리를 높여 왈,

"전후 악사를 세세히 직초(直招) 하오리니 치기를 그치시고 초사를 받으소서."

공이 명하여 치기를 그치라 하고, 좌우로 태우를 부르라 하니, 태우 바야흐로 채죽헌에서 양제를 꾸짖어 자기 손을 놓으라 하며, 성씨 침소로 들어 갈 뜻이 급하되, 직사와 필(畢)공자 형의 손을 더욱 단단히 잡고 웃으며 왈,

"형장이 아무리 놓으라 하셔도 차형장(次兄丈)이 조당에 다녀오실 사이는 잘 지키라 하여 계시니 결단코 놓지 못 하리로소이다."

형제 이렇듯 일러 웃기를 마지않다가, 부명을 들으매, 공이 태우의 행사를 아는 체 아니 하여, 영영이 찾는 일이 없고, 앞에 가면 미운 사람 보듯 할 뿐이요, 물러나면 일삭이 가도록 보고자 하는 바 없다가, 금일 홀연히 부르심을 당하니, 그 실성지심(失性之心)에도 가장 경황하여, '무슨 변이 났는가?', 면색이 변함을 깨닫지 못하여, 빨리 죽헌의 이르

---

108) 저주다 : 형문(刑問)하다. 신문(訊問)하다.

러 응명하니, 공이 구태여 오르기를 명(命)치 않고 초사(招辭)를 재촉하
니, 춘교 승초(承招) 왈,

"소비 춘교는 여람백 성노야 댁 비자라. 소저로 더불어 강보(襁褓)에
젖을 나누고 자라매, '노주' 두 자를 칭하지 않고, 향규마역(香閨莫
逆)109)으로 지내더니, 아주(我主) 일찍 안고(眼高)함이 태악(泰岳) 같
고, 세속 여자의 용용(庸庸)함을 우숩게 여겨, 종신대사(終身大事)110)
를 자택(自擇)고자 하여, 대로(大路)를 향하여 일좌(一座) 고루(高樓)
를 지어, 종일 누각에서 지나는 재상 명사의 각별한 옥인걸사(玉人傑士)
를 택하되, 일인도 마땅한 이 없어, 외모 풍신이 소저 눈에 드는 자도 그
가정이 종용치 못해 마땅한 곳을 얻지 못하였더니, 모일에 소저가 취운
산 경치를 구경하려 산상에 오를 때, 공교히 태우 노야를 만나 아주 크
게 혹하여 찾던 금령(金鈴)을 끌러 노야에게 던져 뜻을 비추니, 노야 다
만 금령(金鈴)을 거두어 소매에 넣을 뿐이요, 구태여 신물(信物)을 보
냄이 없으되, 소제 무류(無聊)함111)을 알지 못하고, 부중에 돌아와 부
인을 보채여 태우 노야와 친사(親事)112) 이룸을 간청하니, 부인이 비록
불쾌하나 마지못하여 원을 좇으실 새, 귀비께 사혼전지(賜婚傳旨)를 청
하매, 낭랑이 성상께 고하여 성지(聖旨)를 얻어, 비로소 성례(成禮)하여
정문에 오신 후, 원비 양부인의 색광기질(色光氣質)이 인류(人類)에 초
월(超越)하시니, 존당의 사랑하심은 이르지도 말고, 주군(主君)이 언언
이 칭찬하시어 아주(我主)더러 양소저 행사를 열에 하나를 배워도 거의

---

109) 향규마역(香閨莫逆) : 규방 안의 막역한 친구. 여성끼리 서로 허물없이 지내는
    친구.
110) 종신대사(終身大事) : 평생에 관계되는 큰일이라는 뜻으로, '결혼'을 이르는 말.
111) 무류(無聊)하다 : 부끄럽고 열없다.
112) 친사(親事) : 혼사(婚事). 혼담(婚談))

큰 허물을 면하리라 하시니, 아주 그윽이 앙통(怏痛) 분해(憤駭) 하여, 간간이 양부인 함해(陷害)하는 말씀을 전하오나, 주군이 영영 곧이듣지 않아 양부인을 천고(千古) 성녀철부(聖女哲婦)로 미루시니, 다른 모책이 없어 천금(千金) 옥보(玉寶)를 흩어 변심하는 약과 변용하는 요약(妖藥)을 광구(廣求)하여, 묘화라 하는 요승(妖僧)을 만나 약류를 많이 얻어, 도봉잠을 먼저 주군께 드려 마음을 변하여 양부인 향하신 은애를 베시고, 상원일(上元日) 밤에 소비는 양부인이 되고 전악기는 마헌이 되어, 동원(東園) 아래서 여차여차 음비한 행사를 하매, 노야(老爺) 친견하시고 대로하여 마헌을 잡고자 하시니, 전악기 빨리 달아나 도로 환형(換形)하여 금낭(錦囊)을 얻어 드리는 체하고, 마생의 서간은 양소저 시녀 납향을 체결(締結)[113]하여 금은을 주고 아주(我主)와 한 당이 되어, 향이 제 주인을 함해(陷害)키를 못 미칠 듯이 하여, 소저 협사(篋笥)의 흉서를 넣으매, 노야 양부인 협사를 다 뒤여 그 서간을 얻고 크게 의심하여 부인을 살(殺)코자 하실 차, 북공 노야 구하시어 죽이지 못하시고, 부인이 정당으로 들어가신 후 능히 죽이지 못하여 민민하던 차에, 아주 여차여차 계교를 가르치니, 노야 거짓 뉘우치는 말씀으로 중인 중 베푸시다가 발뵈지[114] 못하고, 정당 시녀 태란이 사태(死胎)함으로, 정당 부인이 사위하시어[115] 양소저를 사침에 옮기시니, 아주 승시(乘時)하여 술에 암약(瘖藥)을 타, 납향으로 하여금 양부인 유모 시녀를 다 먹여, 인사불성(人事不省)을 만들어 놓고, 아주 노야를 대하여 양부인이 선삼정으로 나오심을 전하고, 그 음참(淫僭)함을 일컬어 죽이기를 도도

---

113) 처결(締結) : 체결(締結). 얽어서 맺음.
114) 발뵈다 : 발을 보이다. 드러내다. 착수하다. 하수(下手)하다. 이루다.
115) 사위하다 : 미신으로 좋지 아니한 일이 생길까 두려워 어떤 사물이나 언행을 꺼리다.

니, 노야 칼로 질러 없애고자 하시는 것을 아주 여차여차 간하여, 동여
물에 넣으시게 하고, 납향을 마저 죽여 아름답지 않은 일이 후래에 발각
하는 일이 없고자 함으로, 태우 노야께 여차여차 고하여 선삼정으로 가
신 사이, 벽수정 설 유랑의 얻어 기른 소낭자(蘇娘子)라 하는 이가 자색
(姿色)이 서시(西施)116) 왕장(王嬙)117)에 지난지라. 주군(主君)이 한
번 보시고 크게 유의하시니, 아주 또 시기하여 해할 새 설유랑에게 암약
넣은 주찬을 보내, 소비 등이 양부인 시비의 얼굴이 되어 양부인이 보내
시더라 하니, 유랑의 노주 삼인이 한 번 먹으매 어림장이 되거늘, 소비
등이 일시에 소소저를 후려 끌어 선수정으로 잡아가니, 아주 친히 소소
저의 운발을 무지르고, 쇠를 달궈 그 몸을 지지고 철편으로 낭자히 두드
릴 적, 태우 노야 양부인 비주(婢主)를 죽이시고 돌아오셔 차경을 보시
고, 소비의 아우와 동류 양인을 참두(斬頭)하시어, 그 머리를 아주에게
들이치고, 소소저를 끌러 대양부인 침소로 보내시며 전당 태수 소계암
의 여아니 양부인과 이종지간이라 하시고, 소비 등을 다 엄문하려 하실
즈음에 차를 구하시니, 익봉잠과 현혼단을 함께 타 드시게 하니, 주군이
한번 후설을 넘기신 후 아무런 상을 모르시고, 즉시 외당으로 나오시어
날로 중통(重痛)하시더니, 나으신 후 약효(藥效) 신기하여 아주를 더욱
애중하시되, 양부인 유무를 들놓지 않으시고 다시 양부인 말씀을 듣지
못하오니, 노주 서로 대하여, '혹자 생존함이 있는가?' 서로 근심하여,

---

116) 서시(西施) : 중국 춘추 시대 월나라의 미인. 오나라에 패한 월나라 왕 구천이
　　　서시를 부차에게 보내어 부차가 그 용모에 빠져 있는 사이에 오나라를 멸망시
　　　켰다.
117) 왕장(王嬙) : 왕소군(王昭君). 중국 전한 원제(元帝)의 후궁. 이름은 장(嬙). 자
　　　는 소군(昭君). 기원전 33년 흉노와의 화친 정책으로 흉노의 호한야선우(呼韓
　　　邪單于)와 정략결혼을 하였으나 자살하였다. 후세의 많은 문학 작품에 애화(哀
　　　話)로 윤색되었다.

서간을 위조하여 부디 대 노야께 드려 양부인 음행을 밝히 아시게 하려 하였사옵더니, 일이 그릇 되어 오늘날 악사 발각하니 이 밖에 다른 작죄(作罪) 없사옵고, 소비 여럿이 일당이 되어 주인의 지휘를 받았사오니, 이 밖에 다시 아뢸 말씀이 없사옵나이다."

금평후 춘교의 초사를 군관 최원으로 읽으라 하여 듣기를 다하매, 불승분노(不勝忿怒) 하여 다시 묻되,

"변심변용(變心變容)하는 약이 이제도 있느냐?"

춘교 소저 협사(篋笥)의 가득하였음을 고하니, 공이 영리(怜悧)한 시녀 십여 인을 명하여, '선수정에 가 성씨의 협사를 뒤여 요약을 얻어 오라.' 하고, 양안을 길게 떠 태우를 뚫어질 듯이 보니, 맹렬한 정광(精光)이 한 줄 무지개 같아서 사람의 골절을 보는 듯하니, 좌우 불감앙시(不敢仰視)하고 한한(寒汗)이 첨의(沾衣)라. 죄 없는 예부·직사 등도 경황축척(驚惶踧踖)하거늘, 하물며 태우의 황황한 심사를 어디에 비하리오. 눈으로 부공의 사색을 보며 귀로 간비의 초사를 들으나, 익봉잠의 흉독함이 벌써 장위를 병들인지라. 성씨의 유죄 무죄를 채 알지 못하여, 그 옥모 애용을 절박하게 보고 싶은 의사 나는지라. 행여 부친이 성씨를 그르다 하여 출거하는 일이 있을까하여 근심하는 거동이라. 공이 그 심폐(心肺)를 밝히 아는지라, 더욱 분완함을 측량치 못하더라.

제 시녀 부지불각에 선수정에 돌입하니, 성씨 마침 측간(厠間)에 가고 없는 때라. 급급히 협사(篋笥)를 뒤매, 채색(彩色) 궤 가운데 여러 환약(丸藥)을 넣었거늘 바삐 가지고 나올 제 성씨를 만나니, 성씨 여러 시녀 등이 무리 지어 제 방을 뒤고 나옴을 보고, 대경하여 곡절을 묻고자 하되 일시에 급히 나아가니 말을 못하고, 제 방의 있던 시녀 등더러 연고를 물으니, 제녀 대 왈,

"노야 명이 계시다 하고, 소저의 경대(鏡臺) 상협(箱篋)을 두루 뒤여

무슨 약봉을 가지고 나가되, 소비 등은 못 보게 결뛰어118) 내달으니, 곡절을 알지 못할러이다."

성씨 청파에 대경차악하여 요약 넣은 궤를 보니, 황연(荒然)이 비어 한 환(丸)도 없는지라. 성씨 망극창황(罔極惝怳)함을 이기지 못하여, 벽에 머리를 마구 부딪치며 가슴을 두드려 애를 태우고 슬퍼하는 거동이 부모상을 만남 같으니, 시녀 등이 그 심복이 아닌 후는 그윽이 우습게 여겨 구경만 하더라.

제 시아가 약봉을 가져 외헌(外軒)에 나오매, 공이 춘교를 주어 진면(眞面)을 내라 하니, 춘교　외면회단(外面回丹)을 먹으매 수염이 검으며, 신장이 장대한 노자가, 경각에 변하여 날랜 어깨와 가는 허리에 흰 낯이 천만 가지 암흉함과 공교함을 띠었는지라.

공이 차경을 보매 더욱 분해(憤駭) 통완(痛惋) 하여, 즉시 영을 내려 전악기를 묶어 들이라 하고, 잠깐 몸을 일으켜 내루에 들어와 태부인께 춘교의 초사를 고하고, 탄하여 가로되,

"소자 훈자를 무상이 한 연고로, 세흥이 광망무식(狂妄無識)하며 패려 흉독(悖戾凶毒)함이, 사람이 차마 생각지 못할 거조가 많사온지라. 자식을 엄히 다스린 후 남의 자식을 책망 하오리니, 성씨 비록 간악하나 세흥이 만일 천흥 같으면 어찌 실성지경(失性地境)에 미치리까? 으뜸은 세흥의 무상한 탓이니, 소자 부자의 정이 난안하오나, 마지못하여 패자(悖子)를 중치(重治)하리로소이다."

태부인이 탄 왈,

"세아의 광망패려 함을 생각하면 어찌 한 번 다스리고자 않으리오마는, 저의 나이인즉 이팔이요, 본디 호일방탕(豪逸放蕩)한 아이가 세사를

---

118) 결뛰다 : 걷잡지 못하게 뛰다.

경력하지 못하고, 요약에 심정이 상하여 현처를 의심함이니, 너무 과도히 하지 말라.”

공이 수명하고 즉시 외헌의 나와 청상에 좌하고, 전악기와 춘교를 다 결박하여 정하(庭下)에 두고, 좌우로 태우를 잡아내려 계하의 꿀리고, 소리를 가다듬어 다섯 가지 허물과 세 가지 죄를 이를 새, 묵묵(黙黙)한 노기는 설풍(雪風)이 은은(殷殷)하고 맹렬한 성음은 사람의 골절(骨節)에 사무치거늘, 엄중한 위의는 추천(秋天)이 음애(陰靄)를 지으며 열일(烈日)이 한상(寒霜)을 띠었으니, 좌우 막불전율(莫不戰慄)하여 공구축척(恐懼踧踖)함을 이기지 못하고, 태우 부친의 수죄를 들으매 자기 행사 참황수괴(慙惶羞愧)하여 능히 말을 못하는지라. 공이 사예(司隷)를 호령하여 큰 매를 들이라 하고, 산장(散杖)[119] 이십을 잡은 후, 군관 칠팔 인을 분부 왈,

“금일 살인죄수(殺人罪囚)를 다스리는 날이라, 장책을 시작하니 일이 나매 그치리니, 초상제구(初喪諸具)를 준비하여 불초자 죽은 후 즉시 염장(殮葬)케 하라.”

언필의 태우를 긴긴히 결박하고 치기를 시작하매, 다시 분부 왈,

“패자 일야지간(一夜之間)에 여러 인명을 참혹히 상해오고, 음난(淫亂) 박행(薄行)이 만고에 무쌍한지라. 여등이 조금도 인정을 두지 말라.”

사예 등이 비록 태우를 아끼나 공의 명령을 위월(違越)치 못하여, 영한(獰悍)한 힘을 다하여 치매, 십여장(十餘杖)에 미치지 못하여 성혈(腥血)이 임리(淋漓)하니, 예부는 부친을 모셔 청상(廳上)에서 저 거동을 보매 가슴이 아픔을 면치 못하고, 직사와 필흥 공자는 정하의 내려

---

119) 산장(散杖) : 죄인을 신문할 때, 위엄을 보여 협박하기 위해서 많은 형장(刑杖)이나 태장(笞杖)을 눈앞에 벌여 내어놓던 일.

형의 장벌(杖罰)을 난화 당치 못함을 초전(焦煎)하는지라. 공이 그 피육이 상함을 보되 조금도 요동치 않고, 매마다 고찰하여 한 조각 천륜자애(天倫慈愛)와 부자의 정을 유련(留憐)치 않는 듯하니, 뉘 감히 공의 노기를 간범(干犯)하리오. 칠십여 장에 미쳐는 피육이 으깨져 한 곳도 성한 곳이 없고, 피 흘러 옷을 적시는지라.

녜부와 직사 등이 이 경상을 대하여 각각 몸이 아프며 뼈 시리기를 이기지 못하여, 일시에 머리를 두드려 체읍애걸(涕泣哀乞)하여 형제 삼인이 죄를 나눠 당함을 청하되, 공이 들은 체 않고 재촉 고찰하여 그칠 의사 없으니, 예부 등이 참연 통절함이 목전에 주검을 놓았음 같아서, 죽기를 그음하고 태우의 곁에 나아가 각각 몸으로써 매를 당할 듯, 한없는 안수(眼水) 오열하여 체읍탄성(涕泣歎聲)함이 기운이 막힐 듯하되, 공이 분노를 이기지 못하여 예부 등을 질퇴(叱退)하고, 다만 고찰 하여 매를 더할 새, 이러구러 팔십여 장에 미처 기허(氣虛) 적상(積傷)한 몸이라, 아주 인사를 버려 얼굴이 청흑(靑黑)하고 수족이 얼음 같아서 시각이 위태하되, 처음 맞을 때로부터 아픈 것을 견뎌 일성을 부동하고, 죽은 듯이 엎디어 태연자약(泰然自若)함이 남의 몸의 장책을 당한 듯하니, 칠십여 장의 이르러는 아주 정신을 수습치 못하여 더욱 숨소리도 없는지라. 예부 등은 태우 죽은 줄로 알아 통도(痛悼)함을 마지않되, 공이 조금도 사할 뜻이 없더니, 홀연 진부 협문으로 좇아 두어 시녀 앞을 인도하여, 양소저 무색한 의상과 흐트러진 운환으로 행보(行步)를 나직이 하여 나아오매, 옥용월태(玉容月態) 새로이 기이한지라. 공이 우연이 눈을 들다가 양씨를 보고 대경하여 급히 하리 군관을 물리치매, 양씨 부끄러움을 무릅써 계하의 나아가 재배 청죄, 왈,

"소첩의 행실이 무상하와 백행의 한 곳 일컬음직 한 일이 없고, 어하(御下)를 불엄(不嚴)이 하여 남향 간비(姦婢)의 소첩을 해함이 아니 미

친 곳이 없으니, 하물며 동렬(同列)의 시애(猜礙)120)함과 가군의 의심(疑心)함은 괴이치 않은 일이라. 소첩이 비록 일명을 보전치 못함이 있으나, 대인 성덕으로써 첩의 팔자 기박함을 살피시어 가군(家君)의 탓을 삼지 않으실 듯하옵거늘, 이제 불초 소첩이 완연 의구히 세상에 있사오니, 복원(伏願) 대인은 부애자은(父愛慈恩)하는 덕화를 드리우시어 가군의 목숨을 빌리시고, 첩의 당돌(唐突)121)불민 한 죄를 엄히 다스리소서."

언파에 옥성이 낭랑하여 금반(金盤)에 진주(眞珠)를 굴리고, 봉음(鳳音)122)이 처량하여 화지(花枝)에 앵성(鶯聲)이 새로운 듯, 팔자유미(八字柳眉)는 근심을 띠었으매, 상운(祥雲)이 더욱 영영(煐煐)한 듯, 효성쌍안(曉星雙眼)에 추수(秋水) 요동하매, 맑은 정채(精彩) 배승(倍勝)하거늘, 어여쁜 옥안(玉顔)은 옥벽(玉璧)이 청엽(靑葉)에 솟아난 듯, 쇄연한 광채는 명월이 흑운(黑雲)을 뚫고나온 듯, 조심하는 모양과 두려하는 거동이 갖추 기이승절(奇異勝絶)하여 눈을 옮기기 아까워 매양 보고자 뜻이 있는지라. 정공의 참엄한 노기 이 며느리를 대하매 춘풍이 화창(和暢)하고, 묵묵하던 미우 양씨를 보매 화열평순(和悅平順)하여, 이에 유랑으로 하여금 소저를 붙들어 올리라 하고, 위로 왈,

"세흥의 행사를 절절이 생각하매, 내 비록 부자의 정이 난연(難然)하나, 한 번 쾌히 죽여 분을 부디 풀고, 불초 패자를 징계함이 마땅하되, 오히려 칼과 노를 가져 일각에 마치지 못함은, 너의 전정(前程)을 염려함이러니, 금일 춘교의 초사로 좇아 전일 모르던 일을 자세히 들으니,

---

120) 시애(猜礙) : 시기하고 해(害)를 가함.
121) 당돌(唐突) : ①꺼리거나 어려워하는 마음이 조금도 없이 올차고 다부지다.
　　　②윗사람에게 대하는 것이 버릇이 없고 주제넘다.
122) 봉음(鳳音) : 봉황의 소리라는 뜻으로, 아름다운 목소리를 비유적으로 이르는 말.

해연경참(駭然慶慚)함을 이기지 못하여, 입각(立刻)에[123] 저를 맞고자 하더니, 너의 가부 위한 정성을 들으니, 여자의 정이 가련함이 세흥 같은 못 쓸 것을 가부라 하여, 앙지일생(仰之一生)할 것이므로, 너를 온 가지로 죽이려 하던 원을 갚지 못하고, 도리어 저를 구하는 정이 있으니 어찌 자닝치 않으리오. 내 너의 말로 좇아 패자를 사하나니, 너는 마음을 편히 하여 패광(悖狂)한 가부(家夫)를 족수(足數)[124]치 말고, 고모(姑母)[125] 침소에 가 몸을 보호하여 분산(分産)에 해로움이 없게 하라."

소제 체루(涕淚) 사사(謝辭)하고 감히 말씀을 대치 못하니, 공이 재삼 위로하여 안으로 들어가라 하고, 그 신루(身累)를 옥같이 벗음을 일컬어 연애하는 정이 강보영아(襁褓嬰兒) 같으니, 양씨 각골감은하여 사사하고 안으로 들어가매, 공이 비로소 태우를 사하여 치기를 그치매, 예부 등이 맨 것을 끌러 채죽헌으로 들어 갈 새, 태우 반생반사(半生半死) 하였는지라. 공이 전악기를 중형(重刑) 삼차(三次)하여 복초(服招)를 받은 후 죽이고자 하되, 평생 살인을 괴로이 여기는 고로 멀리 끌어 내치고, 춘교는 그 죄상이 전악기와 같다 하여 죽이고자 하였더니, 악기를 사함으로 다시 일차 중형(重刑) 하여 멀리 내칠 새, 복초할 때 중형 일차를 하였더라.

공이 악기·춘교를 내치고, 중헌에 나와 성씨를 부르니, 성씨 저의 전 전악사 다 발각하고, 죽었던 양씨 진부로 좇아 들어와 태우의 위태한 목숨을 구하매, 가슴에 일천 영원(靈猿)[126]이 뛰놀아 오장(五臟)이 재 되기를 면치 못하니, 한갓 하늘을 원하며 정공을 꾸짖어 입에 담지 못할 말을 무수히 하더니, 문득 공의 소명(召命)을 들으니 마지못하여 중계에 이르

---

123) 입각(立刻)의 : 바로. 즉시, 당장에.
124) 족수(足數)하다 : 꾸짖다. 탓하다.
125) 고모(姑母) : 시어머니.
126) 영원(靈猿) : 원숭이. 잔나비.

니, 공이 오르기를 명치 않아 중계에 세우고 정색 수죄(數罪) 왈,

"세흥의 광망패려(狂妄悖戾)함은 다시 이를 말이 없거니와, 네 일분 사문부녀의 청한(淸閑)한 덕이 있을진대, 허랑방일(虛浪放逸)한 가부를 정도로 내조하여 어질게 돕지 못할지라도, 차라리 간음(姦淫) 요사(妖邪)키나 면하였으면, 가내에 어찌 용납지 못하리요마는, 너의 과악은 내 이르지 않아도 네 스스로 모르지 않을 바라. 패자의 외입실성(外入失性)함이 너로 말미암아 비롯하였으니, 어찌 통해치 않으리오. 모름지기 금일로부터 네 집에 돌아가 다시 내 집에 돌아올 의사를 말라."

언파의 교자를 정하에 놓고 들기를 재촉하니, 성씨 대간대악이나 정공의 강맹열일(强猛烈日)한 기상과 씩씩 엄준한 위풍을 어디 가 간범하리오. 한갓 일천 줄 안수(眼水) 옷깃을 적셔, 존당에 하직하고 감을 청한대, 공이 미우를 찡겨 왈,

"존당의 하직을 고하매 쾌한 일이 없으니 모름지기 그저 가라."

성씨 일마다 대참황공(大慙惶恐)하여 급히 교중(轎中)에 들매, 공이 명하여 성부에서 왔던 시녀 양낭과 선수정에 벌였던 기용즙물(器用什物)을 다 서릇어 가되, 다만 혼서(婚書)[127]를 주지 않아 당전(堂前)에서 소화하고, 여람백에게 춘교의 초사와 전악기 초사를 한가지로 보내어 왈,

"돈아(豚兒)의 무상 흉패함이 사람의 선악을 알지 못하고 영녀를 침혹(沈惑)하매, 간계를 아득히 모르고 광망한 죄를 지으니, 첫째는 돈아의 허물이라. 생이 먼저 불초자의 죄를 엄치(嚴治)하여 내치고, 영녀를 귀부로 돌아 보내나니, 명공은 영녀의 일생이 다시 내 집을 앙망(仰望)케

---

127) 혼서(婚書) : 혼인할 때에 신랑 집에서 예단과 함께 신부 집에 보내는 편지. 두 꺼운 종이를 말아 간지(簡紙) 모양으로 접어서 쓴다.

마소서.”

이르기를 마치고, 태원전에 들어와 자정께 뵈옵고 성씨 출거(黜去)한 사단(事端)을 고하오니, 태부인이 그 간악함을 통해하나 본디 화홍(和弘)을 주하는 고로, 성씨를 아주 영영 내쳐 혼서(婚書)를 소화함을 듣고, 강박히 여겨 가로되,

“너의 처사 매양 관인(寬仁)하기를 주하여 각박한 일이 없더니, 어찌 성씨에게 당하여는 한 조각 인정이 없느뇨?”

공이 웃고 대왈,

“소자도 각박한 줄 알되, 성씨의 위인이 사나운 것을 버리고 선도에 나아 갈 자 아니요, 그 상모 불길하여 선종(善終)함을 믿지 못할 위인이오니, 차고로 혼서를 소화하여 가내에 다시 용납지 않으려 함이로소이다.”

부인이 경 왈,

“성씨의 상모 독사(毒邪)하여 유덕치 못한 줄은 알았거니와, 그대도록 한 줄은 몰랐더니, 재상(宰相)의 딸로 작인을 그리 괴이케 하였더뇨?”

공이 고 왈,

“후래에 들으시면 소자의 말씀을 아르시리이다. 성씨 마침내 개적(改籍)하여 가도 반드시 변을 짓고 말리니, 결단하여 그 상모를 도망치 못하리이다.”

부인 왈,

“이러나저러나 요인을 출거하고 양씨 신루(身累)를 벗으니 만행이라. 제 침소를 수리하고 편히 머물게 하려니와, 양씨 종제 소씨를 성씨 그렇듯 참혹히 상해오고, 세홍이 서로 얼굴을 익히 봄이 있다 하니 저 소씨를 장차 어찌 하리오?”

공이 빈미(嚬眉) 대 왈,

"불초자의 행사 한 일도 들음직한 일이 없는 연고로, 소씨의 일생을 마저 어지럽힘이 불행치 아니하리까?"

부인이 소씨의 위인을 알고자 하여 대양씨와 설유랑을 불러 앞에 이르매, 부인이 소씨의 위인과 용모를 물은데, 유랑이 소 소저의 갖추 아름다움을 밝히 고하고, 대양씨 그 상처가 참혹하던 바를 고하여 일마다 소씨의 명도 괴이함을 일컬으니, 공이 개연(慨然) 통해 왈,

"투기란 것이 곡절이 있거늘, 세홍이 무상하나 그래도 소씨의 근본을 자세히 알지 못함으로, 방자히 정을 맺은 일이 없거늘, 성씨 불의에 잡아다가 참혹히 죽이려 하던 용심이 어찌 분완치 않으리오. 아지못게라! 양형이 그 생질의 상함을 날더러 이르지 않음은 어찌된 일이뇨?"

대양씨 유유무언(儒儒無言)이러라. 공이 양씨를 물러가라 하여, 산후 너무 쉬이 일어 다니지 말라 하고, 선삼정을 수리하여 소양씨를 머물게 하니, 소양씨 정 태우 한하는 마음이 생전에 풀릴 길이 없으나, 그 참참(慘慘)한 상처를 보매 놀랍고 차악함이 비할 곳이 없는지라. 능히 살기를 기약지 못하여 일마다 자기 명도의 괴이함을 슬퍼 할 뿐이라.

원래 양씨 진부에서 태우의 수장함이 위태한 지경의 있음을 알고, 창황이 서헌(書軒)을 피치 않아 청죽헌의 이름은, 시녀 쌍빙 등이 진부에 이르러 태우의 명맥이 수유의 있음을 밝히 고한 연고라. 이 날 맞추어 낙양후 부자와 정국공 부자로 답청(踏靑)[128]하여 화시(花時)의 풍경을 유완(遊玩)하고자 취운산 상에 올랐음으로, 태우의 중장 받음을 알지 못하여 말리지 못함이라.

이때 태우는 형제와 노복 등에게 붙들려 채죽헌에 돌아와 한 번 누우

---

128) 답청(踏靑) : 봄에 파랗게 난 풀을 밟으며 산책함. 또는 그런 산책.

매 날이 어둡도록 혼혼침침(昏昏沈沈)하여 아무런 줄 모르고, 능히 장처의 아픔을 알지 못하니, 직사와 예부 등이 차악함을 이기지 못하여, 온갖 약물을 연속하여 정신을 차리게 하고, 금창약(金瘡藥)129)을 바르나 장처가 본디 예사롭지 않은 고로 심허기약(心虛氣弱)하여 형각(形殼)만 남아있는 바에, 피육(皮肉)이 후란(朽爛)토록 중장을 받으매, 어찌 위태롭지 않으리오. 한 번 상요에 몸을 버리매 눈도 떠 보지 않으니, 예부 등이 초전(焦煎)함을 마지않더니, 야심하매 촉을 밝힌 후 태우 잠깐 정신을 차려 좌우를 둘러보고, 문득 분연이 손을 들어 벽을 쳐, 왈,

"양가 요물로 인하여 내 몸이 엄전에 장책을 받자와 사생을 정치 못하니, 생각할수록 양가 별물이 나의 원수 아니리오. 성씨 어디로 가고 날을 구치 아니하느뇨?"

예부 이 말을 듣고 해연(駭然)하여130) 정색 책 왈,

"네 만일 인심이 있을진대, 양수의 애매함과 성씨의 간교함을 거의 알 것이거늘, 네 허물을 조금도 뉘우치지 않고 양수를 원수로 칭함은 어찌 된 일이뇨?

직사 이어 가로되,

"형장이 춘교의 초사를 듣지 못하였관데 이 말을 하시느뇨? 태우 머리를 흔들어 왈,

"성씨는 인사 단정(端整)한 위인이라. 남이 자가를 해하면 손을 묶어 힘힘히131) 그 해를 받을 것이요, 남을 해함은 몽리(夢裏)에도 두지 아니할 것이니, 어찌 양씨를 해하리오. 춘교 형벌의 아픔을 견디지 못하

---

129) 금창약(金瘡藥) : 칼, 창, 화살 따위로 생긴 상처에 바르는 약. 석회를 나무나 풀의 줄기와 잎에 섞어 이겨서 만든다.
130) 해연(駭然)하다 : 몹시 이상스러워 놀랍다.
131) 힘힘히 : 속절없이, 하릴없이, 헛되이.

여 허언(虛言)을 주출(做出)하여 죄를 제 주인에게 미루나, 실로 성씨는 무죄하니, 그 애매함을 천지귀신(天地鬼神)과 소제 밖은 알 이 없으리다."

예부 순설(脣舌)로 개유치 못할 줄 알고, 다만 약석(藥石)을 착실히 하여 쉬이 차경(差境)을 바라나, 태우의 실성이 이심(已甚)한 지경에 있어, 언언이 양씨를 절치(切齒)하고 성씨를 사모하여, 형제를 보채여 성씨를 불러 달라 하되, 예부 등이 구태여 성씨를 출거함을 이르지 않고, 다만 여자가 외헌에 나옴이 비편(非便)타 하여 막자르더라.

이러구러 사오일이 지났더니, 소양씨 해만(解娩)하여 일개 옥동을 생하니, 용미봉안(龍眉鳳眼)에 오악(五嶽)132)이 준기(俊起)하고, 두렷한 천정(天庭)133)에 양협(兩頰)이 풍만하며, 넉사주순(-四朱脣)134)과 높은 코가 완연히 귀격달상(貴格達相)135)으로, 영영(英英)한 미우(眉宇)와 수려한 용광(容光)이 해월(海月)이 떨어진 듯하니, 존당 구고 대희과망(大喜過望)하여 귀중(貴重) 행열(幸悅)함이 평생 처음으로 손아를 얻음 같고, 양씨 적상함이 무궁하되 산후 대단한 질양(疾恙)이 없어 갱반을 예사로이 나오니, 태부인과 정공 부부 더욱 깃거 하나, 태우의 병이 위악(危惡)하여 주야를 불분(不分)하고, 사람의 출입을 알지 못하는 가운데도 성씨를 생각함이 골수의 박힌 듯하니, 다만 입 속에 가득이 못 잊는 말이 다 성씨를 일컬어, 출화 당함은 알지 못하고 선수정에 있음으로 알아, 채죽헌으로 청함을 마지않으니, 예부 등이 그 실성을 우민하여 천방

---

132) 오악(五嶽) : 다섯 개의 큰 산을 뜻하는 말. 여기서는 얼굴의 두 눈과 두 콧구멍, 입을 말함.
133) 천정(天庭) : 관상에서, 두 눈썹의 사이 또는 이마의 복판을 이르는 말.
134) 넉사주순(-四朱脣) : 넉 '사'자('四'字) 모양의 붉은 입술.
135) 귀격달상(貴格達相) : 귀하고 높은 인물이 될 상(相).

백약(千方百藥)으로 치료하나, 감히 이 소유를 고치 못하고, 진경과 초후의 의술이고명한 고로 자주 왕래하여 장처에 약을 알아 쓰며, 보기(補氣)할 죽음(粥飮)과 유미(有味)한 찬선(饌膳)으로 구호하는 도리 극진하되 조금도 효험이 없으니, 양공이 날마다 와 보고 염려함이 친자의 질환과 다름이 없고, 화부인은 여아의 분산할 때에 친히 와 보려 하였더니, 정부에서 성씨를 출거하고 태우 중장하여 가내 불평할 바를 생각하여, 칭병하고 여아를 와 보지 아니하나, 태우의 광망패려(狂妄悖戾)함을 통완하고, 여아의 누명을 벗은 후도 쾌활치 못함을 탄돌(歎咄)하여 슬퍼함을 마지않더라.

이 적의 전당 태수 소한수 태자소부로 징소(徵召)하시는 명을 받자와 경사에 이르러, 궐하에 사은하고 고택에 이르매, 십여 년을 수습할 이 없는 빈 집으로, 장원(牆垣)이 퇴락(頹落)하여 머물 곳이 없으니, 하릴없어136) 양부에 이르니, 불과 처남(妻男)과 처질(妻姪) 등을 반길까 함이거늘, 기약치 않은 염난이 적수(賊手)의 검혼(劍魂)137)을 면하여, 마유랑의 휵양(慉養)을 입고 정부 설유랑의 일이년 극진히 받드는 덕으로써, 일명이 보전하여 양부에 있다 하는지라.

소부 반갑고 슬픈 정을 모양(模樣)치 못하여 양공과 누년 떠났던 정을 미처 펴지 못하고, 바로 양 평장 부중에 이르러, 부녀가 서로 붙들어 반기는 정과 참통(慘痛)한 심사를 이를 새, 소저의 상체 잠깐 나으나 두발이 하나도 없어 승니(僧尼) 같으니, 소공이 대경하여 연고를 물으니, 양공이 왕사를 세세히 전하고, 질녀의 혼사를 마지못하여 정가의 지내

---

136) 하릴없다 : 달리 어떻게 할 도리가 없다.
137) 검혼(劍魂) : 칼날에 죽은 혼령.

게 되었음을 이르니, 소공이 성씨의 악착함을 통완하나 딸을 적수(賊手)에 마쳤음으로 알아, 십여 년이 되도록 못 찾고 슬퍼하던 때로 비하건대, 그 목숨을 보전하였음이 천행인 고로, 만사를 풀쳐138) 분함을 참고, 인하여 양부 곁에 집을 사 머물 새, 소공이 양부인 기세한 후 즉시 전당으로 내려와 십여 년을 있으매, 운남 인물이 영한(零罕)139)하여 한낱 첩도 얻은 일이 없고, 당차시(當此時) 하여는 공의 연기 회갑(回甲)을 지냈음으로 여관(女款)에 뜻이 없어 측실(側室)을 구치 아니하니, 양공의 사 형제 소공을 대하여 이르되,

"질녀가 아직 형의 감지(甘旨)를 받드나 타일 성례하여 정가로 돌아가면, 형의 슬하 더욱 적료(寂廖)하여 한 사람도 시봉할 이 없으니, 첩잉(妾媵)도 구할 의사 없거든 바삐 계후(繼後)를 정하라."

소공이 옳이 여겨 종제 소연수의 이자(二子) 소흥을 계후하니, 흥이 연기 약관에 섬궁(蟾宮)140)의 단계(丹桂)141)를 꺾어 용방(龍榜)142)에 비등(飛騰)하여, 작차(爵次) 태학사에 이르렀고, 문장도학(文章道學)과 직절청행(直節淸行)이 사류(士類)에 추앙하는바 되고, 처 임씨 숙요(淑窈)하여 만사 유한정정(幽閑貞靜)하니, 소공이 양자 부부의 출인함을 만심환열(滿心歡悅)하여, 즉시 데려와 내외 가사를 맡겨 봉사지절(奉祀之節)과 치가지정(治家之政)을 다시 염려치 아니하니, 소학사 부부 양부(養父)를 지효로 받들며 염난 소저를 극진히 우애하여 동포

---

138) 풀치다 : 맺혔던 생각을 돌려 너그럽게 용서하다.
139) 영한(零罕) : 없거나 매우 드묾.
140) 섬궁(蟾宮) : 달. 섬(蟾)은 달 또는 달빛을 말한다.
141) 단계(丹桂) ; 붉은 계수나무. 조선시대에 임금이 과거 급제자에게 종이로 만든 계수나무 꽃을 하시어하였다.
142) 용방(龍榜) : =과방(科榜). 과거에 급제한 사람의 이름을 써서 거리에 붙이던 글.

(同胞) 골육동기(骨肉同氣) 같으니, 하물며 소소저의 우공(友恭)하는 정을 어디에 비하리오. 부친을 찾아 천륜의 남은 한이 없으나, 정 태우의 겁박고자 하던 바와 성씨의 참악을 생각하매 때때 심장이 놀랍기를 이기지 못하여, 인륜세사(人倫世事)를 참예함을 진정으로 원치 아니하나, 마유인의 은혜를 잊지 못하고 설유랑의 극진히 대접하던 은혜를 생각하매, 은인으로 칭하고 마유인의 영연(靈筵)143)에 삭망(朔望)으로 주과를 버려, 십일 년 무휼하던 은덕을 잊을 날이 없더라.

차시 정숙렬이 십 삭이 차, 일개 영자(英子)를 생하니, 신아(新兒)의 기골이 비범석대(非凡碩大)하여 천일지표(天日之表)와 용봉기습(龍鳳氣習)이 있어, 모비(母妃)의 추수정신(秋水情神)과 선풍염태(仙風艷態)를 전습(專襲)하여 속세 신아와 내도하니, 태부인과 조부인의 환행쾌열(歡幸快悅)함은 이르지도 말고, 윤공 부부와 총재 부부의 깃거함이 희출망외(喜出望外)라. 합문의 높은 화기(和氣) 춘풍이 화창함 같되, 태부인이 새로 증손을 볼수록 잃은 손아를 생각하여 슬퍼함을 마지않더라.

숙렬이 산후 무병하여 삼칠일(三七日) 후 즉시 일어나나, 세월이 갈수록 유자(幼子)의 사생을 알지 못하여 참연비상(慘然悲傷)함이 칼을 삼킨 듯하되, 존당 심회를 돕지 않으려 밖으로 화열한 빛을 지어 좋은 듯이 세월을 보내더라.

원수의 출정한 지 삼사 삭이 되매, 존당 숙당 조부인의 훌연(欻然)144)한 심사 더욱 비할 데 없으되, 이부(吏部) 비절한 회포를 참고

---

143) 영연(靈筵) : 죽은 사람의 영궤(靈几)와 그에 딸린 모든 것을 차려 놓는 곳. = 궤연(几筵)
144) 훌연(欻然) : 갑작스럽게 떠나거나 어떤 일이 일어나, 다하지 못한 일로, 마음 속에 어딘지 섭섭하거나 허전한 구석이 있음.

승안열친(承顔悅親)을 위주하여, 평생 단묵침정(端默沈靜)하던 성품을
고쳐, 존당을 모셔 세상 기담미어(奇談美語)와 문견(聞見)의 가소지사
(可笑之事)와 고금(古今)을 인증(引證)하여 웃으심을 요구하고, 간간
(懇懇)하여 면모(面貌)에 화기 무르녹아, 경운(慶雲)이 남훈(南薰)[145]
에 빛나며, 춘양(春陽)이 만물을 부생(復生)함 같으니, 존당 부모 어린
듯이 눈을 옮기지 않아, 그 낯을 볼 적마다 두긋거움과 아름다움을 이기
지 못하더라.

---

145) 남훈(南薰) : 남훈전(南薰殿). 순임금이 오현금(五絃琴)으로 남풍시(南風詩)를
     타 백성들의 불만을 어루만져주던 전각.

명주보월빙 권지팔십삼

　화설 윤 이부총재 공이 화성유어로 존당 부모를 위로하니, 존당 부모
어린 듯이 눈을 옮기지 않아, 그 낯을 볼 적마다 두긋거움과 아름다움을
이기지 못하거늘, 정·진·남·화 사부인과 하·장 이부인으로 더불어
승안화기(承顏和氣)로 영합친의(迎合親意)를 으뜸 하여, 백만사(百萬事)
에 효순키로 위주 하니, 하물며 정숙렬이 수두(首頭)로 누대봉사에 정성
을 다하고, 존당 존고의 감지온냉(甘旨溫冷)을 맞추고, 의복한서(衣服寒
暑)를 헤아려 출천한 성효가 갈수록 빛나고, 친척을 돈목하는 도리며,
대인접물(對人接物)에 동일지애(冬日之愛)146)와 춘양화기(春陽和氣) 자
연 인심을 감열(感悅)하니, 인리향당(隣里鄕黨)의 칭성(稱聲)이 자못 분
분하여 만성(滿城)을 풍동(風動)147)하니, 인인이 숙렬문이 헛되지 않음
을 일컫는지라.

　태부인과 유부인이 총재 부부와 정·진 등을 참혹히 조르고 보채며,
원수를 온 가지로 해하여 죽이고자 하던 바를, 매양 조부인과 구파를 대

---

146) 동일지애(冬日之愛) : 겨울 햇살의 다사로움.
147) 풍동(風動) : 바람이 무엇을 움직인다는 뜻으로, 백성들이 스스로 좇아서 감화
　　됨을 비유적으로 이르는 말.

하여 이르고, 뉘우치는 탄이 극하여 때때 눈물을 흘리니, 조부인이 존고와 유부인을 위로(慰勞) 개유(開諭)하여 무익히 지난 바를 비상(悲傷)치 말기를 청하더라.

이때 정태우 부전에 수장(受杖)한 지 수삭이 되매, 형제 구호함을 힘입어 장처는 적이 나으나, 측중(廁中) 출입은 임의로 하되 실성은 점점 더한 듯하여, 성씨 못 잊음이 날로 더하니, 예부 통완(痛惋)함을 이기지 못하여, 비로소 성씨 출거함과 부모 존당의 분연 통해하심을 일러, 차후나 개심수행(改心修行)함을 당부하되, 태우 형의 말을 채 듣지 못하여, 미처 내다를 듯하여 눈물을 머금고, 일신을 마구 부딪치며 가로되,

"성씨는 인자 온순한 여자라. 대인이 자식의 금슬을 희지음이 여차하시어, 춘교 간비의 무복(誣服)을 곧이들으시고, 양씨 요물의 수사(水死)한 원(怨)을 갚고자 하시어 성씨를 출거하시니, 내 어찌 어진 여자의 요조(窈窕)한 덕을 저버려, 무죄히 출거하여 영영이 찾지 아니하리오. 내 당당이 성부의 가 옥인을 보고 오리라."

예부 한심함을 이기지 못하여, 형제 일시의 태우를 붙잡아 움직이지 못하게 하니, 태우 성씨를 못 잊음이 심중(心中)에 응결(凝結)한 병이 되어 주야 일컫는지라. 진평장 등이 기괴함을 이기지 못하여 예부와 의논하고, 성씨 생각는 뜻을 끊고자 하여 거짓 성씨를 죽다 부음을 통하니, 태우 난간을 두드려 실성통곡(失性痛哭)하여 참불인견(慘不忍見)[148]하니, 초후와 제진이 왔다가 차경을 보고 해연 실소함을 이기지 못하되, 예부 등은 그 거동이 해연(駭然)하여 원수의 임행(臨行)의 염려하던 줄 깨달아, 마침내 심정이 온전치 못함을 근심하더니, 성씨의 죽

---

148) 참불인견(慘不忍見) : 참혹하여 차마 눈뜨고는 볼 수 없음.

다 함이 진정 일이 아니로되, 세상사 공교하니 어찌 우습지 않으리오.

성씨 구가의 출화를 만나 친정의 돌아가매, 성백과 성한림 등은 어진 군자라, 난화의 불인(不仁)함을 통해하며, 춘교와 악기 초사를 보매 정공의 처사를 조금도 한하지 않아, 성백이 일기(一器) 짐주(鴆酒)[149]로 딸을 죽이려 하니, 노씨 난화를 안고 한가지로 죽으려 하니, 성한림이 절박(切迫) 초조(焦燥)하여 부친께 애걸하여, 누이의 일명을 빌어 후정에 난화를 가두었더니, 난화 오래 갇혀 있음을 갑갑히 여겨 천금을 흩어 요승 묘화의 욕심을 채우고, 탈신할 도리를 가르치라 하니, 묘화 승(僧)의 주검 하나를 얻어 와 진언(眞言)을 염하고 작법(作法)하매 완연한 성씨의 얼굴이라.

성녀 대열하여 그 주검에 칼을 꽂아 놓고 저는 묘화를 따라 산사(山寺)로 도망하니, 성백 부부도 딸의 죽음으로 알아 시신을 염습입관(殮襲入棺)[150]하여 공산(空山)에 묻고, 노씨의 슬퍼함이 날로 더하니, 뉘 도리어 난화의 요악 궁흉함이 반야삼경(半夜三更)에 도망한 줄 알리오. 난화 묘화를 따라 산사의 이르러 다시 정가의 들어가기를 원한대, 묘화 머리를 흔들어 이제는 정가와 인연이 끊어졌음을 이르니, 성씨 망단(望斷)하여 눈물을 흘리고 슬퍼하니, 묘화 재삼 위로하고 널리 듣보아 변주 절도사 조흠의 재실을 삼되, 성씨로써 위씨로 하고 종선부모(終鮮父母)[151]하여 산사(山寺)에서 자란 바라 하여, 조흠을 속이니 뉘 내력을

---

149) 짐주(鴆酒) : 짐독(鴆毒)을 섞은 술. 짐독(鴆毒); 짐새의 깃에 있는 맹렬한 독. 짐새(鴆-); 중국 남방 광둥(廣東)에서 사는, 독이 있는 새로 몸의 길이는 21~25cm이며, 뱀을 잡아먹는데, 온몸에 독이 있어 배설물이나 깃이 잠긴 음식물을 먹으면 즉사한다고 한다.

150) 념습입관(殮襲入棺) : 초상이 났을 때, 시신을 씻긴 뒤 수의를 갈아 입혀 베로 싸 묶고 관(棺) 속에 넣는 상례절차.

151) 종선부모(終鮮父母) : 부모가 죽고 부모의 형제들인 백숙부모(伯叔父母)에 해

알리오.

조흠이 성씨를 재취하매 그 색을 과혹(過惑)하되 성씨 흠의 나이 사십에 당하고, 원비 구씨 팔 자녀를 두어 권세 중하니, 조흠은 정태우같이 성광(成狂)152)치 않아 색(色)을 혹(惑)하나 구씨를 중대하여 형세 태악 같아서, 가벼이 해할 모책이 없으니, 성씨의 궁험(窮險) 복박(福薄)함이 조가의도 종신치 못할 명도라. 조흠이 성씨를 취한 수삼 삭 만에 급한 병으로 반일을 고통하고 헛되이 죽으니, 성녀 어찌 괴로이 신혼곡읍(晨昏哭泣)하여 청상(靑孀)의 설워하는 모양을 당하리오.

조가 집 앞 강수에 거짓 빠져 죽노라 하고, 가만히 도망하여 공교히 춘교를 만나, 노주 십분 흔희하여 다 규수의 모양을 하고 묘화이고에게 의지하였더니, 황자 오왕이 육자 오녀를 두었더니, 화빈 군주 십여세 초춘(初春)에 독질을 얻어 급히 죽으니, 오왕 부부 참통애상(慘痛哀傷)하여 병이 되었는지라. 묘화 환술(幻術)하여 몸을 흔들어 작은 새 되어, 오궁 합장 뒤에 숨어 소리를 질러 왈,

"화빈 군주는 전세 업원(業冤)으로 금생(今生)에 자식이 되었다가, 급히 죽어 전하와 비에게 불효를 끼쳤거니와, 운수암의 한 여자 있어 전하 부부께 인연이 있으니, 데려다가 여식을 삼으라."

왕과 비 놀라 궁녀를 암자의 보내어 보라 하니, 난화 몸을 가장 유충(幼沖)한 형상으로 궁인을 좇아 오궁에 오매, 이 적에 계양 태수 조적이 수년 전에 부부 구몰하고 그 한 딸이 있더니, 적환을 만나 마저 죽고, 조적의 강근지친과 한낱 동기 없으므로 가사 망한지라. 성녀 조적의 집일을 자세히 아는 고로, 제 조적의 딸이로다. 하고, 적환을 만나 산사에 우

당하는 친척들이 매우 적거나 없음.
152) 성광(成狂) : 미친 사람이 됨.

유(寓留)153)턴 바로 대답하니, 또 그 나이를 모르매 비록 십오 세나 조
씨로 십세로라 하여 오년을 줄이니, 오왕 궁 제인이 사광지총(師曠之聰)
이 없는지라, 어찌 그 내력을 알리오. 한갓 숙성함을 일컫고 뜻을 결하
여 양녀를 삼으니, 조적이 또 국성인 고로 가장 깃거 후일 군주 위호를
얻어 주려 하니, 어찌 성백의 딸인 줄 알리오.

성씨 오궁에 옴으로부터 호치(豪侈)하고 부귀함이 친당(親堂)에 있을
제도곤 더하니, 교기(嬌氣) 양양(揚揚)하여, 가만히 춘교를 대하여 계교
묘묘함을 일컬어 일념에 정태우를 못 잊어 정가에 나아 갈 모책(謀策)
을 생각하더라.

정부에서 성씨의 죽음을 듣고, 태부인 어진 마음에 측은함이 없지 않
되, 정공은 그 죽지 않고 도망함을 본 듯이 알되, 태우의 슬퍼함이 병이
되었음으로 성씨를 부르짖어 통읍함을 마지않으니, 장처는 점점 낫되
실성병(失性病)이 더하여 능히 직사를 차리지 못하고, 방 밖에 머리를
내밀지 못하니, 상이 태우를 총애하시던 바라, 달포 유질함을 우려하시
어 태의(太醫)154)가 도로를 이었고, 정공이 황은을 감축하고, 예부 등
이 매양 태의더러 고쳐내지 못할 병임을 일컬어, 아예 진맥하는 바 없어
그저 돌아 보내더니, 태우 홀연 일순(一旬)이나 일어나 다녀 존당 부모
께 신혼성정(晨昏省定)을 참예하고, 진·하 양부에도 왕래하되, 행지 가
장 수상하여 보기 괴이한 고로, 예부 등 제인이 무심치 않아, 양씨 살았
음을 영영 기이더니, 일일은 태우 천장지구(遷葬之具)155)를 헤아리거
늘, 진평장이 묻되,

---

153) 우유(寓留) : 객지에서 머묾.
154) 태의(太醫) : 어의(御醫). 궁궐 내에서, 임금이나 왕족의 병을 치료하던 의원.
155) 천장지구(遷葬之具) : 무덤을 다른 곳으로 옮기는 데 필요한 기구.

"현제 누구를 옮겨 묻으려 천장할 기구를 경영하느뇨?"

태우 참연 대왈,

"성씨 무죄히 출화를 만나 죽으니, 그 시신이나 옮겨 우리 선산에 묻으려 하나이다."

진평장이 소왈,

"이는 네 임의로 못할 일이니 숙부께 고하여 허락을 얻은 후 범구(凡具)를 차리라."

태우 척연 왈,

"대인이 아무리 사정을 아니 살피신들, 성씨 무슨 죄를 지었관데 그 죽은 후 한 조각 선산 묘하(墓下)조차 아니 빌리시리까?"

예부 통해하여 일장을 꾸짖어 성씨를 결단하여 선산의 묻지 못하리라 하니, 태우 낙심(落心) 비열(悲咽)하여 선수정에 들어와 사벽(四壁)을 두드리며 통곡함을 마지않으니, 공이 그 곡성을 듣고 대로하여 엄히 다스리고자 하되, 실성지인을 책망할 것이 없어 우는 대로 버려두었더니, 태우 인하여 선수정에 눕고 일어나지 않아, 백해(百骸)를 고통하며, 음식을 거슬려 한 술 물도 순히 내리지 못하여 도리어 병을 더치매, 일망(一望)에 미처는 가장 위중하여 사람의 출입을 알지 못하고, 혼혼불성(昏昏不醒)하여 성씨 못 잊는 소리도 되채지[156) 못하니, 예부 등의 우민함은 이르지도 말고, 태부인 진부인이 초전(焦煎) 우려(憂慮)하여, 그 광망증(狂妄症)이 낫지 못하고 인하여 죽을까 참절함을 이기지 못하고, 정공은 구태여 요동치 않더니, 세월이 여류하여 태우 선수정에 있은 지 삼사 삭에 이르러는, 목 위에 실낱같은 목숨이 수유(須臾)에 있고, 일신

---

156) 되채다 : ①혀를 제대로 놀려 또렷하게 말하다 ②남의 말을 가로채거나 되받아 말하다.

이 얼음 같아서 바랄 것이 없을 뿐 아니라, 아무리 불러도 대답지 않고, 입에 약음(藥飮)을 드리워도 한 술도 들어가는 것이 없어, 진하는 거동이 석목간장(石木肝腸)[157]이라도 대하여 눈물이 나는지라. 태부인이 진부인과 소양씨를 데리고 친히 병소에 이르러, 생의 위위(危危)한 거동을 보고 실성통읍 왈,

"노모 오래 사라 좋은 일은 보지 못하고, 너를 목전에 죽일진대 내 차마 어찌 견디리오. 천지귀신이 나 같은 쓸 데 없는 몸은 찾지 않고, 네 비록 광패혼암(狂悖昏暗) 하나, 이팔청춘(二八靑春)에 강하(江河)의 너른 재주를 품고 속절없이 마치게 되었느뇨?"

언파에 생의 낯을 대고 손을 잡아 슬픔을 지향치 못하니, 이 때 정공이 외헌에서 빈객을 접응하다가, 날이 반오에 모친 기운을 묻잡고자, 직사를 불러 빈객을 모시라 하고, 태원전에 들어오니 당중이 황연(荒然)하여 시녀 등이 태우의 병소에 가 계심을 고하니, 공이 경아하여 선수정에 이르매 태부인이 바야흐로 진하여 가는 세흥을 붙들고 통읍상도(慟泣傷悼)하는지라. 공이 중심에 아자의 죽게 되었음을 참연할 뿐 아니라, 모부인 슬퍼하심을 황황절민(遑遑切憫)하여, 연망(連忙)히 태부인을 붙들어 나가심을 청하여 왈,

"세아 일시 병이 중하오나 구태여 사병(死病)이 아니오니, 자위 어찌 제 병에 친림(親臨)하시어 성체를 가쁘게 하시나니까? 원컨대 그만하여 정침으로 들으소서."

태부인이 오열 체읍 왈,

"세아가 광망패려(狂妄悖戾)하여 행사 삼가지 못함이 있거니와, 본성

---

157) 석목간장(石木肝腸) : 돌이나 나무와 같이 아무런 감정도 없는 마음, 또는 사람을 비유적으로 이르는 말.

이 총명상활(聰明爽闊)하여 스스로 허물을 깨달아 정도에 나아갈까 하여 믿음이 중하더니, 성가 원수 요물을 만난 후, 아해 실성이 조금도 낫지 못하고, 요물(妖物)의 죽음을 통상함이 더하여, 음식의 맛을 알지 못하여, 어지러이 장위(腸胃)를 사르다가 이제 사병(死病)을 얻으니 생도(生道) 망연한지라. 노모 '붕성(崩城)의 통(痛)'158)을 참고 흐르는 세월에 좋은 듯이 보냄은, 네 여러 자녀를 두어 하나도 목전에 맞는 일이 없으니, 매양 손아의 옥수신월(玉樹新月)159) 같음을 두굿겨 시름을 모르더니, 천만 생각 밖에 세흥을 참혹히 마치게 되었으니, 이 통절한 심사를 어찌 참고 견디리오."

공이 안색을 화(和)히 하고 성음이 유열하여 위로 왈,

"소자 병을 보지 않았사옵더니 금일 보매 일시 놀랍사오나, 자위는 절념소려(絶念消慮)160) 하소서. 곧 차성(差成)함을 보시리니 어찌 성체(聖體) 손상하심을 생각지 않으시고 과도히 상(傷)하여 계시니까? 소자 금일로부터 극진히 구호하여 회소지경(回蘇地境)을 보시게 하오려니와, 수요장단(壽夭長短)과 화복길흉(禍福吉凶)이 천수(天數)의 정한 바요, 버금은 상모(相貌)에 달렸으니, 인력으로 미칠 바 아니라. 세간에 독자일손(獨子一孫)을 참혹히 잃은 이도 능히 서하지통(西河之痛)161)을 참

---

158) 붕성지통(崩城之痛) : 성이 무너질 만큼 큰 슬픔이라는 뜻으로, 남편이 죽은 슬픔을 이르는 말.

159) 옥수신월(玉樹新月) : 옥으로 조각한 나무나 초승에 뜨는 달처럼 빛나고 아름답다는 뜻으로 재주가 뛰어나고 아름다운 사람을 이르는 말.

160) 절념소려(絶念掃慮) : 염려(念慮)를 끊거나 쓸어버린다는 뜻으로 염려 말고 안심하라는 말.

161) 서하지통(西河之痛) : 자식을 잃은 슬픔을 이르는 말. 서하의 고통이라는 뜻으로, 공자(孔子)의 제자인 자하(子夏)가 서하(西河)에 있을 때 자식을 잃고 너무 슬픈 나머지 소경이 된 고사에서 유래하였다.

고 상명지통(喪明之痛)162)을 견디는 이 있으니, 세아 혹자 살지 못한들 현마163) 어찌 하리까?"

부인이 체루비절(涕淚悲絶)하여 능히 말을 이루지 못하고, 다만 태우의 팔을 어루만져 통읍(慟泣)함을 마지않으니, 공이 불승초민(不勝焦悶)하여 모친을 재삼 권위(眷慰)164)하고 태원전으로 돌아 갈 새, 양안을 길게 떠, 예부를 책 왈,

"여등이 자위를 혼동(混動)하여, 어지러이 아뢰어 이렇듯 과상하심을 이루게 하니, 어찌 절민(切憫) 우황(憂惶)치 않으리오."

예부 실로 원민(冤悶)하나 무슨 말을 하리오. 오직 관을 숙여 청죄할 뿐이더라.

공이 모친을 백단 위로 하여 세흥을 살려내리니 무익(無益)히 슬퍼 마심을 고한데, 부인이 세흥의 병이 생도 가망이 없음을 보매, 죽을 차(次)165)로 알아 참통함을 이기지 못하니, 공이 아자(兒子)의 사생 염려는 둘째요, 모친의 초조하심을 황황하여 화한 안색으로 위로함을 마지않더라.

차시 북공이 출정한 지 칠팔 삭이라. 해국(海國)을 평정하고 번왕의 군신을 항복 받고 연하여 승첩하매, 먼저 첩음(捷音)을 황성에 주(奏)하고, 원수는 해국에 잠깐 머물러 백성을 안무하고 사졸을 쉬이고 있다 하

---

162) 상명지통(喪明之痛) : 눈이 멀 정도로 슬프다는 뜻으로, 아들이 죽은 슬픔을 비유적으로 이르는 말. 옛날 중국의 자하(子夏)가 아들을 잃고 슬피 운 끝에 눈이 멀었다는 데서 유래한다.

163) 현마 : 설마, 차마.

164) 권위(眷慰) : 정성을 다해 위로함.

165) 차(次) : 어떠한 일을 하던 기회나 순간. 때. 것.

는지라.

상이 정원수의 승전함을 들으시고, 정부에 각별히 은영을 더하시어, 상방어선(尙方御膳)과 상금어의(尙今御衣)166)를 벗어 보내시고 원수의 재덕을 일컬으시어 환희하시니, 정공이 중사를 대하여 성은을 사례하고, 원수의 승첩함을 태부인께 아뢰고 쉬이 환가할 바를 칭열(稱悅)하니, 부인이 기쁨을 이기지 못하나, 태우의 병을 우려하여 심장을 사르기에 미치니, 정공이 예부 등을 명하여 태부인을 모셔있으라 하고, 병소에 나아가 그 맥후(脈候)를 살피고 약석(藥石)167)을 시험할 새, 태우의 진하는 거동이 삼대원수(三代怨讐)와 백년대척(百年大隻)168)이라도 대한즉 참절비읍(慘絶悲泣)할지라.

양소저 사정(私情)을 원치 않던 바나, 그 병세 만무생기(萬無生氣)함을 당하여는, 심장이 여할(如割)하여 자기 명도(明道) 기구함을 슬퍼, 먼저 자문(自刎)하여 청상(靑孀)의 박복함을 당치 않으려 할 새, 유자(乳子)를 낳은 지 육 삭에 아이의 기상이 날로 수발(秀拔)하여 태우의 아시 적에서 나음이 있으니, 존당 구고 현기 버금으로 사랑하되, 양씨 아자를 물리쳐 그 유모를 맡겨, 뜻을 철석같이 정하여 태우의 운명 전에 자기 먼저 명이 진하려 하는지라. 정공이 아자의 하릴없이 되었음을 참통할 뿐 아니라, 세흥이 죽을진대 양씨 살지 않을 줄 헤아리매, 더욱 슬픔을 이기지 못하여, 태우의 손과 팔을 어루만져 척연히 양항루(兩行淚)를 금치 못하니, 하물며 진부인의 촌할(寸割)한 심사를 이르리오. 오열비읍(嗚咽悲泣)함이 주검을 놓아 둠 같으니, 정공이 부인을 돌아보아 가

---

166) 상금어의(尙今御衣) : 임금이 지금까지 입고 있던 옷.
167) 약석(藥石) : 약과 침이라는 뜻으로, 여러 가지 약을 통틀어 이르는 말. 또는 그것으로 치료하는 일.
168) 백년대척(百年大隻) : 백년 곧 일생토록 잊지 못할 원수.

로되,

"저의 작인(作人)인즉 장원(長遠)함이 백년을 기약할 것이로되, 병세 위악함이 살기를 기약치 못할지라. 그 광패무식함이 죽어 아깝지 않되, 자정의 과상하심과 양식부(息婦)의 정리를 생각하매 앞이 어두움을 이기지 못 하리로소이다."

부인이 탄성 읍왈,

"제 아시로부터 침정(沈正)치 못하였으므로 부모의 눈 밖에 난 자식이 되어, 명공의 가차(假借)하169)시미 없고, 첩도 증념(憎念)하는 바이더니, 이때를 당하여 저의 위태함을 보매 심담이 미어지는 듯하고, 자애 못 한 줄이 더욱 뉘우친지라. 만일 구치 못할진대 첩이 미사지전(未死之前)의 유한이로소이다."

공이 추연 왈,

"저를 자애치 않음이 구태여 미워함이 아니니 어찌 뉘우치리오. 비록 병세 위독하나 그 작인이 비상하니, 헛되이 마치지 않을 듯하니 부인은 과도히 슬퍼 말고, 양소부의 심사를 놀라게 하지 마소서."

좌우로 하여금 갱반(羹飯)170)을 내오라 하여 소저 앞에 놓고 먹기를 권하되,

"네 가부의 병이 위악(危惡)하나 하늘이 너의 팔자를 매몰케 않으리니, 모름지기 심장을 상해오지 말고 숙식을 폐치 말라."

소제 사식지념(食食之念)171)이 돈연(頓然)하되 존구의 권하심을 거스르지 못하여 강인하여 약간 진식하고, 무병한 몸을 염려치 마소서 청

---

169) 가차(假借)하다 : 정하지 않고 잠시만 빌리다.
170) 갱반(羹飯) : 국과 밥을 아울러 이르는 말.
171) 사식지념(食食之念) : 밥을 먹고 싶은 마음.

하니, 공이 더욱 연애함을 마지않고, 인하여 병을 살펴 약음을 알아 쓰고, 구호함이 아니 미친 곳이 없으되, 나음이 없어, 제진과 하공 부자가 자주 와 보고 그 살기를 바라지 못하며, 양평장의 초조함이 심장이 마르고, 소소부(蘇少傅)는 딸의 전정을 정태우에게 바람이 중하던 바로, 그 병이 위악함을 초조우민(焦燥憂悶)함이 양공이나 다르지 않을 뿐더러, 자기 팔자는 사사(事事)에 궁극(窮極)하니, 혹자 일녀의 신세 화열치 못하여 동방화촉(洞房華燭)의 예를 이뤄보지도 못할까 번뇌 초사(焦思)하니, 양공이 소공의 우려를 더욱 우민하여, 도리어 태우의 위인이 그만하여 마치지 않을 바를 일컬어 소공을 위로하더라.

일일은 태우의 병이 급하여 부모 형제 심장이 일만 조각에 끊어지는지라. 정공이 칠남매를 낳아 온전히 기르매 서하지탄(西河之嘆)을 본 일이 없다가, 불의에 태우의 병이 죽게 되니 참절한 정이 태부인을 돌아보지 않으면, 차라리 먼저 자문(自刎)하여 저런 경상을 보지 말고자 하는지라. 예부와 직사 촌장(寸腸)을 끊는 듯하여 부모를 붙들어 나가심을 청하니, 공이 부인을 권하여 내어 보내고, 자기는 오후로부터 태우를 품고 누어, 낯을 대고 살을 어루만져 태우와 한 베개에 누어, 잠연(潛然)이 눈을 감고 한가지로 세상을 버리고자 하니, 이때 양소저 선삼정에서 자문할 의사 급하다가, 생각하되,

"정군의 상모 남달리 장원한 품격이요, 이팔청춘(二八靑春)에 힘힘히[172] 조요(早夭)할 기상이 아니니, 내 잠깐 종시를 다 보려니와, 원간 지성(至誠)이면 감천(感天)이라. 내 금야에 북두성신(北斗星辰)과 천지께 축원하여 정군의 명을 빌리라."

---

172) 힘힘히 : 부질없이. 속절없이, 헛되이.

의사 이에 미치매, 야심하기를 기다려 원중(園中) 냉정(冷井)에 목욕하고, 그윽한 곳에 가, 태우의 명을 자기 대신함을 혈읍간걸(血泣懇乞)하니, 천의 감동할 때라. 이윽히 빌기를 마치고 침소에 돌아와, 월앵으로 하여금 선수정에 가 병후를 알아 오라 하니, 태우 아침으로부터 밤이 깊도록 일신이 얼음 같아서, 정공이 아무리 품고 누어 더운 몸으로써 그 차가운 살을 대고 온기를 옮기고자 하되 능히 못하고, 실낱같은 목숨이 바야흐로 끊길락이을락[173] 하니, 공이 종일 타는 애를 물로 적시고 고요히 누어 흉금이 막힐 듯하니, 이경(二更) 말에 태우 문득 몸을 돌이켜 누우며, 한 소리를 길이 탄식하여 척연히 양항루(兩行淚)를 흘리거늘, 공이 낯을 대고 누었다가 그 손을 잡고 묻되,

"네 인사를 차려 나를 알쏘냐?"

이리 이르며 촉을 가까이 놓고 자기 얼굴을 보라 하니, 태우 얼음 같은 몸에 잠깐 온기 일어나고, 낯 위에 땀이 흐르며, 희미히 눈을 떠 좌우를 보다가, 겨우 소리를 내어 왈,

"심지 허약하여 눈에 허리(虛魑)[174]가 뵈는가? 어찌 몸이 이에 누었는고?"

예부 집수 왈,

"네 누운 곳이 선수정이니 어찌 괴이히 여기느뇨?"

태우 추연 대왈,

"선수정인 줄은 알되, 소제 어찌 생래에 대인 품에 누어 본 일이 없거늘, 금야는 대인이 접안교이(接顔交耳)[175] 하시는 듯하니 어찌 괴이치

---

173) 끊길락이을락 : 숨 따위가 끊어졌다가 이어졌다가 하는 모양.
174) 허리(虛魑) : 도깨비. 헛것.
175) 접안교이(接顔交耳) : 얼굴을 대고 귀를 스침.

않으리오."

인하여 두 마디를 느껴 탄식하니, 태우 사람을 몰라본 지 수월이라. 이 말을 들으매 좌우 대열하고, 정공이 만심희열(滿心喜悅)하여 어루만져 왈,

"금야에 너의 말을 들으니 여부 실로 천륜에 박정(薄情)함을 아나니, 너를 품은 사람이 곧 네 아비니 허리(虛魍)가 뵈는 것이 아니니라. 부자의 혈맥이 함께 통하게 하려 하여, 종일 너를 품어 더운 기운으로써 너의 찬 기운을 바꾸지 못함과 너의 앓는 것을 바꾸지 못함을 애달라 하더니, 이제는 기운이 어떠하며 부모 형제를 알아볼쏘냐?"

태우 비로소 부공이 자기를 품고 계심을 알고 황공감은(惶恐感恩)하여 슬픈 눈물이 백옥용화(白玉容華)를 적시니, 공이 어루만져 왈,

"네 마음이 허약하여 죽을 듯싶어서 이렇듯 슬퍼하느냐? 어찌 심사를 요동하여 무고히 비척(悲慽)하느뇨?"

태우 누수를 거두고 대왈,

"소자의 불초광망(不肖狂妄)한 죄 머리털을 뽑아도 속(贖)지 못하올지라. 존당 부모께 무한한 불효를 끼치옵고, 일신 백행에 한 일도 볼만한 것이 없던 바로, 금야에 더욱 불효를 끼치오니 어찌 슬픔이 범연하리까?"

공이 천만 염외에 그 뉘우치는 말을 듣고 더욱 기특하여 이르되,

"네 정신이 사람이 못되어 실성발광이 극진하더니, 금일지언(今日之言)이 의외라. 무슨 일 패악하고 어찌하여 불효 되는 줄 아느냐?"

태우 함척(含慽) 대왈,

"불초자 무상하와 엄훈을 받잡지 못하옵고 행신을 방탕이 하와, 처자의 현우(賢愚)를 알지 못하고 광망패도(狂妄悖道)를 숭상하매, 존당 부모의 성려를 허비하시도록 중병(重病)을 들어 불효를 끼치오니, 이 밖에 불효 없을지라. 스스로 애달프고 뉘우쁘니[176] 몸을 형벌하여 죄를

속고자 한들 미치리까?"

공이 듣는 말마다 기특함을 이기지 못하여, 위로 왈,

"개과천선은 성인의 허하신 바라. 네 이미 그른 것을 버리고 정도에 나아가 행실을 삼갈진대, 기쁨이 이 밖에 없을지니 모름지기 슬퍼 말라."

인하여, 전 허물을 쾌히 깨달아, 태우 기운이 내붇지[177] 못할 뿐 아니라, 양씨의 말을 하려 하매 참통함이 먼저 가슴이 아픈 고로, 다만 몽롱이 대왈, '

"금야에 우연이 혼혼침침(昏昏沈沈)한 것을 깨치매, 전일사(前日事)를 뉘우침을 이기지 못 하리로소이다."

원래 태우 혼침(昏沈)[178]한 가운데 일몽(一夢)을 얻으니, 자기 몸이 하염없이 채운에 올라 얼핏 결에 금란전(金蘭殿)에 다다르니 주궁패궐(珠宮貝闕)의 장녀(壯麗)함과 오채(五彩) 현란(絢爛)함이 인세(人世)와 다른지라. 상제 구름 금상(金床)에 전좌(殿座)[179]하시고, 성신(星辰)과 제선(諸仙)이 시위한 바에 태우 들어가 조회하오니, 상제 남두성(南斗星)을 대하여 이르시되,

"태창성이 인간에 적강(謫降)하여 옥매선으로 백년가연을 이루나, 청한구호(靑悍九狐)[180]의 작희(作戲)를 인하여 태창성이 그릇 되고, 옥매선이 지금 눈썹을 펴지 못하니, 네 마땅히 옥매선의 애매함을 이르고,

---

176) 뉘우쁘다 : 후회(後悔)스럽다. 뉘우치는 생각이 있다.

177) 내붇다 : 불어나다. 힘이나 몸집 따위가 커지다.

178) 혼침(昏沈) : 정신이 아주 혼미함.

179) 전좌(殿座) : 임금 등이 정사를 보거나 조하를 받으려고 정전(正殿)이나 편전(便殿)에 나와 앉던 일. 또는 그 자리.

180) 청한구호(靑悍九狐) : 푸르고 사납게 생겼으며 꼬리가 아홉 개 달린 여우. *구호(九狐); 구미호(九尾狐).

구호의 사나움을 알게 하고, 봉내산(蓬萊山)[181] 상(上)의 명신단(明神丹)을 먹여 그 심혼(心魂)이 온전케 하라."

남두성(南斗星)이 수명하여 한 권 책을 손에 들어 태우 앞에 놓아, 가로되,

"다른 것은 보지 말고 이를 보면 거의 알리라."

태우 눈을 들어 살피니, 첫 머리에 쓴 것은 자기는 태창성이요, 양씨는 옥매선으로, 옥화궁에 속한 선아(仙娥)라. 서왕모(西王母)[182] 요지연(瑤池宴)[183]에 옥매선이 금봉화(金鳳花)[184] 한 가지를 태창성에게 던지매, 태창성이 금봉화를 거두어 소매에 넣은 연고로, 옥제 앞에서 희롱함을 대로하시어, 양인을 다 귀향(歸鄕)[185] 보내실 새, 태창성은 정가에 나고, 옥매선은 양가에 나도록 정하고, 월궁선이 발원하여 소가에 나매 태창성을 좇겠노라 함으로, 옥제 그 염치없음을 통해하시어 소가에 내어, 일찍 어미를 여의고 아비를 잃어 천비(賤鄙)한 곳에 머물게 하시고, 봉난선이 또 태창성에게 인연이 중함으로 한가에 내어 상봉케 하시고, 청한구호란 여우 옥화궁을 작란할 때, 태창이 옥매선 월궁선으로

---

181) 봉내산(蓬萊山) : 중국 전설에서 나타나는 가상적 영산(靈山)인 삼신산(三神山) 가운데 하나. 동쪽 바다의 가운데에 있으며, 신선이 살고 불로초와 불사약이 있다고 한다.

182) 서왕모(西王母) : 중국 신화에 나오는 신녀(神女)의 이름. 불사약을 가진 선녀 라고 하며, 음양설에서는 일몰(日沒)의 여신이라고도 한다.

183) 요지연(瑤池宴) : 중국 전설상의 선계(仙界)인 요지(瑤池)라는 못에서 열린다는 신선들의 연회.

184) 금봉화(金鳳花) : 봉선화(鳳仙花).

185) 귀향(歸鄕) : 귀양. 고려·조선 시대에, 죄인을 먼 시골이나 섬으로 보내어 일정한 기간 동안 제한된 곳에서만 살게 하던 형벌. 초기에는 방축향리의 뜻으로 쓰다가 후세에 와서는 도배(徒配), 유배(流配), 정배(定配)의 뜻으로 쓰게 되었다.

더불어 크게 짓두드려 참혹히 상케 하였음으로, 구호 발원하여 성가에
나, 정가에 인연을 잠깐 일워 옥매선과 월궁선으로 한을 갚고, 태창을
모진 약을 먹여 누월을 실성케 하고, 구호의 죄과 발각한 후 성가에 돌
아갔다가, 조흠의 집에 양삭(兩朔)을 머물게 하고, 다시 오궁에 사오년
을 의지하였다가 문곡성(文曲星)에게 돌아 가, 일시 대변을 일으켜 가
내를 잠깐 어지럽게 하였으되, 문곡성의 성명을 긴긴(繁繁)히 덮어
보지 못하게 하였더라.

상하로 자세히 보매 자기 복록과 양·소·한 등의 팔자 다 초년에 굿
기나 필경이 대길한지라. 태우 중심에 대열하여 남두성더러 봉난성의
근본을 물어 왈,

"소생이 한씨를 만난 일이 없으니 언제 취(娶)하리오?"

남두성 왈,

"만날 기약이 머지않았다."

하고 감로수(甘露水)와 명신단(明神丹)을 먹이고, 천경(天鏡)을 들어
양씨의 참혹히 보채이던 바와, 성씨의 요악히 모계(謀計)하던 바를 보게
하고, 북두성(北斗星)이 자기 손을 이끌어 정부 원중(園中)을 가르쳐,
양씨 고두배축(叩頭拜祝)하여 태우의 목숨을 비는 것을 보게 하니, 태우
감로수를 마시매 사지와 골절 앓던 것이 없고, 정신이 씩씩하여 진세(塵
世) 혼탁(混濁)한 뜻이 없더라.

상제 이르시되,

"태창성을 이르게 함은 옥매선과 구호의 선악을 자세히 알게 함이요,
옥매선의 지성을 감동하여 태창성의 끊겨진 명을 잇게 하나니, 인간 부
귀를 극진히 누리다가 천궁으로 돌아오게 하리라."

태우 부복사은 하고 물러나니, 남두성이 인도하여 강하(江河)가에 가,
태우를 한 번 밀치니 침상일몽(枕上一夢)이라. 십분 괴이히 여기나 양씨

살기는 만무하고, 참혹히 죽이매 뉘우침이 미사지전(未死之前)에 풀리지 않을 유한(遺恨)이라. 장탄하여 종야 접목(接目)지 못하나 정신이 씩씩하며 백해(百骸) 경쾌하니, 예부 등의 환열함은 이르지도 말고, 진부인이 태부인을 모셔 떠나지 못하고 한갓 통읍(慟泣)할 뿐이러니, 회소(回蘇)함을 들으매 즐거움이 이 밖에 없고, 태부인의 환열함은 일필난기(一筆難記)라. 야심(夜深)한 고로 태부인과 진부인이 공의 만류함으로 나와 보지 못하고, 날이 새기를 기다려 보려 하더라.

차시 양소저 침석에 몸을 비겨 월앵이 알아 옴을 기다리더니, 월앵이 태우의 병세 회춘함을 전하니 천만 행심하나, 생전에 태우로 더불어 상화(相和)할 뜻은 없더라.

명일 태부인과 진부인이 선수정에 이르러 태우를 볼 새, 누월 위중하던 증세 많이 나음을 행심하니, 태우 추연이 눈물을 먹음고 오래 유질(有疾)하여 존당 부모께 성려 끼침과, 용납지 못할 불효죄인이 되었음을 슬퍼 탄식하니, 부인이 그 쾌히 깨달아 전일을 뉘우침을 영행하여, 어루만져 위로무애(慰勞撫愛)하고, 보기(補氣)할 죽음(粥飮)을 착실히 먹어 쉬이 차성(差成)함을 당부하고 정당으로 돌아오매, 진평장 군종형제와 정국공 부자며 양씨 제생이 연일 왕래하여 보고, 일가친척이 태우의 회춘함을 만구칭하(滿口稱賀)하여, 정공 부부의 복덕을 하례하고, 소·양 이공이 기쁨을 형상치 못하니, 정부에서 우황하던 염려 바뀌어 즐거운 영화가 만무일흠(萬無一欠)이요, 택상(宅上)의 높은 화기 춘풍 같더라.

이러구러 십여 일이 되매 태우의 병이 안개 스러지며 구름이 걷힘 같으니, 기부(肌膚) 윤택하여 전일에 승함이 있고, 고요히 누어 절절이 자기 광거(狂擧)와 패도(悖道)를 뉘우쳐, 행실을 닦으며 덕을 수렴하여 마음을 굳게 잡아, 다시 그른 곳에 빠지지 아니키를 결단할 뿐이라. 자기의 실성발광(失性發狂)이 존당 부모께 불효 끼침을 슬퍼, 갈수록 회과자책(悔過自責)하기로 기약하니, 부형이 다시 경계하여 가르칠 것이 없는지라. 정공 부부의 두굿기며 기뻐함은 모양 하여 비할 곳이 없어, 처음에 단정(端整) 수행(修行)하던 예부 같은 이는 도리어 예사로워, 새로이 기쁘며 두굿길 것이 없으되, 태우의 개과수행(改過修行)함은 남에 없는 경사 같아서, 사랑이 제자 중 특별함이 되었더라.

진평장이 군종(群從)186) 유(類)에 나이 으뜸이로되, 매양 사람을 보채어 희해(戲諧)하기를 즐기는지라. 태우의 병이 차성함을 인하여, 태우로 하여금 가소지사(可笑之事)를 행하여 긴 날에 웃음을 삼고자 하는지라, 숙모께 청하여 양씨의 살았음을 태우더러 이르지 마소서 하고, 예부 등을 당부하여 소양씨의 생존함을 이르지 말라 하니, 정공이 또한 양씨의 생존을 이르지 않았는지라. 예부 등이 태우의 슬퍼함을 민망하되 구태여 먼저 발설치 않아, 부친의 이르심을 기다리더니, 진평장의 종제 어사로 더불어 선수정에 들어와 태우를 볼 새, 생이 베개를 의지하여 사람의 말소리는 알아들을 만한지라. 평장이 짐짓 어사더러 왈,

"현제 선삼정 변고를 들었느냐?"

어사 대왈,

"숙모 이르시거늘 듣자왔거니와 그런 이상한 일이 없더이다."

평장 왈,

"청춘 여자 원억히 죽으매 원혼이 풀리지 아니하여, 침소를 웅거하여 형용이 백주(白晝)에 완연하여, 생인(生人)이 눈에 뵈니 참잔(慘殘)한

---

186) 군종(群從) : 여러 사촌 형제들.

일이라. 세흥이 차마 못할 노릇을 하였으니, 포원(抱冤)한 정령(精靈)이 아주 풀리지 않은가 하노라."

어사 왈,

"양수는 세흥이 죽였으니 그러함이 괴이치 아니하거니와, 월앵은 뉘 죽였관데 노주의 영혼이 선삼정을 떠나지 않아 생인과 같이 서려있다187) 하더니까?"

평장 왈,

"월앵도 세흥이 죽였다 하니, 노주의 정녕(精靈)이 선삼정을 떠나지 않음인가 하노라."

이렇듯 일러, 양씨의 노주 분명이 죽어 원혼이 선삼정에 있어, 생인의 눈에 뵌다 하는지라. 태우 자세히 듣고 경참통절(驚慘痛切)함이 새롭되, 슬픈 것을 강인하고 일어나 앉아, 가로되,

"형 등이 무슨 말을 그다지 참혹다 하느뇨?"

평장이 쓰리쳐188) 답 왈,

"세간사(世間事)가 괴이하여 사람이 한 번 죽으매 형적(形迹)이 끊어져, 천추만대에 다시 못 얻어 보거늘, 금자 한 곳에는 여자 양인의 원사한 영백(靈魄)이 흩어지지 않아, 완연이 생인의 모양이 되어 눈에 뵌다 하니, 어찌 괴이치 않으리오."

태우 왈,

"어느 곳에서 어떤 사람이 죽어 그렇다 하더이까?"

평장 왈,

---

187) 서리다 : 어떤 기운이 어리어 나타나다.
188) 쓰리치다 : 쓸다. 쓸어버리다. 쓰레기 따위를 한데 모아서 버리다. 부정적인 것을 모조리 없애다.

"네 들으면 심사 좋지 않으리니, 물어 무엇 하리오. 이후 자연 알리라."

어사 왈,

"한갓 의용(儀容)이 뵐 뿐 아니라, 언어 예사로워 수작함을 산 사람같이 한다 하니, 그런 요망한 일이 없더라."

태우 왈,

"소제 그 말을 들어 심사 비감(悲感)할 리 없으니, 어찌 바로 이르지 아니하느뇨?"

평장은 묵연 탄식하고, 어사 왈,

"네 기거(起居)할까 싶거든 잠깐 선삼정에 가 괴이한 거동을 보라."

태우 슬픔이 새로운지라. 평장이 가소로움을 이기지 못하되 사색치 않고, 이후 제진과 하사마 서로 맞추어 태우를 보면, 양씨의 혼이 선삼정에 있음을 일컬어, 선삼정에 괴이한 일을 알고자 묻는 듯이 하매, 수상한 빛을 뵈지 않으니, 태우 본디 소탈하여 공교로운 일을 의심치 않는지라. 심하(心下)에 양씨 원혼이 풀리지 아니하여 선삼정에 있음으로 알아 참연 통상하더니, 이미 병이 쾌소(快蘇)하매 일어나 태원전에 들어가니, 조모와 부모 죽었던 사람같이 반김을 이기지[189) 못하고, 형제의 환열함은 비길 데 없더라.

이 날 하부인이 귀녕하여, 생(生)·양(養) 부모께 배현하고 제매로 서로 반길 새, 평장과 초후가 당부하여 세홍을 한 차례 속이려 함을 이르니, 비록 단정하나 기색을 보려 하여, 태우를 향하여 추연 탄 왈,

"앓던 값은 없단 말이 옳아! 현제는 그런 중병이 들었어도 안개 스러지듯 쾌소하였거니와, 사자(死者)는 불가부생(不可復生)이라. 양씨 노

---

189) 결을 : 겨를. 어떤 일을 하다가 생각 따위를 다른 데로 돌릴 수 있는 시간적인 여유. =틈.

주 선삼정 가운데 완연이 있음을 보니, 유명(幽明)이 길이 다름을 깨닫지 못하고, 그 애원한 말을 들으니 더욱 참절함을 이기지 못하리로다."

태우 매저의 단엄(端嚴) 침정(沈正)함을 깊이 믿는 바라. 일분도 희롱임을 생각지 못하고 통절함이 흉억(胸臆)에 가득하되, 존당 면전이라 종일 모셔 수월 유질(有疾)하여 슬하에 시봉을 폐하였던 하정(下情)을 펴다가, 혼정지시(昏定之時)에 태부인이 생더러 왈,

"중병지여(重病之餘)에 몸을 가쁘게 함이 무익하니 그만하여 물러가라."

태우 수명하여 물러 날 새, 부친께 시침코자 하되 몸이 가쁨이 심하여, 채죽헌에 가 쉬고자 하여 밖으로 나가다가, 선삼정에 원사한 형용을 보고자 하여, 자기 뉘우치는 말을 베풀고 시원히 통곡고자 하여, 걸음을 돌이켜 선삼정에 이르매, 이날 양소저 유자를 존당에 들여보내고, 촉하에서 월앵으로 더불어 추의(秋衣)를 다스릴 새, 십지섬수(十指纖手)에 바늘을 잡아 놀리는 바에 귀신이 돕는 듯한지라. 태우 부지불각(不知不覺)에 바삐 들어가매, 장외에 여러 시녀 등이 있음을 살피지도 않고 들어가 장(帳)을 들치니, 소저 월앵으로 더불어 침선을 잠착(潛着)하여 다스리다가, 태우를 보고 놀라움이 청천에 벽력이 만신(滿身)을 분쇄하는 듯하되, 불변안색하고 천연이 일어나 맞을 새, 태우 저 노주를 보매 듣던 말이 다 옳음을 깨달아, 반갑고 슬픈 심사 여할여삭(如割如削)하니 연망(連忙)히 들이달아, 섬요(纖腰)를 붙들고 일성장통(一聲長慟)에, 일천 줄 눈물이 오월장수(五月長水)[190] 같아서 왈,

"창천이 생(生)과 자(子)를 내시매 반드시 백년금슬(百年琴瑟)을 무흠(無欠)히 할 것이거늘, 어떤 조물이 헌사하여[191] 요인이 사이를 타

---

190) 오월장수(五月長水) : 오월(양력7월)의 장맛비.
191) 헌사하다 : 야단스럽다. 시끌벅적하다. 호사스럽다. 수다스레 말하다. 수다 떨다.

작희하매, 생이 눈이 있으되 망울이 없어 성가 요물에 침혹하여, 실성발광(失性發狂)하고 혼암불명(昏暗不明)하여 부인의 얼음이 맑고 옥이 좋음을 알지 못하고, 무식박행이 오기(吳起)에 세 번 더함이 있어, 자를 물에 넣으매, 유신(有娠) 십삭(十朔)에 어복(魚腹)을 채우고, 영백(靈魄)이 수신(水神)과 놀게 하니, 생의 박행이 천하에 둘이 없거니와, 이 도시 하늘이 사람을 그릇 만든 탓이니, 실로 천의를 알지 못할 바라. 자(子)192)가 지원극통을 품고 원사(寃死)한 고로, 영혼이 흩어지지 않아 형적(形迹)을 이같이 생인(生人)에게 뵈게 하니, 청컨대 슬픈 말을 다하고 생의 그릇함을 벌하여 음주(陰誅)193)를 정히 하소서."

언파에 참통비절 함이 가슴이 막힐 듯하니, 중병지여(重病之餘)에 슬픔을 과히 하매, 기운이 엄엄(奄奄)하고 수족이 궐냉(厥冷)하여194) 보기에 무서운지라.

양소저 차경을 보매 그 실성이 오히려 낫지 않았음을 알아, '이리 굴다가 자기 노주(奴主)를 죽이려 하는가.' 놀랍고 흉해하니, 미우 씩씩하여 몸을 빼고자 하나 세찬 힘으로 굳게 잡았는 고로 능히 운신치 못하여, 이에 정색 왈,

"첩의 행신(行身)195)이 미(微)하고 위인이 비루하나 오히려 죽지 않았거늘, 군자 어찌 인귀(人鬼)를 불변하여 산 사람을 대하여 귀신으로 치심은 무슨 연고니까?"

생이 양소저의 말을 들으매, 양씨 평생 자기를 괴로와 대하기를 싫어하던 바로, 비록 정령(精靈)이나 이러한가, 눈물이 환난(汍亂)하여 가로되,

---

192) 재(子) : 문어체에서, '그대'를 이르는 말.
193) 음주(陰誅) : 음계(陰界)의 귀신이 벌(罰)함.
194) 궐냉(厥冷)하다 : 체온이 내려가 손발 끝에서부터 차가워지다.
195) 행신(行身) : 처신(處身). 세상을 살아가는 데 가져야 할 몸가짐이나 행동.

"생이 자를 저버려 참혹히 살해함은 살아서 능히 풀 길 없고, 비한(悲恨)을 구천타일(九泉他日)에 풀고자 하나 쉽지 못하니, 생의 뉘우치는 한(恨)이 부모 존당의 염려를 생각지 않을진대, 머리를 깎고 주류천하(周遊天下)하여 명산대천(名山大川)에 두루 놀아 자의 내세를 닦고, 발원하여 후세에 부부 되어 동일동시(同日同時)에 합연(溘然)196) 장서(長逝)197) 하기를 축원할 것으로되, 전자에 실성발광 하여 존당 부모께 성려를 끼쳐 불효(不孝) 비경(非輕)하니, 또 다시 불효를 두려 임의로 못하나, 차후 백 미인과 열 숙녀를 모아도, 자의 유신 십 삭에 물에 밀쳐 죽인 한이 심중에 응결한 병이 되어, 미사지전(未死之前)에 풀릴 길이 없으니, 다른 여자로 '의가(宜家)의 낙(樂)'198)을 다시 원치 아니하나이다."

언파에 크게 통곡고자 하거늘, 양씨 안색을 정히 하고, 가로되,

"군자 첩을 분명이 죽은 양으로 알아 말씀이 여차하시나, 첩은 실로 죽은 일이 없으니 익수지환(溺水之患)을 당하나 월앵의 건저 냄과 표숙의 구하신 대덕을 힘입사와, 일명이 보전하였거늘, 군자 어찌 첩의 말을 이다지도 믿지 아니 하시나니까?"

태우 비로소 양안(兩眼)을 두렷이 뜨고 소저를 놓으며, 이르되,

"자의 말이 의심 되고 괴이하다. 월앵이 살아있는 것이 아니니, 나의 박덕무식 함이 월앵을 참혹히 죽였거늘, 자를 어찌 구할 리 있으리오?"

소저 태우로 더불어 흔연(欣然)이 상화(相和)키를 않으려 굳게 결단

---

196) 합연(溘然)하다 : 죽음이 뜻하지 않게 갑작스럽다.
197) 장서(長逝) : 영영 가고 돌아오지 아니한다는 뜻으로, '죽음'을 완곡하게 이르는 말.
198) 의가(宜家)의 낙(樂) : 부부 사이의 화목한 즐거움. =의가지락(宜家之樂). =실가지락(室家之樂).

하였으나, 천성이 공교롭고 간사한 일을 기뻐하지 않는 고로, 자기 죽지 않았음을 일러 쾌히 알게 하려 함으로, 아미(蛾眉)를 축합(蹙合)199)하고 가로되,

"월앵이 그 때 죽은 것이 아니라 엄홀(奄忽)한 것을, 집장사예(執杖司隸)가 그릇 죽은 줄로 알고 시신을 끌어 내쳤더니, 가장 오랜 후 생기 있음을 고하였는 고로, 즉시 들어옴이 방자하여, 살았으되 군자께 아뢰지 못하고, 행각(行閣)에 왕래하다가, 첩의 몸이 연정(蓮井) 물을 인하여 시내까지 나간 고로, 앵이 첩을 건져 내고 낙양후 숙부 마침 구하여 숙부 택상에 있다가 돌아 온 지 여러 달이 되었나니, 천고에 어찌 죽은 사람이 형적을 완연이 드러내어 생인과 수작하리까? 군자 첩의 말을 믿지 않으시거든 이제 숙부께 고하여 보소서."

태우 귀를 기울여 양씨 살아난 설화를 들으매, 기특하고 영행함을 측량치 못하는지라. 눈으로 부인의 가없는 용화를 첨망(瞻望)하며 귀로 그 진적(眞的)한 말을 들으니, 처음은 진(眞)이며 몽(夢)임을 깨닫지 못하더니, 재삼 진적한 말을 들으매, 기특하고 기쁨이 칠년대한(七年大旱)에 점우(霑雨)200)를 만난 듯, 자기 상성실혼(喪性失魂)하여 공연이 숙요(淑窈)한 현처(賢妻)를 참혹히 마치매, 그름을 뉘우친 후는 천사만념(千思萬念)이 구회촌단(咎悔寸斷)201)하여, 부인의 빙자아질(氷姿雅質)로 옥이 다사하고202) 꽃이 향기롭거늘, 잉신십삭(孕身十朔)에 미처 분산도 못한 것을, 천단곡경(千端曲境)으로 핍박하여, 자기 골육을 간부

---

199) 축합(蹙合) : 눈살을 찌푸리고 얼굴을 찡그림.
200) 점우(霑雨) : 마른 땅을 적실만큼 많이 내린 비.
201) 구회촌단(咎悔寸斷) : 옛 일을 자책하여 뉘우치는 마음이 여러 단면으로 갈라저 떠오름.
202) 다사하다 : 따스하다. 조금 다습다.

의 더러운 골육이라 하여 수중(手中)에 들이치던 일을 생각하면, 비록 생철같이 모질고 토목같이 사나우나, 이미 전과(前過)를 뉘우치매, 부인의 참혹히 원사한 바를 애원통석(哀怨痛惜)함이 심담(心膽)이 붕녈(崩裂)하여, 숙식침좌(宿食寢坐)203)에 생각할수록 오기(吳起)204)에 지난 박행이요, 무신이라. 또한 향인(向人)하여 이르기도 부끄럽더니, 이제 부인의 완전 여구(如舊)함을 보니, 인간 낙사(樂事)가 이 밖에 없는지라. 군자의 단심(丹心)과 장부의 철장(鐵腸)이나, 하 흐뭇하여 기쁘고 즐거우니, 도리어 감창함을 이기지 못하여, 옥수를 잡고 감루(感淚) 여우(如雨)하여 왈,

"이 일이 진야(眞耶)아, 몽야(夢耶)아! 학생의 전후 실성과 광거는 당금차시(當今此時)에 생각하매 새로이 심골이 경한(驚寒)한지라. 생이 무상하여 한 쌍 구슬이 선악을 살피지 못하고, 찰녀(刹女)205)의 간참(姦讒) 밀서(密書)를 믿은 고로, 부인의 빙옥방신(氷玉芳身)을 허다(許多) 누명(陋名)으로 의심하여, 무인반야(無人半夜)에 찰녀의 여차여차 가르치는 말을 신청하고, 부인이 침소에 돌아옴을 전혀 몰랐다가, 간인의 이름을 좇아 광심(狂心)을 주리잡지206) 못하여, 부인을 연정(蓮井)에 들이치고, 납향을 벤 후에 선수정에 가니, 찰녀 또 여차여차 소씨를 참혹한 형벌로 해하려 하니, 그 명이 수유(須臾)에 급한지라. 생의 광심에도 이 거조를 보니 문득 성녀의 패악함을 분노하여, 소씨를 구해 선향

---

203) 숙식침좌(宿食寢坐) : 자고 먹고 눕고 앉고 하는 일.
204) 오기(吳起) : 중국 전국시대(戰國時代)의 병법가(B.C.440~B.C.381). '오기살처(吳起殺妻)'의 고사로 유명하다.
205) 찰녀(刹女) : 나찰녀(羅刹女). 여자 나찰. 사람의 고기를 즐겨 먹으며, 큰 바다 가운데 산다고 한다.
206) 주리잡다 : 추스르다. 일이나 생각 따위를 수습하여 처리하다.

정 수수께 보내고, 이교 등 삼녀를 죽여 머리를 성녀의 앞에 던지고, 다시 중형으로 춘교를 저주려 하더니, 목이 갈함을 인하여 차를 구하니, 요인 노주(奴主) 독한 요약을 차에 넣어 먹이니, 생이 그 차를 먹으매 만신백체(滿身百體)가 저리고 정신이 미란하여, 서당에 나와 한 번 누우매 상성광인(喪性狂人)이 되어, 부모 존당도 오히려 두려움을 알지 못하고, 아는 것이 다만 성녀라. 그간의 허다 악사 발각하여, 요녀 영출(永黜)함을 가중이 다 알되, 생은 연무중(煙霧中)에 아득하여, 진위(眞僞)를 해석치 못하더니, 수월을 대통(大痛)하여 명재조석(命在朝夕)이러니, 누일(累日)을 혼곤(昏困)하여 혼백이 여차여차한 곳에 나아가. 여차여차한 몽사를 얻고, 신인(神人)의 지교 (指敎) 명백하여, 자의 생존함을 이르나, 사자(死者)는 불가부생(不可復生)이라. 생이 박행무상(薄行無狀)함이 오기(吳起)에 더한지라. 손으로 현처를 박살하였으니 그 살아나기는 만무한지라. 한갓 뉘우치는 탄이 심곡에 쌓일지언정, 감히 향인(向人)하여 이를 곳이 없으니, 생전은커녕 미사지전(未死之前)에 잊기 어려울까 하였더니, 또 진형 등의 문답이 여차여차 부인 노주의 현영(現影)207)함이 생인(生人)과 같다 하니, 생이 실로 부인의 생존함은 만무하니, 벅벅이 원혼이 흩어지지 않음인가 애원통상(哀怨痛傷)함이 시일(是日)노 층가(層加)하니, 금일은 비록 유명(幽明)이 격(隔)하나, 영백(靈魄)을 대하여 심중비원(心中悲怨)을 한 번 위로코자 이르렀더니, 어찌 산 사람을 만날 줄 알리오. 원컨대 자는 우리 부부 재생(再生)한 사람인 줄로 생각하여, 광부(狂夫)의 전일 상성광망(喪性狂妄)하던 박행(薄行)을 용사(容赦)하여 백년을 화락하여 생즉동주(生則同住)208)

---

207) 현영(現影) : 형체를 눈앞에 들어냄. 또는 그 형체. =현형(現形).
208) 생즉동주(生則同住) : 사는 동안은 언제나 한 곳에서 함께 살아감.

하고 사즉동혈(死則同穴)209)하사이다."

설파에 무궁한 비원(悲怨)과 가득한 회포를 이기지 못하니, 양소저 그 뉘우치는 말을 들을수록 그 죽이려 하던 일과 깁을 끊어 동여매려 하던 일을 생각하니, 시틋하고210) 놀라우니, 저의 뉘우치는 말도 믿는 듯, 마는 듯하고, 성혼삼재(成婚三載)에 이렇듯 말 많이 함이 처음이라. 다만 성안(星眼)이 나직하고 옥모(玉貌) 냉정하여 묵연(黙然) 불어(不語)하니, 차고 매운 거동이 매화(梅花) 납설(臘雪)211)을 띠었음 같으니, 태우 부인의 냉연매몰(冷然埋沒)한 거동을 보매, 산해 같은 중정(重情)을 발뵐 길이 없으니, 도리어 희허탄식(唏噓歎息)함을 마지않더니, 양구(良久) 후에 우문(又問) 왈,

"부인이 복아(腹兒)를 능히 분산(分産)하였으며, 남녀를 알고자 하나이다."

소제 척연 대왈,

"첩의 모자 잔천(殘喘)212)이 심어토목(甚於土木)이라. 유아 무사히 출세(出世)하매 남아(男兒)로소이다."

정언간(停言間)에 소아의 유모 정당으로 좇아 소아를 데려 이르니, 생이 연망이 아해를 받아 슬상(膝上)에 얹고 살피니, 이 문득 생세 한 바 범아가 아니라. 한 자 옥(玉)으로 무으며213) 보배로 장식하였으니, 경림(瓊林)214)의 꽃가지요, 채가(彩家)의 교옥(皎玉)이라. 해아(孩兒)

---

209) 사즉동혈(死則同穴) : 죽어서는 한 무덤에 묻힘.
210) 시틋하다 : 마음이 내키지 아니하여 시들하다.
211) 납설(臘雪) : 납일(臘日; 동지 뒤 셋째 未日)에 내리는 눈.
212) 잔천(殘喘) : 잔명(殘命).
213) 무으다 : 만들다. 쌓다.
214) 경님(瓊林) : 옥같이 아름다운 숲.

난지 수월(數月)이로되 체형(體形)이 석대(碩大)하여 범아의 팔삭이나
된 듯하고, 잠미봉안(蠶眉鳳眼)이며 월액단순(月額丹脣)이니, 자가의 동
탕쇄락(動蕩灑落)함과 양소저의 한없는 광염을 오로지 품수하여, 일쌍
별 같은 안채(眼彩)를 둘러 좌우를 살피매, 의의(儀儀)히[215] 지각(知覺)
이 있는 듯하고, 도주단순(桃朱丹脣)[216]은 거의 냅다[217] 말을 할 듯하
니, 태우의 한없는 사랑이 아무 곳으로 좇아 나는 줄 깨닫지 못하여, 하
염없이 접면교시(接面交腮)[218]하고 연애귀중(憐愛貴重)함이 측량없는
가운데, 더욱 전과(前過)를 생각하니 이 같은 기린영자를 아깝게 마칠
번한 줄 생각하매 새로이 놀라오니, 스스로 일희일비(一喜一悲)하여 소
아를 회중(懷中)에 품고 연애함을 이기지 못하여, 부인을 대하여 위하지
성(慰賀之誠)이 부절여루(不絶如縷)하나, 소저는 옥안이 맥맥하여 정색
손사(正色遜辭) 할 뿐이더라.

　밤든 후 바야흐로 소아를 유모를 주고 이에 취침할 새, 소저 크게 괴
로이 여기나 하릴없어, 다만 안색이 냉렬(冷烈)하니, 태우 비록 충천장
기(衝天壯氣)나 자기 허물이 많아 숙녀의 불복(不服)함을 만나니, 시러
금[219] 저를 그르다 못할지니, 중산하해(重山河海) 같은 정을 발뵐 길이
없으므로 상요(床褥)에 나아가 취침 하니라.

　명조에 존당에 신성하고 외당에 나아가니, 진평장 형제, 태우가 밤에
선삼정에 갔던 줄 알고, 소왈,

　"예백이 어제 밤새도록 선삼정에 가 원혼(冤魂)을 만나 밤을 자고 왔

---

215) 의의(儀儀) : 의용을 갖추어 덕이 있는 모양.
216) 도주단순(桃朱丹脣) : 복숭아꽃처럼 붉은 붉고 고운 입술.
217) 냅다 : 몹시 빠르고 세찬 모양. 여기서는 '큰 소리로' 정도의 뜻.
218) 접면교시(接面交腮) : 얼굴을 마주대고 뺨을 비빔.
219) 시러금 : 이에, 능히.

으니 반드시 실성하였으리라."

초후 이르렀더니, 대경 왈,

"연즉 큰 일이 나리로다. 소제 전일 들으니 예백이 이따금 동풍차추(東風且秋)220)에 도깨비를 들리기221)를 자주 한다 하더니, 극히 놀랍도다."

태우 미소 왈,

"소제는 작야에 분명한 생인(生人)과 동처(同處)하였으니 양씨 어찌 지하인(地下人)이리오. 형 등이 소제를 실성(失性)하다 하시나, 소제는 헤건대 형 등이 무슨 풍사접귀(風邪接鬼)222)를 들렸는가 싶으이다. 저렇듯 허언광설(虛言狂說)을 일없이 하니, 어찌 영험한 복자(卜者)에게 문복(問卜)이나 하여, 쉬이223) 풀어 먹여 크게 실성함을 면케 아니하시느뇨?"

진·하 제인이 박장대소 왈,

"가위(可謂) 기관(奇觀)이로다. '아창지가(我唱之歌)를 군이 화(和)한다'224) 하니, 가히 예백을 이름이로다. 너도 생각하여 보라. 세상에 초부목동(樵夫牧童)225)도 일처일첩(一妻一妾)은 있으니, 아등도 또한 여러 처실이 있으나, 예백같이 친소인원현인(親小人遠賢人)226)하여 아

---

220) 동풍차추(東風且秋) : 봄과 가을, 또는 바람 부는 봄날과 가을날 (東風;봄바람, 且秋;가을).
221) 들리다 : 귀신이나 넋 따위가 덮치다. 병에 걸리다.
222) 풍사접귀(風邪接鬼) : 나쁜 바람에 들리거나 귀신에 들림.
223) 쉬이 : 멀지 아니한 가까운 장래에. 어렵거나 힘들지 아니하게.
224) 아창지가(我唱之歌)를 군이 화(和)한다 : 내가 부를 노래를 상대방이 부른다는 뜻으로, 내가 할 말을 상대방이 하는 경우를 이르는 말.
225) 초부목동(樵夫牧童) : 나무꾼이나 가축을 치는 아이에 이르기까지의 일반 평민 남자들을 통틀어서 이르는 말.
226) 친소인원현인(親小人遠賢人) : 간사한 사람을 가까이 하고 어진 사람을 멀리 함.

주 인사불성(人事不省)이 되어, 백옥무하(白玉無瑕)한 처실을 의심함이
남은 땅이 없이 하고, 또 나의 골육으로써 더러운 골육이라 하여, 공연
이 오기(吳起)의 살처(殺妻)하는 박행을 자임하여 발검살처(拔劍殺
妻)227)하려다가, 양수 마침내 명이 길고 네 살인할 운수(運數)가 아니
어서, 검하여생(劍下餘生)228)이 겨우 생환하니, 오히려 족(足)하지 못
하여, 네 몸이 팔척 장부로서 궤계(詭計)를 공교히 지어 거짓 회과하는
체하고, 양수 침소로 나오심을 인하여 죽이려 하다가, 영존당이 상(常)
해229) 곧이듣지 않으시니, 예백이 행여 양수를 죽이지 못할까 초조하다
가, 하늘이 간인의 뜻을 맞히고 양수 액운이 중한 연고로, 태란이 사태
(死胎)하고, 피하여 돌아오는 날이 지나지 못하여서, 예백의 독한 수단
이 숙녀가인으로 하여금 무죄히 수중원귀(水中寃鬼)를 될 번 하게 하고,
일야지간에 광언망설로 한낱 상성광인(喪性狂人)이 되어, 성가에 가 옥
인(玉人)을 보려 하더니, 어느 사이 선삼정에 가 다녀 와 저런 쾌한 말
을 하니, 아무리 기신(氣神) 좋은들 저 말이 어디로서 나느뇨? 애달플
사 여자 된 탓이로다.

우리 마음 같으면 저 놈이 들이달아 신령(神靈)만 여겨 비사고어(悲
辭苦語)를 베풀 적에, 두 뺨을 날아나게 매이 치고 일장을 통쾌히 꾸짖
은들, 제 앞이 굽으니 무슨 말을 하리요마는, 양수 본디 유약한데 아시
부터 예백의 모진 수단에 혼을 다 빼앗겨 일언을 못하고, 시호(豺虎)도
곤 모진 것을 가부라 하여, 고이 두고 평안이 재워 내보내니, 어찌 애달
지 않으리오."

---

227) 발검살처(拔劍殺妻) : 검을 빼어들고 아내를 살해함.
228) 검하여생(劍下餘生) : 칼 아래 죽을 위기에서 살아남은 목숨.
229) 상(常)해 : 보통. 늘. 항상.

인하여 진평장이 어사를 붙들고, 작야에 태우 선삼정에 들어가 장후(帳後)의 모든 시녀들 있는 것도 채 생각지 않고, 부지불각에 들이달아 양소저를 붙들고 신녕(神靈)이라 하고, 비사고어로 천만 사죄하여 붙들어 통곡운절(慟哭殞絶)하니, 양소저 진정 죽지 않았음을 일컬으매, 태우 밤새도록 상하(床下)에서 굴슬(屈膝)하여, 부인은 쾌히 일백타둔(一百打臀)230)을 하고 죄를 사함을 바라노라 하고, 차후는 월녀(越女)231) 서시(西施)232) 같은 여자 있어도 부인을 저버리지 않겠노라 하여, 백단(百端) 애걸 하더라 하며, 이언(利言)이 이르고 절도(絶倒)하기를 마지 않으니, 태우 비록 협태산초북해(挾泰山超北海)233)하는 장기(壯氣) 있으나 말이 막히니, 어이없어 양구(良久) 후, 미소 왈,

"성인도 한 번 허물은 면치 못하고, 회과책선(悔過責善)은 성교에 허하신 바라. 소제 비록 일시 취광지사(醉狂之事) 있으나 이미 회선기악(回善棄惡)234)하였으니, 존당 부모 오히려 용서하여 계시거늘, 형 등의 어려움은 성인에 더하심이냐? 고어에 왈, '군신 부부 일체니, 충량열사(忠良烈士)가 시절을 그릇 만나되 임군을 원(怨)치 아니 하니라' 하니, 양씨 어찌 소천(所天)을 원망하리오. 소제는 당당한 대장부요, 양씨는 당금 여사(女士)라, 군자숙녀 어찌 서로 무례하리오."

---

230) 일백타둔(一百打臀) : 볼기를 1백대를 쳐 형벌을 가함.
231) 월녀(越女) : ①중국 춘추시대에 월(越)나라의 여자. ②월(越)나라에 미녀가 많다는 데서, '미인'을 일컫는 말로도 쓰임.
232) 서시(西施) : 중국 춘추 시대 월나라의 미인. 오나라에 패한 월나라 왕 구천이 서시를 부차에게 보내어 부차가 그 용모에 빠져 있는 사이에 오나라를 멸망시켰다.
233) 협태산초북해(挾泰山超北海) : 태산을 옆구리에 끼고 북해를 건너뛴다. 는 말로 기운이 매우 센 것을 비유적으로 표현한 말.
234) 회선기악(回善棄惡) : 악을 버리고 선에 돌아옴.

설파에 광수(廣袖)로 낯을 덮고 길이 누우니, 제인이 대소하고 꾸짖어 왈,

"천하에 기백 좋은 것과 낯가죽 두꺼운 흉한 놈은 세흥이로다. 저 말이 어디로서 나느뇨? 군자에게 비겨 말이 쾌하나 대개 부끄러운 양하여 낯을 덮고 눕는도다. 그렇지 않으면 수수(嫂嫂)께 애걸하느라 잠을 못 잤음이 분명하도다."

이렇듯 보채기를 마지않되, 태우 못 들은 체하더라.

차석(次夕)에 또 혼정(昏定)에 들어가니, 양씨 또한 성장아태(盛粧雅態)로 좌에 있으니, 새로운 광염(光艶)이 장부지심(丈夫之心)을 농준(弄蠢)[235]하는지라. 태우 비록 회과자책(悔過自責)하여 전일의 허랑상심(虛浪喪心)함은 없으나, 마침내 군자의 위의(威儀) 정대(正大)함은 불급(不及)한 고로, 일쌍봉안(一雙鳳眼)이 자연 다정하여, 양소저 신상에 자주 비추니, 소저 눈을 낮추었으나 어찌 기색을 모르리오. 심하(心下)에 불열함을 이기지 못하더라.

하부인이 소왈,

"몰랐더니, 현제 아니 임공도사홍도객(臨邛道士鴻都客)[236]의 환혼향(還魂香)[237]을 마셨더냐? 죽었던 양씨 어찌 좌에 있느뇨?"

태우 소이대왈(笑而對曰),

"예부터 초(楚)나라 귤이 제국(齊國)에 옮기매 감자된다 하더니, 허

---

235) 농준(弄蠢) : 사람의 마음을 제 뜻대로 움직여 꿈틀거리게 함.
236) 임공도사홍도객(臨邛道士鴻都客) : 중국 당나라 때 시인 백거이(白居易;772-846)의 〈장한가(長恨歌)〉에 나오는 시구(詩句). '홍도에 객으로 머물고 있는 임공 땅에서 온 도사'라는 뜻. *임공(臨邛); 중국에 있었던 옛 지명. *홍도(鴻都); 중국 한나라 때 도성인 낙양에 있었던 門의 이름. *객(客); 당 현종 때의 술사(術士) 양통유(楊通幽)를 가리킴.
237) 환혼향(還魂香) : 죽은 사람의 혼을 불러온다는 향기.

언(虛言)이 아니로소이다. 저저(姐姐) 본디 단정하여 허언주출(虛言做出)함을 듣지 못하였더니, 근간은 예와 다르시니 반드시 윤부 풍속을 닮으심인가 하나이다. 소제와 양씨 본디 타고난바 수복(壽福)이 하원(遐遠)하니, 그만 재앙에 죽도록 하리까? 하, 사위로운 말씀 그만 하소서. 행여 수복에 해로울까 하나이다."

설파에 대소하니 좌우 그 기습(氣習) 좋음을 웃고, 진부인이 길이 혀차, 가로되,

"세아는 가히 천하에 무쌍(無雙)한 인면수심(人面獸心)이라 하리로다. 아무리 남자인들 세흥같이 기백(氣魄) 좋은 자가 어데 있으리오. 여자 가부에게 견과(見過)238)한다 한들 양현부같이 곡경(曲境) 당한 자가 또 있으리오. 윤·양·이·경 등 제 현부 다 역경참화를 지냈으나, 또한 가부가 박행무신(薄行無信)하여 핍살(逼殺)코자 함은 없는지라. 내 일찍 자질종족지간(子姪宗族之間)에도 부처(夫妻) 사이 혹자 불화(不和)하는 이 있어 소소 견과지사(見過之事) 없지 않아도, 세흥같이 흉패한 것은 들으며 보지 않았으니, 생각할수록 경심차악(驚心嗟愕)함을 이기랴?"

제인이 진부인 말씀을 들을수록 태우를 더욱 희롱함을 마지않으니, 태우 모교(母敎)를 듣잡고 황공무안(惶恐無顔)하여 감히 제인의 희담(戲談)을 수작(酬酌)지 못하더라.

금평후 태우의 개과자책(改過自責)함을 크게 두굿겨, 차후 수신섭행(修身攝行)하기를 더욱 경계하니, 태우 갈수록 섭행하기를 공부하더라. 금평후 태우의 아자로써 이름을 유기라 하다.

---

238) 견과(見過) : 자신이 지은 잘못으로 인해 다른 사람으로부터 꾸짖음을 당함.

명주보월빙 권지팔십사

시에 금평후 태우의 아자 명을 유기라 하다. 해애 날로 영형수발(英形秀拔)하여 존당의 사랑이 현기 등에 내리지 않고, 태우의 은애는 사친(事親) 여가에 일생 슬하에 교무하여 일시를 떠나고자 아니하니, 일가 중인(衆人)이 치소(嗤笑)의 근본이 되었더라.

양부에서 평장 부부 필녀의 신세 어지러움과 나중 서랑의 병세 위중하여 사생에 있음을 우려하다가, 병이 낫고 부부 단취함을 깃거하며, 소공이 또 얻은 사위나 다르지 않게, 태우 위병지시(危病之時)에 사사난려(事事亂慮) 백출(百出)하여, 자가의 명도 궁험(窮險)하여 초년에 여러 자녀를 서하지탄(西河之嘆)239)을 보고, 중도에 고분지통(叩盆之痛)240)을 만나고, 천금 교아(嬌兒)를 강보(襁褓)에 실리하여 허다 비고(悲苦)를 갖추 격고, 겨우 천륜을 단합하나 천연이 괴이하여 정태우의 그물에 벗어

---

239) 서하지탄(西河之嘆) : 자식을 잃은 탄식. '서하의 탄식'이라는 뜻으로, 공자(孔子)의 제자인 자하(子夏)가 서하(西河)에 있을 때 자식을 잃고 너무 슬픈 나머지 소경이 된 고사에서 온 말.
240) 고분지통(叩盆之痛) : 물동이를 두드리는 슬픔이라는 뜻으로, 아내가 죽은 슬픔을 이르는 말.

나지 못하게 되었으니, 그 병이 나은즉 혼인을 이룰까 하더니, 병이 장차 위악하여 사생이 명재경각(命在頃刻)[241]함을 들을 적마다, 구곡(九曲)이 촌단(寸斷)하여, 천금 일 교아(嬌兒)로 심규(深閨)에 청상(靑孀)을 감심케 할까, 우황절민(憂惶切憫)함이 양평장에 지지 않으니, 양공이 도리어 위로하여 정태우 복록지상(福祿之相)이 이만 병에 죽지 않을 줄을 일컬어, 호언으로 관회(寬誨)하더니, 태우 신질(身疾)이 쾌차하니, 양·소 이공의 기쁨이 측량없더라.

양·소 이공이 상의하여 태우의 신환(身患)이 쾌소하고, 소소저 신상이 가복(可復)하고 무주러진[242] 녹발이 자라기를 기다려, 양가 상의하여 호연을 이루려 하더라.

태우 신병(辛炳)[243] 수월에 쾌차(快差)하여 옥궐에 조회하니, 상이 그 오래 유병하였던 줄 위로하시고, 풍광이 수척함을 보시매 그 병이 중하던 줄 놀라시더라.

태우 전과(前過)를 뉘우친 후는 풍류화사(風流華奢)를 버려, 온중정대 한 군자지도를 행하니 만사 무흠하여, 가중이 새로운 화기(和氣)가 득하나, 일단(一端) 흠사는 그 부부 금슬이라. 태우 양씨를 애모함이 수유불니(須臾不離)[244]할 뜻이 있으나, 소저의 냉정(冷情) 매몰함은 일일층가(日日層加)로, 사실(私室)에 모드나 맥맥히 손을 꽂고, 옥모의 혜풍(惠風) 화기(和氣) 소삭(消索)하여 상천열일(霜天烈日) 같고, 상경여빈(相敬如賓)하니 의연(依然)이 행로인(行路人) 같으니, 태우 심리에 불열

---

241) 명재경각(命在頃刻) : 목숨이 순간 달려 있음.
242) 무주리다 : 함부로 끊거나 자르다.
243) 신병(辛炳) : 병으로 몹시 애씀.
244) 수유불니(須臾不離) : 잠시도 곁을 떠나지 않음.

함이 그음 없고, 전일 호승(好勝)이면 일분(一分) 관서(寬恕)치 않을 것
이로되, 처음부터 자기(自己) 그릇하여 숙녀의 불복함이 되었는지라. 장
차 위엄으로 관속(關束)함이 불가한 줄 아니, 덕으로 감화코자 하여 감
히 다시 격노(激怒)치 못하고, 비록 사실의 기회(機會) 잦으나 부인의
냉낙(冷落)245)은 날로 더해, 동상(同床)은 천리 같으니, 우랑(牛郞)246)
천손의 은하(銀河) 삼천리(三千里)는 칠석교(七夕橋) 다리나 있거니와,
정태우 부부금슬 재합(再合)은 때를 모를러라.

양평장이 금평후를 대하여 생질의 전후 설화를 베풀어, 의(義)에 타
문을 생각지 못할 줄 이르니, 금후 춘교의 초사로 알고, 대양씨 언내(言
內)로 소씨의 일을 알았는지라. 가히 타문에 가지 못할 줄 헤아리나, 아
자(兒子)가 연소호방(年少豪放)으로 허랑방일(虛浪放逸)하고 실성광망
(失性狂妄)을 겨우 진정(鎭定)하였거늘, 어느 사이에 혼사를 들놓음이
불가한 고로, 침사반향(沈思半晑)에 빈미(矉眉) 왈,
"소씨 명도 다험(多險)토다. 적인(適人)하매 계활이 쾌치 못하여, 불
초(不肖) 광망(狂妄)한 세흥을 만났으니 신세 가련하도다. 수연(雖然)
이나 세(勢) 마지못하리니 어찌 거절하리요마는, 돈아가 신양(身恙)이
패(敗)하고 환난을 갓 진정한데다, 영질(令姪)이 성녀에게 참욕(慘辱)
을 받아 연연(軟軟)한 옥장(玉腸)을 놀래다 하니, 아직 세월을 천연(遷
延)하여 소성(蘇醒)하기를 기다려, 혼사를 이룸이 늦지 않으니, 이 뜻을
통하라."
평장이 그 말을 좇아 점두(點頭) 칭사(稱謝)하고 돌아가, 소공을 대하

---

245) 냉낙(冷落) : 서로의 사이가 멀어져 정답지 않고 쌀쌀하다.
246) 우랑(牛郞) : 견우(牽牛). 견우직녀 설화에 나오는 남자 주인공.

여 차사를 전하니 소공이 대희하나, 소저 알고 부전에 읍고(泣告)하여, 슬하에서 늙기를 원하고 대경하니, 공이 불승애련(不勝哀憐)하나 사리로 개유(開諭)하여, 자기 남매 간 다른 자녀를 두지 못하였으니, 폐륜(廢倫)이 인자(人子)의 도(道) 아님으로써, 밝히 일러 고집함을 개유하니, 소저 하릴없어 다시 개구(開口)치 못하더라.

이적에 동창왕 계가 모반하여 자칭 정동천자라 하고, 천위(天位)를 찬탈할 뜻이 급하니, 동창 일읍(一邑)에 변보(變報)가 눈 날리듯 하여, 조정에 비보(飛報)[247]하니, 조정 문무가 대경하여 용전(龍殿)에 주하니, 이 때 평제대원수 정천흥은 제왕의 강성함을 인하여 미처 파(破)치 못하여 승전함을 용전에 주(奏)치 못하여서, 평위대원수 윤광천은 벌써 첩음이 두 번 용전에 올라, 오래지 않아 승전 환조하게 되었는지라. 천자 오히려 번이(蕃夷)의 근심을 덜지 못하여 계시거늘, 동적이 강성함은 이르지 말고, 수하(手下)에 두 호장(胡將)이 있어, 요술(妖術)이 변화(變化) 무궁하여, 풍우의 변화와 귀신을 부르니, 소과(所過)에 무적(無敵)이요, 싸우매 이기지 못하는 바 없다 하는지라. 상이 조회를 여시고 동적(東賊)을 대적할 일을 물으시니, 문무 양관(兩官)이 다 놀라고, 전일 손확이 자원하여 패망한 줄을 보았는지라. 서로 면면상고(面面相顧)하고 능히 대답지 못하더니, 반부(班部) 중으로 일위 재상이 금포(錦袍)를 떨치고 옥대를 도도며, 추이진주(趨移進奏) 왈(曰),

"신이 비록 재주 없으나 원컨대 일여지사(一旅之士)를 빌리시면, 성주(聖主)의 홍복(鴻福)과 제장(諸將)의 힘으로 동창 적을 멸하여 용우(龍憂)를 덜리이다."

---

247) 비보(飛報) : 아주 빨리 보고함. 또는 그런 보고.

주파(奏罷)에 기위(氣威) 늠연하고 성음이 쇄락하여, 구소(九霄)[248]
에 난학(鸞鶴)이 우짖는 듯하니, 전상전하(殿上殿下)가 엄연(奄然) 찰
시(察視)하매, 이 곳 다르니 아니라 태자태부 홍문관 태학사 이부총재
효문공 윤희천이라. 상이 견파(見罷)에 대열하시어 정히 옥음을 내리고
자 하시더니, 또 반부 중으로서 일위 소년명사가 자포오사(紫袍烏紗)로
출반(出班) 주왈,

"소신이 부재연소(不才年少)하오나 윤희천과 한가지로 요적(妖賊)을
삭평(削平) 하여지이다."

전상전하가 한가지로 보니, 간의태우 정세흥이니, 와잠미(臥蠶眉)요,
월면단순(月面丹脣)의 원비일요(猿臂逸腰)[249]니, 한날 영걸일 뿐 아
니오, 위무(威武)와 지용(智勇)이 한신(韓信)[250] 주아부(周亞夫)[251]
로 병구(竝驅)할지라. 상이 매양 그 출세지용(出世之容)[252]과 경인지
풍(驚人之風)[253]을 흠애(欽愛)하시던 바라. 천안(天顔)이 환열(歡悅)
하시어 동군(東君)[254]의 화기(和氣)를 움직이사 왈,

"윤·정 양문 제경(諸卿)은 송조(宋朝)의 사절직신(死節直臣)이라. 짐
의 사직간성(社稷干城)이니 군국 중사를 가사(家事)에서 더한지라. 천흥
과 광천이 해외(海外)에 출사하여 회환(回還) 지속(遲速)이 미가분(未可

---

248) 구소(九霄) : 높은 하늘.
249) 원비일외(猿臂逸腰) : 긴 팔과 늘씬한 허리.
250) 한신(韓信) : ? - BC196. 중국 한(漢)나라 때의 무장(武將). 한 고조를 도와 조
　　 (趙)·위(魏)·연(燕)·제(齊)나라를 멸망시키고 항우를 공격하여 큰 공을 세
　　 웠다.
251) 주아부(周亞夫) : 중국 전한(前漢) 전기의 무장, 정치가. 오초칠국(吳楚七國)의
　　 난을 평정해 공을 세웠고 승상에 올랐다.
252) 출세지용(出世之容) : 세상에서 뛰어난 용모.
253) 경인지풍(驚人之風) : 사람들을 놀라게 할 풍채.
254) 동군(東君) : '봄의 신', '태양의 신', '태양' 등을 달리 이르는 말.

分)이거늘, 경 등이 마저 자원출정(自願出征)하니 짐이 우려를 놓지 못하리로다. 수연(雖然)이나 경 등은 불모지지(不毛之地)에 나아가 명철보신(明哲保身)하고 국사를 선치하며 도적을 평정하여 돌아오라.”

하시고, 윤이부로 평동대원수를 배(拜)하시어 상방인검(尙方印劍)[255]을 주시고, 정세흥으로 부원수를 삼아 즉일 치행(治行)하여 발병(發兵)하라 하시니, 양인이 퇴조하여 부중에 돌아와 존당 부모께 소유를 고하니, 취운산 정부에서는 순태부인이 북공의 만리흉지(萬里凶地)에 쉬이 환가치 못함을 우려하는 가운데, 남창후는 벌써 위국을 평정하여 첩음(捷音)이 용정(龍廷)에 이르니, 순 태부인과 금평후 부부 여서(女婿)의 쉬이 승첩함을 깃거하고, 북공의 신기묘산(神技妙算)으로 승적(勝敵)지 못할까 근심함이 아니로되, 적세(敵勢) 강용(强勇)하여 쉬이 환가치 못하니, 태부인이 우려함이 과도하니 금평후와 진부인이 학낭소어(謔浪笑語)로 즐기심을 요구하더니, 문득 숙렬이 창후의 출사(出師)[256] 수삭에 생자(生子)하여 일개 기린(騏驎)을 생하니, 해애 자못 숙성기이(夙成奇異)하고 부풍모자(父風母姿)[257]하니, 윤부에서 환희함은 이르지도 말고, 희보가 정부에 이르니 태부인과 금후 부부며 윤부의 기쁨이 상하치 않아, 일가의 환성이 가득하더니, 의외에 동창 요적(妖賊)이 모반하매, 윤이부와 정태우 자원출정(自願出征)하는지라, 태우 태원전에 들어가 연중사(筵中事)[258]를 고하니, 태부인이 아연(啞然) 대경 왈,

---

255) 상방인검(尙方印劍) : 임금이 전장에 나가는 장수에게 내린 대원수 금인(金印)과 상방검(尙方劍).

256) 출사(出師) : 출병(出兵). 군사를 이끌고 싸움터로 나감.

257) 부풍모자(父風母姿) : 아버지의 풍채와 어머니의 자태를 닮음.

258) 연중사(筵中事) : 임금과 신하가 모여 자문(諮問)·주달(奏達)하던 자리에서 있었던 일.

"네 비록 궁마지재(弓馬之才) 유여(裕餘)하나, 나이 젊고 또 중병지여(重病之餘)에 어찌 흉지에 가기를 자원하뇨? 더욱 천아 가중을 떠나매 근간 노모 안전에 중보(重寶)를 잃음 같아서, 심회 심히 결홀(缺欻)하니, 정히 굴지계일(屈指計日)259)하여 천아의 환가를 바라거늘, 네 또 만 리 전진에 나아가니 노모 어찌 결연치 않으리오."

설파에 척연(慽然)함을 마지않으니, 태우 안색을 화(和)히 하고,

"백형이 본디 한신 주아부의 위무와 양평(良平)260)의 지혜 있사오니, 반드시 오래지 않아 승전개가(勝戰凱歌)로 환경할 것이요, 윤형이 청수미약(淸秀微弱)하나 와룡(臥龍)261)의 지혜와 중달(仲達)262)의 소견이 있으니, 이에 헤건대 소적을 근심치 아니 하리니 복원 대모는 물우(勿憂) 하소서."

언파에 안색이 화려하여 아자를 나오게 하여 슬상에 얹어, 우주(又奏) 왈,

"소손이 가내를 떠나오나 처실과 유기 있사오니 조모 현기 등과 한가지로 머무시어 유희하소서."

인하여 제질을 백단유희(百端遊戱)하여 조모의 열의(悅意)를 요구하니, 승안화기 춘풍이 온자(溫慈)하여 만물을 부생(復生)하는 듯하니, 태부인과 금평후 부부 두굿기고, 예부 유흥 필흥 등이 존당 부모의 승안

---

259) 굴지계일(屈指計日) : 손가락을 꼽아 가며 예정된 날을 기다림.
260) 냥평(良平) : 중국 한(漢)나라 때의 책사(策士) 장량(張良)과 진평(陳平)을 함께 이르는 말.
261) 와룡(臥龍) : 중국 삼국시대 촉한의 정치가 제갈량(諸葛亮 : 181-234)의 별호(別號).
262) 중달(仲達) : 사마의(司馬懿). 179~251. 중국 삼국 시대 위(魏)나라의 명장·정치가. 자는 중달(仲達). 촉한(蜀漢)의 제갈공명의 도전에 잘 대처하는 등 큰 공을 세워, 그의 손자 사마염이 위(魏)에 이어 진(晉)을 세우는 데에 기초를 세웠다.

열의(承顔熱意)로 학낭소어(謔浪笑語) 이어시니, 모든 소년 제부인이 옥협(玉頰)에 가득한 소안이나, 오직 소양씨 봉관이 나즉하고 고개를 숙였으니, 단순(丹脣)이 함홍(含紅)[263]하여 행여도 좌간의 경색을 첨관(瞻觀)함이 없으니, 타인은 무심하되 태우 알아보고 반드시 자가를 염증(厭憎)함인 줄 깨달아, 조모께 소이주왈(笑而奏曰),

"소손이 황조(皇詔)를 받자와 만 리에 가오니, 가중상하(家中上下)가 다 결연하여 하오되, 홀로 양씨는 인정이 아닌가 싶으오니, 반드시 소손이 없음을 시원이 여김이로소이다."

태부인이 잠소왈,

"양씨는 당금녀사(當今女士)라 어찌 이럴 리 있으리오. 네 매양 선실기도(先失其道) 하고 사사(事事)에 처자 책망이 과도하니, 양씨 어찌 도리어 불복(不服)지 않으리오."

금후 정색 왈,

"고어에 왈, 군자숙녀는 사실에서 대하나 군자는 묵묵(黙黙)하고 숙녀는 정정(貞靜)하라 하니, 양씨는 숙인(淑人) 현녀(賢女)의 미진함이 없거니와, 너의 광망(狂妄)함은 개과하노라 하나, 오히려 양씨는 미치지 못하리니 여부 한심(寒心)히 여김이 극의(極矣)라."

태우 청교에 불승황공(不勝惶恐)하여 사죄하고, 다른 말씀 하다가 날이 저물매 석식을 정당에서 파하고 혼정(昏定)하매, 차야에 선삼정에 가 부인을 볼 새, 웃고 이르대,

"부인이 생을 보면 시호(豺虎) 사갈(蛇蝎)같이 여기더니, 오래지 않으나 또한 못 봄이 오랠 것이니 적이 시원하리로다. 연이나 수일 치행(治行)하리니, 명일은 대인께 시침하고 형제 이회를 베풀리니 다시 오지 못

---

263) 함홍(含紅) : 입을 닫아 붉은 입술을 다문 채로 있음.

할지라, 부인이 또한 금야에 이회(離懷)를 이르지 아니랴 하시나냐?"

소제 침음부답(沈吟不答)에 태우 재삼 힐문(詰問)한데, 소제 정색 대왈,

"첩은 들으니 남자가 사군(事君)하매 집을 생각지 못하고 몸을 돌아보지 않는다 하거늘, 군자 당당한 장부로 신상에 중임을 받자와, 구구히 규방에서 여자로 더불어 이별을 말씀하시나니까? 첩이 비록 밝지 못하나 항복치 않나이다."

언파에 안색이 정엄하고 말씀이 절당하여 완연이 사군자 열장부의 풍이 있으니, 생이 심리(心裏)에 탄복 흠애(欽愛)하여 날호여 흔연 왈,

"부인의 명달한 언논이 여차하니 어찌 항복지 않으리까? 대인의 명령이 계사 금야는 사침에 쉬라 하신 고로 이에 이르렀으나, 어찌 규방에 규규(紏紏)264)하리오."

설파에 완완이 의대를 그르고 침석에 나아가나, 부인을 사모하여 정심(貞心)을 고쳐 화락지 못할까 초조하더라.

이에 수일 치행(治行)할 새 가중상하의 홀연(欻然)265)함이 비길 데 없더라.

차설 윤이부 또한 부중에 돌아오니, 호람후 아자로 더불어 태부인께 뵈옵고, 이부 동창을 정벌함을 고하니, 태부인이 아연(俄然) 유체 왈,

"광천이 위국에 정벌하여 미처 오지 못하였거늘, 희천이 마저 출정하니 가중이 빈 듯하니, 결연함은 이르지도 말고, 광천은 위국과 교전하여 이미 승전타 하니 오래지 않아 올지라. 근심이 없거니와 동창 적은 환술(幻術)이 이상타 하니, 희천이 청수미질(淸秀微質)로 어찌 승전을 쉬이

---

264) 규규(紏紏) : 서로 뒤얽혀 있음. 얽매임.

265) 홀연(欻然) : 갑작스럽게 이별을 하게 되어 매우 서운하고 아쉬움.

하리오. 만일 세월이 천연(遷延)하면 노모 초전하여 지레 죽을까 하노라."

설파에 척연 타루(墮淚)하니, 호람후 민망하여 위로 주왈,

"고어에 사불범정(邪不犯正)이라 하니, 광천과 희천은 오문(吾門)을 흥기하려 천도 내리신 바 일쌍 기린이라. 자고(自古)로 농중(籠中)에 갇힌 봉황이 없고, 환난(患亂)에 벗어나지 못하는 성현이 없다 하오니, 광아와 희아는 수화(水火)에 던져도 몰몰(沒沒)266)이 마치지 아니 하오리니, 어찌 동창 요적을 족히 근심하리까? 원 자위(慈闈)는 물우(勿憂)하소서."

태부인이 차언을 듣고 소왈,

"노모 일공(一空)이 아득하다가도 여등의 말을 들으면 시원한지라. 과연 광·희 양손은 각별 기특함으로, 허다 환난에 보전함을 생각하면 적이 근심치 않으나, 이리 기특함을 헤아리면 노모의 전전과악이 생각할수록 심골이 경한(驚寒)하도다."

설파에 상연수루(傷然愁淚)하여 새로이 전과를 회한(悔恨)하니, 공이 지극 위로하고, 이부(吏部) 크게 불안하여 이성(怡聲) 화언(和言)으로 위로 왈,

"왕사(往事)는 이의(已矣)라. 새로이 석사를 추감(追感)하시어 성려(聖慮)를 허비하심이 소손 등의 불효를 더하심이로소이다. 이는 다 소손 등의 명도 기험함이거늘, 왕모 매양 자과(自過)하시니 위인자손(爲人子孫)267)하와 어이 안한(安閒)하리까? 복원 태모는 물념하소서. 형이 오

---

266) 몰몰(沒沒)이 : ①어둡고, 어리석은 모양. ②묻혀서 보이지 않거나, 나타나지 않는 모양.
267) 위인자손(爲人子孫) : 아들이나 손자가 된 사람.

래지 않아 환가할 것이요, 소손이 불구에 요적(妖賊)을 삭평하고 개가
(凱歌)로 환가할 것이니, 왕모는 성체 영순안강(寧順安康)268)하소서."

언파에 안색이 유화하고 말씀이 화평하여, 효순한 거동이 일만 불평
한 것을 다 살라버리니, 태부인이 두굿기는 입을 줄이지 못하여, 그 손
을 잡고 등을 두드려 왈,

"오가(吾家)의 천리구(千里駒)요, 국가의 주석(柱石)이라."

하니, 이부 불감(不堪)함을 고하고, 유부인의 결연한 비회 태부인께
지지 아니하더라.

자기 전전악사를 생각하매, 옛날 희천 형제를 죽이지 못할까 백가지
행악을, 이제 생각하여 스스로 자괴하매 과도한 말을 못하나, 이별을 자
못 추연하여 하니, 조부인의 관홍인자(寬弘仁慈)함과 정·진·하·장
등 숙뇨(淑窈) 현행(賢行)으로 석사(昔事)를 제기할 것이 아니로되, 기
심(其心)이 전후의 천지현격(天地懸隔)함을 이상히 여기고, 무식한 시녀
배는 저희끼리 공논(公論)하고 치소(嗤笑)하더라.

이러구러 발행 날이 당하매, 상하(上下)에 결훌하기 측량없으니, 태부
인 조부인 유부인이 다 원로에 보중하여 승전입공(勝戰立功)함을 당부하
고 호람후 경계하니, 이부 일일이 배사수명(拜謝受命)하고, 정·진·남·
화 등 수수(嫂嫂)를 각각 전별(餞別)하고 표연(飄然)이 하직하매, 교장
(敎場)으로 나아가니, 가중상하(家中上下)가 훌연(欻然)함을 이기지 못
하더라.

윤원수 연무청(鍊武廳)에 이르니, 부원수 정세흥이 또한 존당 부모께
하직하고 모든 곤계로 분수하여, 이에 이르러 한가지로 군무를 정제하

---

268) 녕순안강(寧順安康) : 평안함.

여 행군할 새, 상이 난여(鸞輿)를 움직이사 문외에 전별하시며, 쉬이 성
공 반사(班師)함을 이르사 황봉어주(黃封御酒)[269]를 사급(賜給)하시니,
양 원수 황은을 감축하여 백배사은 하고 용전에 하직하매, 북이 세 번
울어 행군을 재촉하니, 양 원수 개갑(介甲)[270]을 선명이 하고 상마하여
대진(大陣)을 풀어 호호탕탕(浩浩蕩蕩)이 동(東)으로 나아가니, 기율(紀
律)이 엄숙하고 기치 검극이 서리 같고, 백모(白旄)[271] 황월(黃鉞)[272]
은 앞을 인도하고, 진법이 정제하여 주아부(周亞夫)의 위엄 같더라.

　상이 만조천관을 거느리사 멀리 가도록 첨관하시고 칭찬함을 마지않
으시더라. 이미 티끌이 아득하고 산이 등지매 어가 환궁하시다.

　옥누항에서 정숙렬이 옥수신월(玉樹新月) 같은 아해를 생각고 비애
(悲哀)함을 마지않더니, 이부 가중을 떠나매 고루장각(高樓壯閣)이 황연
히 빈 듯하여, 근심이 층출(層出)하더니, 이러구러 수월이 지나매 위국
으로 좇아 창후의 돌아오는 선성이 이르니, 일가 깃거 환성(歡聲)이 여
류(如流)하더라.

　이때 진부인이 해만(解娩)하여 순산생자(順産生子)하니, 아해 울음 소
리 집말[273]이 울리는 듯, 홍종(洪鐘)[274]을 두드리는 듯하더니, 체형이
석대하고 미목(眉目)이 청랑(淸朗)하여, 부풍모습(父風母習)[275]으로 크

---

269) 황봉어주(黃封御酒) : 임금 하사하는 술. 황봉(黃封)은 임금이 하시어한 술을
　　단지에 담고 황색 천으로 봉(封) 것으로 임금이 하시어한 술을 뜻한다.
270) 개갑(介甲) : 갑옷.
271) 백모(白旄) : 털이 긴 쇠꼬리를 장대 끝에 매달아 놓은 기(旗).
272) 황월(黃鉞) : 황금으로 장식한 도끼. 천자가 정벌할 때 지닌다.
273) 집말 : 지붕마루. 지붕꼭대기.
274) 홍종(洪鐘) : 큰 종.
275) 부풍모습(父風母習) : 모습이나 언행이 아버지와 어머니를 고루 닮음.

게 범아(凡兒)와 다르니, 존당 상하의 환희함이 측량없더라.

이미 삼칠일(三七日)276)을 무사히 지나나, 진씨 산후 허약한 기부(肌膚)가 전후 적상(積傷)한 증이 층가(層加)하여, 약질이 크게 미류(彌留)277)하니, 일가 경려(驚慮)하여 의약으로 치료하나 쉬이 소성(蘇醒)치 못하니, 진부에서 우려하여 평장이 모부인 절우(絶憂)를 근심하여 호람후를 보고, 소매의 귀녕하여 치료함을 청하니, 공이 허락하매 진씨 익일에 거교를 차려 본부로 돌아 갈 새, 진평장이 본디 나이 많으나 모든 소년을 보채여 희롱을 즐기는 고로, 전일 창후가 소매를 일장 곤욕함을 밉게 여기고, 또 그 부부의 사정을 알고자 하여, 또 창후의 쉬이 환경할 줄 아는 고로, 일일은 진씨더러 이르대,

"소매 산후 미양(微恙)은 전일 적상(積傷)한 병이 겸발(兼發)함이라. 옥누항이나 본부나 종용이 치료할 곳이 아니니, 심히 번거한지라. 채설정 동원(東園)이 가장 종용하고 노복이 지키고 있으니 본부 멀지 않은지라. 이곳에 가 구병함이 어떠하뇨? 연즉 자정과 모든 형제 왕래하리라."

소제 홀연 저의 거동을 괴이히 여겨 왈,

"아무 데 있다고, 나을 병이 아니 나으리까? 윤군이 곧 환경(還京)하리니, 소매 무고히 귀녕(歸寧)도 불가하고 또 타처로 가미 더욱 불가하이다."

평장이 소왈,

"너는 잡말 말라. 사원이 돌아오나 못 갈 곳이 아니니라."

하고, 재촉하니 소제 마지못하여 존당에 하직(下直) 배사(拜辭)하매,

---

276) 삼칠일(三七日) : 아이가 태어난 후 스무하루 동안. 또는 스무하루가 되는 날. 대개는 이날 금줄을 거둔다. =세이레.
277) 미류(彌留) : 병이 오래 낫지 않음.

조·뉴 양부인이며 정·하·장 등이 그 사이나 떠남을 결연하여 쉬이 옴을 일컫더라.

소제 거거를 좇아 채설정에 이르니, 모든 복첩이 인도하여 내당에 안 둔하니, 행각이 정결하고 채화단청(彩畵丹靑)이 자못 기이하여, 옥계(玉 階) 청석(靑石)278)에 기화이초(奇花異草)가 난만(爛漫)하여 경물(景物) 이 아름답더라.

평장이 매자를 이곳에 머무르매, 사지(事知)279) 양낭(孃娘)280)을 분 부하여 지성 구호하니, 순일(旬日) 후 병세 가복(可復)하니 281)일개 깃 거 하더라.

낙양후와 주부인이 여아의 병이 나음을 깃거, 오래지 않아 창후 환가 (換家)할지라, 쉬이 돌아가라 하는지라. 평장이 행여 계교 이루지 못할 까 민망하여, 어사로 상의하여 소매를 돌아 보내므로 대답하고, 대개 채 설정이 문내(門內) 취운산과 달라 장원(牆垣)이 접옥년장(接屋連墻)하 였는지라. 일마다 괴이하고 평장의 뜻을 맞혀 비자 숙낭이 독질(毒疾) 십사일에 죽으니, 나이 이칠(二七)이요, 미처 적인(適人)도 못하였는지 라. 그 어미 소진이 유공(有功)한 비자라. 낭이 죽으나 불쌍히 여겨 무 휼함을 각별이 하고, 평장이 계교 맞음을 암열(暗悅)하고 창후의 환가 수일을 격하여, 채설정 중당에 영연(靈筵)을 배설하고 창후를 속이려 할 새, 평장이 옥누항에 이르러 호람후께 고하고 간예치 마심을 청하니, 호 람후 소왈,

---

278) 청석(靑石) : 푸른 빛깔을 띤 응회암. 실내 장식이나 건물의 외부 장식에 쓴다.
279) 사지(事知) : 어떤 일에 매우 익숙하거나 잘 앎.
280) 양낭(養娘) : 시녀.
281) 가복(可復)하다 : 회복(回復)하다.

"군이 연기(年紀) 노성 하되 아배(兒輩)의 희롱을 즐기니 내 어찌 간예하리오."

하더라.

위 태부인이 듣고 창후의 거동을 보고자 말리지 않으니, 조부인은 아자(兒子)의 신명함으로 속지 않을 줄을 알되, 제진의 희롱과 태부인 명을 거역치 못하여 잠잠하더라.

수일 후 창후의 환조하는 선문(先聞)이 이르니, 일개 대희하고 천자 난여(鑾輿)를 동하시어 문외에 맞으실 새, 호람후 또한 인친(姻親) 자질(子姪)로 어가를 모셔 맞으니, 반김이 비길 데 없더라.

화설 평위대원수 윤청문이 황명을 받자와 명장사졸(名將士卒)을 거느려 위국(魏國)으로 나아가니, 지나는 바에 추호를 불범하고, 계견(鷄犬)이 놀라지 아니하더라.

주현이 망풍귀순(望風歸順)[282]하고 향민(鄕民)이 단사호장(簞食壺漿)[283]으로 이영왕사(以迎王士)[284]하여 인자(仁者)의 군(軍)이라 하더라.

출사(出師) 월여(月餘)에 위지(魏地)에 이르니, 연주 자사 문흡이 대군을 맞아 들어가 적진(敵陣) 기미(機微)를 고하고, 차일 성상(城上)에 천병이 온 줄 알도록 기를 세우고 격서를 보내니, 위국 군신이 대병이 온 줄 알고 대경(大驚)하여 상의하더니, 및 격서를 보매 강하(江河)의

---

282) 망풍귀순(望風歸順) : 높은 명망을 듣고 우러러 스스로 항복해옴.

283) 단사호장(簞食壺漿) : '대나무로 만든 밥그릇에 담은 밥과 병에 넣은 마실 것'이라는 뜻으로, 넉넉하지 못한 백성들이 군대를 환영하기 위하여 갖춘 음식을 이르는 말.

284) 이영왕사(以迎王士) : 임금의 군대를 맞이함.

대재(大才)요, 문채(文彩)의 영웅이라. 그 싸우지 않아서 그 선풍도골 (仙風道骨)의 기이한 줄 알고 위국 군신이 막불대찬(莫不大讚)하여, 위 왕이 유예미결(猶豫未決)285)에, 대장 이한과 모사(謀士) 오표 등이 소 리 질러 왈,

"전하(殿下)야, 국가 안위 흥망이 재주에 있지 않아 천명(天命)에 있 는지라. 석(昔)에 항적(項籍)286)이 수하(手下)에 범아부(范亞夫)287) 환 초(桓楚288) 종리매(鐘離眜)289) 주은(周殷)290) 등이 있었으나 패망하였 나니, 천시를 볼 것이니 어찌 근심하리오. 미리 승패를 보지 않아 천장 의 한 장 글을 보고 큰 뜻을 돌이켜 영웅을 부끄럽게 하나니까?"

하니, 위왕이 옳다고 여겨 사자를 돌려보내고 명일 양진(兩陣)이 상대 할새, 금고(金鼓)291) 제명(齊鳴)하고 깃발이 움직이는 곳에 백사장(白沙 場) 너른 들에 양진(兩陣) 기치(旗幟)를 벌이고, 위왕이 머리에 자금관

---

285) 유예미결(猶豫未決) : 망설여 일을 결행하지 아니함.

286) 항적(項籍) : 항우(項羽). 중국 진(秦)나라 말기의 무장(B.C.232~B.C.202). 이 름은 적(籍). 우는 자(字)이다. 숙부 항량(項梁)과 함께 군사를 일으켜 유방(劉 邦)과 협력하여 진나라를 멸망시키고 스스로 서초(西楚)의 패왕(霸王)이 되었 다. 그 후 유방과 패권을 다투다가 해하(垓下)에서 포위되어 자살하였다.

287) 범아부(范亞夫) : 범증(范增, BC277-204. 중국 초나라의 책사·정치가. 항우와 초나라를 위해 유방을 죽이려 했지만 실패하고, 유방의 모사 진평의 반간계에 빠진 항우에게도 쫓겨나, 천하를 떠돌다가 객사했다.

288) 환초(桓楚) : 중국 초(楚)나라 패왕(霸王; 項羽) 때의 무장(武將). 항우를 도와 초(楚)나라를 세우고 항우가 패왕(霸王)에 오르는데 기여하였다.

289) 종니매(鐘離眜) : 중국 초(楚)나라 패왕(霸王; 項羽) 때의 무장(武將). 항우를 도와 한 고조 유방(劉邦)과 패권을 다투다가 패해, 친구인 한신(韓信)에게 의 탁하였다가 자결하였다.

290) 주은(周殷) : 중국 초(楚)나라 패왕(霸王; 項羽) 때의 무장(武將). 항우의 충직 한 장수였으나 한(漢)나라의 반간계(反間計)에 속아 한 고조 유방(劉邦)에게 투항하였다.

291) 금괴(金鼓) : 고려·조선 시대에, 군중(軍中)에서 호령하는 데 사용하던 징과 북.

(紫金冠)을 쓰고, 몸에 망룡포(蟒龍袍)292)에 백옥대(白玉帶)293)를 두르고 문기하(門旗下)에 나, 송진을 바라고 싸우자 하니, 송진 중에 문기(門旗) 열리며 고각(鼓角)294)이 진천(振天)하고 다홍수자기(-紅帥字旗)295) 부치는 곳에 홍양산(紅陽傘)296) 아래 사륜거(四輪車)를 밀어 나아오니, 이는 윤원수라. 자금포(紫錦袍)297)와 익선관(翼善冠)298)과 양지백옥대(兩枝白玉帶)299)에 백우선(白羽扇)300)과 산호편(珊瑚鞭)301)을 들었으니, 보건대 옥모영풍(玉貌英風)에 오악정기(五嶽精氣)302)가 태산의 위엄과 용호(龍虎)의 음아즐타(吟哦叱打)303) 하는 기상이라. 안연(晏然)이304) 태허(太虛)305) 송옥(宋玉)306)의 아름다움은 이르지도 말고,

---

292) 망농포(蟒龍袍) : 가슴과 등과 어깨에 용의 무늬를 수놓아 지은 임금의 정복. =곤룡포(袞龍袍).
293) 백옥대(白玉帶) : 명주에 백옥(白玉)을 붙여 만든 허리띠.
294) 고각(鼓角) : 군중(軍中)에서 호령할 때 쓰던 북과 나발.
295) 다홍수자기(-紅帥字旗) : 진중(陣中)이나 영문(營門)의 뜰에 세우던 대장의 다홍색 군기(軍旗). 다홍색 바탕에 검은색으로 '帥'자가 쓰여 있으며 드림이 달려 있다.
296) 홍양산(紅陽傘) : 햇볕을 가리는데 쓰는 붉은 양산(陽傘).
297) 자금포(紫錦袍) : 붉은 비단으로 지은 남자의 겉옷.
298) 익선관(翼善冠) : 왕과 왕세자가 평상복인 곤룡포를 입고 집무할 때에 쓰던 관. 앞 꼭대기에 턱이 저서 앞이 낮고 뒤가 높은데, 뒤에는 두 개의 뿔을 날개처럼 달았으며 검은빛의 사(紗) 또는 나(羅)로 둘렀다.
299) 냥지백옥대(兩枝白玉帶) : 백옥대(白玉帶)를 양 끝이 가닥이 나게 맨 모양.
300) 백우선(白羽扇) : 새의 흰 깃으로 만든 부채.
301) 산호편(珊瑚鞭) : 산호로 꾸민 채찍.
302) 오악정기(五嶽精氣) : 눈·코·입의 다섯 구멍에서 나오는 기운.
303) 음아즐타(吟哦叱打) : 크게 소리 내어 꾸짖음.
304) 안연(晏然)이 : 안연(晏然)히. 차분하고 침착하게.
305) 태허(太虛) : '하늘'을 달리 이르는 말. 여기서는 '하늘에 있는'의 의미.
306) 송옥(宋玉) : B.C.290?-B.C.222? 중국 춘추 전국 시대 초나라의 문인. 반악(潘岳)과 함께 중국의 대표적인 미남자로 일컬어짐. 〈구변(九辯)〉, 〈초혼(招魂)〉, 〈고당부(高唐賦)〉 등의 작품이 전하고 있고 굴원(屈原)의 제자로 알려저

강산수기(江山秀氣)를 오로지 품수(稟受)하여 제세안민지재(濟世安民之材)307)와 경륜패업지혜(經綸霸業之慧)308)며 결승천리지재(決勝千里之才)309)니, 웅위한 골격과 척탕한 풍신이 천고(千古)를 역량(歷量)310)하나 대두(對頭)311)할 이 없을지라. '청천백일(靑天白日)은 노예하천(奴隷下賤)도 역지기명(亦知其明)이라.'312) 위국 군신이 한 번 보매 대경칭찬하고 부원수 임성각을 또한 보고 크게 놀라더라.

위왕이 일견 첨망(瞻望)에 대경(大驚) 무언(無言)하고 윤원수 또 위왕을 보니 천승국군(千乘國君)의 상모 당당한지라. 원수 금편(金鞭)을 들어 위왕을 가르쳐 이르대,

"금의(今矣) 대송 천자 신성영무(神聖英武)하시어 고금 명왕(明王)을 이으시고, 주공(周公)313)·소공(召公)314)·냥평(良平)·와룡(臥龍) 같은 자 무수하니, 덕화가 만방에 사무치거늘 홀로 대왕이 역천무도(逆天無道)하니, 고어에 왈 '사람이 처음 그르나 고침이 귀타' 하니, 대왕은

있다.

307) 제세안민지재(濟世安民之材) : 세상을 구제하고 백성을 편안하게 할 인재(人材).
308) 경륜패업지혜(經綸霸業之慧) : 천하를 다스리고 제후의 으뜸지리를 차지할 지혜(知慧).
309) 결승천리지재(決勝千里之才) : 교묘한 꾀를 써서 먼 곳에서 일어나는 싸움의 승리를 결정하는 재주.
310) 역량(歷量) : 역력(歷歷)히 헤아림.
311) 대두(對頭) : 맞서 겨룰 만한 상대.
312) '청천백일(靑天白日)은 노예하천(奴隷下賤)도 역지기명(亦知其明)이라.' : 맑은 하늘의 밝은 태양은 노예나 천민과 같은 무식한 사람들도 그 밝음을 안다.
313) 주공(周公) : 중국 주나라의 정치가. 문왕의 아들로 성은 희(姬). 이름은 단(旦). 형인 무왕을 도와 은나라를 멸하였고, 주나라의 기초를 튼튼히 하였다. 예악 제도(禮樂制度)를 정비하였으며, ≪주례(周禮)≫를 지었다고 알려져 있다.
314) 소공(召公) : 소공석(召公奭). 중국 주(周)나라의 정치가. 산동 반도를 정벌하여 동방(東方) 경로(經路)의 사업을 이룩하여 주나라의 기초를 닦았다.

응천순인(應天順人)을 좇아 죄를 청하고 귀순한즉, 처음 역천무도를 사하시어 길이 왕낙을 일치 않으리라."

하여 만단(萬端) 개유(開諭)하니 소진(蘇秦)315)의 구변(口辯)으로 만이(蠻夷)를 항복게 하는지라. 위왕이 청파에 미소 왈,

"천하는 비일인지천하(非一人之天下)요, 천하인지천해(天下人之天下)니316) 자웅을 결하리라."

하거늘, 원수 좌우 선봉으로 말을 내어 접전 수합(數合)에 선봉이 이한을 베고 왕한을 생금하니, 적장 오표 대로하여 내달아 상전(相戰) 백여 합에, 윤원수 진상에서 오표의 흉장살기(凶壯殺氣)함을 보고, 오호궁(烏號弓)317)에 금비전(金飛箭)318)을 먹여 오표의 가슴을 맞히니, 오표 마하에 떨어지거늘, 송 선봉이 버히고 승전곡을 울리더라.

양진이 쟁(錚) 쳐 군을 거두니, 차시 윤원수 군을 거두어 돌아와 삼군(三軍)을 호상(犒賞)319)하고 기모비계(奇謀秘計)와 신출귀몰(神出鬼沒)하는 용병(用兵)과 백보천양(百步穿楊)320)하는 재주로, 위왕으로 더불어 여러 번 싸워 일일승전(日日勝戰)하고 장수를 죽이며 생금(生擒)하니, 항복 바든 자가 무수하고, 이어 위왕을 항복 받은지라.

---

315) 소진(蘇秦) : 중국 전국 시대의 유세가(遊說家). 산동 6국의 합종(合從)을 설득, 진(秦)에 대항했다.
316) 천하는 비일인지천하(非一人之天下)오 천하인지천해(天下人之天下)라. : 천하는 한 사람의 천하가 아니라 천하 사람의 천하다. 즉 천하는 특정한 한 사람만이 주인이 될 수 있는 것이 아니라, 천하 사람 모두가 그 주인이 될 수 있다는 말.
317) 오호궁(烏號弓) : 예전에, 중국에서 이름난 활의 하나.
318) 금비전(金飛箭) : 쇠붙이로 화살촉을 박은 화살.
319) 호상(犒賞) : 군사들에게 음식을 차려 먹이고 상을 주어 위로함.
320) 백보천양(百步穿楊) : 활 쏘는 솜씨가 매우 뛰어남을 이르는 말. 중국 초나라 때 양유기(養由基)라는 사람이 백 걸음 떨어진 곳에서 활을 쏘아 버드나무 잎을 꿰뚫었다는 데서 유래한다.

원수 대희하여 성중에 들어가니, 인물이 번화하고 풍속이 순후(淳厚)하여, 비록 지방이 험조(險阻)하나 예악(禮樂) 문물(文物)이 번성하며, 오곡이 풍등(豐登)하고 성곽이 장려(壯麗)하며 누대(樓臺) 공교하더라.

원수 일행을 설연(設宴) 관대(款待)하고 금은보화(金銀寶華)를 무수히 드리니, 원수 일물도 받지 않은데, 위국 군신이 감격하고 원수 선치(善治) 교화(敎化)로 위국 지방을 순무(巡撫)하니, 수월지간(數月之間)에 일국을 선치(善治)하였더라.

월여에 중사(中使) 황조(皇詔)를 가져 이르고, 위왕 왕호를 다시 허하시다.

원수의 대군이 반사(班師)하여 중로(中路)에 이르러, 조정 조보(朝報)를 보니, 이부(吏部) 동창에 출사하다 하는지라, 원수의 명달함으로써 성주의 득인(得人)하심을 아나, 지극한 우애로써 사려(私慮)321) 무궁하더라.

대군이 완행(緩行)하여 동교(東郊)에 이르러 어가(御駕) 친히 맞으시니, 삼군 장졸의 예기(銳氣) 하늘같고 승전곡을 일시에 주하니, 원수 멀리서 하마(下馬)하여 어전에 팔배(八拜) 산호(山呼)322)하니, 천심이 환희 대열하시어 면유(面諭)하시어 왈,

"경의 신무(神武)는 안 지 오래거니와, 쉬이 성공하고 개가로 돌아 올 줄은 의외라. 요사이 동창 요적(妖賊)이 창궐함으로 경제(卿弟) 자원출정(自願出征)하니, 경제의 재주로써 족히 염려할 바 아니로되, 각처에

---

321) 사려(私慮) : 사사로운 염려.
322) 산호(山呼) : 산호만세(山呼萬歲). 나라의 중요 의식에서 신하들이 임금의 만수무강을 축원하여 두 손을 치켜들고 만세를 부르던 일. 중국 한나라 무제가 숭산(嵩山) 산에서 제사 지낼 때 신민(臣民)들이 만세를 삼창한 데서 유래한다.

제적이 창궐함으로 짐의 주석지신(柱石之臣)이 다 해외에 나가니, 좌우수를 잃은 듯하더니, 경이 먼저 환조(還朝)하니 짐심을 위로하리로다."

드디어 옥배에 향온(香醞)을 차례로 부어 삼군 장졸을 반사(頒賜)하시어, 만리 전진에 노고함을 위로하시니, 원수 감축 사은하여 고두(叩頭)주왈,

"고어에 왈, '주우신욕(主憂臣辱)이오 주욕신사(主辱臣死)라'323) 하오니, 신 등이 연소재박(年少才薄)하오나 위인신(爲人臣)하여, 폐하의 융우(隆憂)를 당하와 적은 힘을 괴롭다 할진대, 차는 만고불충(萬古不忠)이라 하리로소이다."

상이 더욱 아름다이 여기사, 윤원수를 봉하여 위국공을 더으시고, 임성각으로 절제도총독을 삼으시고, 제장 등의 품직을 차례로 도도시고 어가 환궁하신 후, 윤원수 계부를 모셔 부중에 돌아와 태부인께 뵈오니, 태부인이 창후를 보고 크게 반겨 집수무배(執手撫背)324) 왈,

"노모 너를 전진에 보내고 숙식이 불안하더니, 네 이렇듯 쉬이 승전반사(勝戰班師)하니 어찌 기특치 않으리오. 희천은 언제나 이같이 쉬이 돌아 올꼬?"

창후 광미대상(廣眉大顙)325)에 화기이연(和氣怡然)하여, 조모의 이같이 사랑하심을 보매, 인간의 희귀지사로 알아 깃거하며, 모부인과 숙모께 배현하고 정·남·화·하·장 등 제부인과 구파를 향하여 각각 예필에 기간 영모지회(永慕之懷) 간절하던 바를 고하더니, 외각에 하객이

---

323) 주우신욕(主憂臣辱) 주욕신새(主辱臣死) : 임금에게 근심이 있으면 신하는 마땅히 이를 치욕으로 생각하여 근심을 없애야 하고, 또 임금에게 치욕이 있으면 신하는 마땅히 죽음으로써 그 치욕을 씻어야 한다.

324) 집수무배(執手撫背) ; 손을 잡고 등을 어루만짐.

325) 광미대상(廣眉大顙) : 너른 눈썹과 큰 이마.

운집하니, 창후 계부를 모셔 밖에 나와 접객할 새, 촉을 이어 주찬을 드
려 통음(痛飮) 달야(達夜)하고, 명일 옥궐에 조회한 후 퇴조하여 종일
대객에, 바야흐로 몸을 빼어 내당에 들어와 존당에 한화(閑話)할 새, 태
부인이 좌우로 숙렬의 아자(兒子)를 데려오게 하여, 이르니, 숙렬의 생
자는 오뉵 삭이라 능히 언어를 통할 듯, 행보를 움직이니, 옥설기부(玉
雪肌膚) 영형수미(英形秀美)함이 범아(凡兒)로 다른지라. 위공이 좌우로
어루만져 연애귀중하고, 진씨 없음을 묻자와 가로되,

"진씨를 어찌 보지 못할소니까? 어디 미양이 있어 못 보나니이까?"

태부인이 미급답(未及答)에 구파 문득 눈썹을 찡기고 탄식하여, 가로대,

"진부인의 차악한 말을 이르고자 하나, 멀리서 갓 돌아와 가중에 기쁨
이 가득하니, 비사(悲事)를 들춤이 바쁘지 않은 고로 미처 이르지 못하
였거니와, 제진이 일찍 흉음(凶音)을 전치 않더이까? 과연 소저 모일에
산후병으로 세상을 버렸으니, 낭군이 환경하던 날이 성복(成服)[326]이
라. 그런 참혹한 일이 어데 있으리오."

위공이 문득 놀라, 왈,

"어데서 상사 났나이까?"

구파 왈,

"진소저 병이 중하시니 채설정으로 피우를 가서 몰(歿)타 하니, 그 청
춘이 가장 자닝하거니와, 양자가 있어 후사는 선선(詵詵)하니 현마 어이
하리까?"

위공이 처음 구파의 말로 좇아 놀라더니, 좌간 경색을 보니 의심된지
라. 종말을 보고자 하여 거짓 속는 체하고, 참연한 사색으로 대왈,

"사자(死者)는 불가부생(不可復生)이라 어찌 하리까? 비록 그러하나

---

326) 성복(成服) : 초상이 나서 처음으로 상복을 입음..

영연(靈筵)에 곡배(曲拜)나 함이 옳은가 하나이다."

태부인이 점두하고, 구파 그 실로 속는 줄 알고 거짓 비척함을 마지않으니, 위공이 진씨 수복완전지상(壽福完全之相)으로 어찌 헛되이 죽으리오. 이에 정·진 양부에 가 악부모를 배견하고, 기색을 보아 도리어 속이고자, 호승(好勝)327)이 발하여 취운산에 이르니, 금평후 부부 태원전에서 볼 새, 태부인 진부인이 반기고 사랑함이 북공으로 다름이 없으니, 상하의 춘풍화기 일양(一樣)으로 승전 성공함을 치하하고, 말씀이 혈심으로 솟아나니 위공이 감사하여 반자지도(半子之道)를 극진히 하고, 의열이 또한 승첩함을 깃거 아험328)에 춘풍이 자연하니, 위공이 저저를 반기고 배반(杯盤)을 나와 약간 햐저(下箸)하매 하직하고 진부에 이르니, 낙양후 부부 여서의 이름을 보고 크게 반기고 깃거 내당(內堂)으로 청견(請見)할 새, 이때 주부인이 마침 신기 불평하여 상요를 떠나지 못하였더니, 여서의 왔음을 듣고 강질수작(强疾酬酌)할 새, 위공이 악모께 배알하고 그 사이 병후를 묻잡고, 수조(數條) 한훤(寒暄) 후, 실인(室人)의 자취를 물으니, 낙양후와 부인이 의괴(疑怪)하여 미처 답지 못하여서, 평장이 가로되,

"소매 명박하여 초년에 허다 곤액을 경력(經歷)하고, 적상(積傷)한 고질(痼疾)이 산후에 발하여 일찍 세상을 버리니, 어찌 가긍(可矜)치 않으리오. 사자(死者)는 이의(已矣)라. 하릴없거니와 모친이 과척(過瘠)하시어 상요를 떠나지 않으시니 민망하여라."

낙양후 부부 청파에 여아 채설정에 구처(苟處)하여 희해(戲諧)함을 깨달아, 부질없는 발언을 모르는 듯하니, 위공이 심하에 그윽이 실소하고,

---

327) 호승(好勝) : 남과 겨루어 이기기를 좋아함.
328) 아험 : 아검(娥臉)의 변음인 듯. 고운 뺨, 고운 얼굴.

거짓 곧이듣는 듯, 쌍미를 빈축(嚬蹙)하고 비언(悲言)으로 회포(懷抱)하여 빈소(殯所)를 보고자 하니, 평장 왈,

"소매 과연 나의 장원각 채설동에 가 기세(棄世)하였으니, 사원이 아등과 한가지로 가리라."

위공이 즉시 낙양후 부부를 하직하고, 평장과 어사로 말을 가뤄329) 채설동에 이르니, 소저의 유랑 시비들이 백의소대(白衣素帶)330)로 고두 배알 하고 슬픔을 정치 못하니, 위공이 기괴히 여겨 날호여 영연(靈筵)에 나아가니, 소장병리(素帳屏裏)331)에 검은 관이 한가하고, 붉은 명정(銘旌)332)에 '남창후계비진씨지구(南昌侯繼妃陳氏之柩)'라 썼으니 위공이 볼수록 실소(失笑)하고, 길이 읍(揖)333)하고 나아가, 관을 두드려 실성통곡(失性痛哭) 하며 부르짖어,

"슬프다 부인이여, 구원(九原)334)에 앎이 있느냐? 생이 한 번 가중을 떠나 만리에 공업을 이뤄 돌아오니, 부인이 옥동을 안아 산 낯으로 반길까 하였더니, 어찌 옥이 부서지고 꽃이 떨어짐을 알리오. 생즉동주(生則同住)하고 사즉동혈(死則同穴)하자 언약이 헛 곳에 가도다. 차(嗟)홉다335). 부인이여! 다시 지하(地下)에 부부 되어 금생의 저른336) 인연을

---

329) 가루다 : 자리 따위를 함께 나란히 하다.
330) 백의소대(白衣素帶) : '흰옷'과 '흰띠'를 함께 이르는 말로, 상복을 입은 사람의 차림.
331) 소장병니(素帳屏裏) : 흰 장막과 병풍을 둘러친 안쪽.
332) 명정(銘旌) : 죽은 사람의 관직과 성씨 따위를 적은 기. 일정한 크기의 긴 천에 보통 다홍 바탕에 흰 글씨로 쓰며, 장사 지낼 때 상여 앞에서 들고 간 뒤에 널 위에 펴 묻는다.
333) 읍(揖) : 인사하는 예(禮)의 하나. 두 손을 맞잡아 얼굴 앞으로 들어 올리고 허리를 앞으로 공손히 구부렸다가 몸을 펴면서 손을 내린다.
334) 구원(九原) : 저승.
335) 차(嗟)홉다 : 슬프다.

이으리라.”

이렇듯 부르짖어 실성호곡(失性號哭)에 누수(淚水) 여우(如雨)하며, 만일 진정 진씨 죽은 줄 알면 천생아질(天生雅質)을 아낄지언정 그리 참상(慘傷)하리요마는, 제진이 자가 속임을 우습게 여겨 짐짓 과상(過傷)함을 자아내니, 진평장이 그 궤계(詭計)를 모르고 심리(心裏)에 웃음을 참지 못하나, 위로 왈,

“사자(死者)는 이의(已矣)라. 사원이 박명약매(薄命弱妹)337)를 이렇듯 비원(悲怨)하니, 아등이 어찌 감사치 않으리오마는, 사원이 당당한 대장부로 일개 처자를 이리 애호(哀號)하니 모름지기 관회(寬懷)하라.”

위공이 차언을 듣고 거짓 강인하는 듯, 눈물을 거두고 이르되,

“형언(兄言)이 시야(是也)라. 영매 임별에 하직(下直)지 않고 죽으매, 영결(永訣)치 못하니 한 조각 유한이로다. 소제는 금야는 예서 머물리라.”

평장이 허락하고, 어사 화미(畵眉)를 찡겨 탄 왈,

“집에 가 평안이 쉬게 함이 옳은지라. 어찌 속절없는 빈 관을 지키리오. 들으니 청춘 여자 죽으면 원혼이 된다 하니, 소매 상시(常時) 행동거지 유법하거니와, 한 번 죽으매 세속 요괴(妖怪)로운 혼신(魂神)과 같아서, 밤이면 택중(宅中)에 빈빈왕래(頻頻往來)함으로, 차환의 무리 두려워함을 이기지 못하는지라. 사원이 이에 머물다가 소매 신령이 내달아 침노하여 접귀(接鬼)338)하면 어찌 하리오?”

위공 왈,

“석자(昔者)에 한창려(韓昌黎)339) 왈, ‘귀신이 어찌 사람과 말하리오.’

---

336) 저르다 : 짧다.
337) 박명약매(薄命弱妹) : 복이 없고 명이 짧은 어린 누이.
338) 접귀(接鬼) : 귀신이 들림. 귀신이 덮침.
339) 한창녜(韓昌黎) : 한유(韓愈). 중국 당나라의 문인·정치가(768~824). 명은 유

하였으니, 사불범정(邪不犯正)[340]이요, 요불승덕(妖不勝德)[341]이라. 군자 앞에 어찌 귀신이 작희(作戱)하리오. 형 등은 범태육골(凡胎肉骨)[342]이라, 이런가 싶거니와, 소제는 군자(君子)라. 음령(陰靈)이 감히 간범치 못할 것이요, 생시에 소제를 두려워하던 것이니 금야는 차처(此處)에 오도 못하리라."

설파에 잠소하고, 시녀 저녁 제(祭)를 올리니 위공이 의구히 참제(參祭) 애통(哀慟)하거늘, 진평장 등이 그 기량(器量)을 깨닫지 못하더라.

차야(此夜)에 중당(中堂)에 불을 밝히고 위공이 안석(案席)에 기대어 자는 체하니, 평장 등도 이윽히 앉았다가 의대를 끄르고 원침(園寢)[343]에 나아가 잠드니, 위공이 야심하매 일어나 내당으로 돌입하여 창틈으로 규시(窺視)하니, 진씨 촉을 도도고[344], 유랑 시비도 위공에게 속아, 영궤(靈几)에 통곡비도(痛哭悲悼)함을 고하고, 웃기를 마지않으니, 소저 불열 왈,

"거거의 일시 희롱이나, 이리 망령되니 군자의 책언은 나의 신상에 미칠로다."

유랑이 소왈,

"노야 통달하시니 어찌 이런 일에야 소저를 가책(呵責)하시리까? 옥누항 태부인과 구파랑이 한가지로 동계(同計)하시니이다."

(愈). 자는 퇴지(退之). 호는 창려(昌黎). 당송 팔대가의 한 사람으로, 변려문을 비판하고 고문(古文)을 주장하였다. 시문집에 ≪창려선생집≫ 따위가 있다.
340) 사불범정(邪不犯正) : 사악(邪惡)한 것은 정대(正大)한 것을 범하지 못한다.
341) 요불승덕(妖不勝德) : 요괴로운 것은 바르고 어진 것을 이기지 못한다.
342) 범태육골(凡胎肉骨) : 평범한 사람의 뼈와 살을 받아 태어난 몸.
343) 원침(園寢) : 원중(園中)에 있는 침소.
344) 도도다 : 돋우다.

소제 침음(沈吟) 부답에, 위공이 그 노주의 문답을 듣고, 부인의 탓이 아니매 문득 일계(一計)를 생각고 급히 창을 열고 들어서니, 유랑 시비 황망이 퇴하고, 소저 정대히 맞아 예필에, 위공이 평장을 속이려 함으로, 급히 부인의 향신을 풀 낱같이 후려[345] 옆에 끼고, 가로되,

"유음(幽陰)이 길이 다르거늘 생인(生人)같이 앉았으니, 내 비록 재주 없으나 일찍 옥진(玉眞)[346]의 혼백 부르는 수단이 있으니, 혼령을 가져다가 관중(棺中)을 깨치고 다시 살아나게 하리라."

설파에 행보가 나는 듯하여 중당(中堂)에 나오니, 소저 대경(大驚) 경괴(驚愧)하나 무망(無妄)[347]에 일언을 못하더라.

위공이 소저를 옆에 끼고 중헌에 나가 소리를 벽력(霹靂)같이 질러 왈, "형 등이 자느냐? 소제 영매(令妹)의 영혼을 잡아 왔노라."

하니, 진평장 형제 잠결에 산악 같은 소리를 듣고, 몽혼이 놀라 깨달으니, 위공이 소저로 더불어 당중에 왔는지라. 평장 형제 계교 발각한 줄을 알고, 어사 크게 웃고 희롱하기를 마지않으니, 소저 거거 등의 희담(戲談)을 크게 불열(不悅) 미쾌(未快)하여, 정색(正色) 묵연하고 안으로 들어가니, 평장과 위공이 종야 환소(歡笑)하다가 명조에 각각 흩어져 본부로 돌아와 부모께 뵈옵고, 작일 위공의 거동을 전하고 모다 웃기를 마지않으니, 이런 희한한 일이 어디에 있으리오. 경사를 삼아 서로 희학(戲謔)하여 소일하더라.

위공이 두 악장(岳丈)께 하직하고 성내로 들어가고 평장 등이 매제의 병을 약석(藥石)으로 착실이 하여 점점 차경에 미쳤더라.

---

345) 후리다 : 휘몰아 채거나 쫓다.
346) 옥진(玉眞) : 옥진부인(玉眞夫人). 하늘에 있는 신선으로 옥진보황도군(玉眞保皇道君)이라 일컫는데, 옥청삼원궁(玉淸三元宮)에 산다고 한다.
347) 무망(無妄) : =무망중(無妄中). 별 생각이 없이 있는 상태.

위공이 집에 돌아가매 초후 부인이 급문 왈,

"현제 진후 부부께 배현하고 진제의 영연에 통곡하냐?"

공이 잠소 왈,

"통곡하라 갔거든 그저 오리까? 싫도록 울매 목이 다 쉬었나이다."

의열이 소왈,

"진부에서 범사를 준비하여 일분도 의심 된 거동이 없거늘 어찌 알았느뇨?"

위공이 작야 사를 잠깐 베풀어 제진의 속은 바를 일일이 고하니, 태부인이 웃기를 마지않고 초후 부인이 소왈,

"남을 속이려 하매 현제 수고롭도다. 아무려나 신생아가 어떠하더냐?"

위공이 웃고 대왈,

"비록 저저의 몽성만은 못하나 잘 가르치면 사람 유(類)에 섞일 만 하더이다."

부인이 소왈,

"우리 부부는 남에서 나은 일 없는 고로 몽성 등이 기특치 못하나, 현제 부부는다 특이하니 자식을 낳으매 어련하리오.348)"

위공이 대왈,

"소제 하형에서 나으니, 저저 어찌 소제로 하형에게 비길 줄로 아시나니까?"

의열과 초후 부인이 낭소 왈,

"남이 칭찬할 나위349) 없이 스스로 기특함을 자랑하니, 어찌 우습지

---

348) 어련하다 : 따로 걱정하지 아니하여도 잘될 것이 명백하거나 뚜렷하다.

349) 나위 : 더 할 수 있는 여유나 더 해야 할 필요.

않으리오."

위공이 답하고자 하더니, 외당에 빈객이 모였음을 고하니 나와 빈객을 접응할 새, 위공이 벌위(伐魏)하고 돌아온 후, 궐중에서 황혼에 와 일야를 집에서 지내고, 작일 조참 후 취운산으로 가 금일에 돌아오니, 하객이 위공을 찾아보러 왔다가 그저 돌아갔더니, 금일에 모이니 광실(廣室)이 터질 듯하고, 자포옥대(紫袍玉帶)350) 나열하여 위공의 높은 재덕을 칭복치 않을 이 없으되, 호람후 숙질이 갈수록 숭검겸퇴(崇儉謙退)하기를 주하고, 행여 교우자중(驕傲自重)한 빛이 없으니, 인인(人人)이 흠선탄복(欽羨歎服)함을 마지않더라.

위공이 존당 숙당과 편친을 모셔 오래 떠났던 하정을 펴나, 총재로 광금장침(廣衾長枕)에 힐항(頡頏)하는 정을 펴지 못하고, 어느 때 평동(平東)하고 돌아올 줄 알지 못하니, 홀연 비결(悲缺)한 회포 밤을 당하면 눈물 나물 금치 못하더니, 하·장 두 부인이 달을 연하여 옥동기린을 생하고, 산후 질양이 없어 삼칠일이 지나매 즉시 일어나니, 호람후 부부의 희열함은 이르지도 말고, 위공의 깃거함이 자기 아들 얻음 보다 더하더라.

진소저 흠질이 소성하매 웅닌과 유자를 데려 옥누항으로 돌아오니, 위태부인으로부터 합문 상하의 반김이 새롭고, 신생아 비상함이 웅닌과 다르지 않음을 행희하더라.

이러구러 또 해가 바뀌고 남·화 이소저 수태(受胎)하니, 조부인이 위공의 장옥(璋玉)351)이 선선(詵詵)할 바를 환열하나, 각골 애다는 바는 장손을 잃어 벌써 오년에 그 사생을 점복(占卜)치 못하니, 참통한 슬픔

---

350) 자포옥대(紫袍玉帶) : 붉은 도포와 백옥 허리띠 차림의 고위관리들.
351) 장옥(璋玉) : ①구슬. ②아들을 비유적으로 이르는 말. 예전에 중국에서 아들을 낳으면 구슬을 장난감으로 준데서 유래한다.

이 맺혔더라.

화설 문양공주 전전악사가 세세히 발각하여, 이미 신묘랑과 최상궁이 죽고, 황상이 부녀의 천륜지정을 베시어 궐정 왕래를 막으시며, 녹봉을 거두시고, 여러 일월에 한결같이 매몰함을 뵈시니, 정부에서 사이 통한 협문을 막고 북공이 엄령(嚴令)하여 자기 궁중 비복의 무리 정부 문전에 어른거리는 일이 있으면 문리(門吏)를 죽일 것이라 하였으므로, 문리 등이 살피기를 등한이 아니하여, 문양궁의 노복이라도 나아오지 못하게 하니, 공주 오히려 중청(重聽)352) 병인은 되지 않았는 고로, 듣는 말이 절절이 분노를 더하는지라.

고요히 누어 자기 명도를 생각건대, 몸이 만승지존(萬乘之尊)353)의 생지(生之)하신 바로, 왕희(王姬)의 존귀와 천승(千乘)의 존(尊)을 가져, 황야의 사랑하심이 정궁(正宮) 생하신 공주로 다름이 없으시거늘, 자기 초두(初頭)로부터 괴이한 의사 일어나 한 번 고루(高樓)에서 북공의 정벌하고 입공승전(立功勝戰)하여 돌아오는 위의를 구경하매, 그 청천백일지상(靑天白日之像)354)과 태산제월지풍(泰山霽月之風)355)에 경운화기(慶雲和氣)를 겸하여 만고무적(萬古無敵)한 풍류신광(風流身光)을 탐혹하여, 구구한 음정(淫情)이 상사(相思) 괴질(怪疾)을 일으켜, 천만 부득이 황상이 정천흥으로 부마를 삼으시되, 윤·양·이 등을 폐출치 못하시니, 자기 황녀의 존함을 발뵐 길이 없어, 정문(鄭門)에 하가(下嫁)

---

352) 중청(重聽) : 귀가 어두워서 소리를 잘 듣지 못하는 증상.
353) 만승지존(萬乘之尊) : =천자(天子).
354) 청천백일지상(靑天白日之像) : 푸른 하늘의 빛나는 태양과 같은 기상.
355) 태산제월지풍(泰山霽月之風) : 비갠 하늘의 밝은 달빛 아래 우뚝 솟아 있는 태산과 같은 풍채.

하매 존당의 침정함과 구고의 단엄함이 일시도 자기 교일방자(驕逸放恣)한 기운을 펴지 못하고, 북공의 준열(峻烈) 씩씩함이 여자로 하여금 한 조각 사정을 비추지 못하여, 여러 일월에 조심하고 두려워하며, 박빙(薄氷)을 디디며, 침상(針上)을 임(臨)한 듯하다가, 유씨와 신묘랑의 도움을 입어 가만한 가운데 윤·양·이·경과 현기 등 사남매를 해하며, 운영 등 십창까지 없애려 도모하여, 계교를 이루되 하루도 북공의 흔연 상애(相愛)함이 혈심진정(血心眞情)에 미침을 보지 못한지라.

매양 외친내소(外親內疏)하여 은정을 나토는 듯이 하여, 겨우 일녀를 얻으매, 그 설부옥골(雪膚玉骨)이 부풍(父風)을 전습(專襲)하여 용용속녀(庸庸俗女)356)가 아니거늘, 공연히 최현의 천한 자식과 바꾸어 참혹히 잃음이 되고, 자기 패도(悖道)는 아니 미친 곳이 없어, 천인(千人)이 꾸짖고 만인(萬人)이 머리를 흔들어, 간악타 하기를 그치지 않거늘, 자기는 전자에 다 서릇어 없앤 줄로 알아 양양자득(揚揚自得)하던 바, 윤·양·이·경은 안연함이 반석 같아서 좋이 돌아오고, 운영과 구창까지 즐거이 모임을 얻었고, 현기 등 사남매는 한충의 부부 극진히 보호하여 일시에 돌아오고, 북공이 사비십희(四妃十姬)로 정을 펴매 옥동화녀는 슬하에 층층하여 영화복경(榮華福慶)을 도우며, 윤씨는 더욱 의열문이 금자어필(金字御筆)로 높으매, 그 문을 지나는 자가 황자(皇子) 공후(公侯)라도 어서(御書)를 공경하여 하마(下馬)치 않을 이 없으며, 일세인(一世人)이 남녀노소 없이 윤의열의 절조명행(節操名行)을 탄복치 않을 이 없어, 구고의 사랑과 가부의 중대는 다시 들어 알 바 아니라.

공주 윤·양·이·경 등을 이심(已甚)히 해함이 도리어 그 어진 덕을 빛냄이 되었으니, 종일달야(終日達夜)토록 생각는 일이 다 간장이 끊어

---

356) 용용속녀(庸庸俗女) : 세간(世間)의 평범한 여자아이.

지고 흉격이 터질 듯하니, 여자가 세상에 나매 삼종지탁(三從之托)을 믿음이 되거늘, 위로 황야 부녀의 정을 베이시고, 가운데로 북공이 부부의 의(義)를 끊어 아주 남으로 알고, 아래로 한낱 자식이 없어, 유녀(乳女)를 잃은 지 사년에 그 생사를 알 길이 없으니, 슬하(膝下) 유치(幼稚)도 없어, 삼종(三從)의 의(義)가 그쳐져 일신 의지(依支)를 정치 못할 바라.

이런 망극한 경계를 당하여, 위인이 침중한 부인이라도 자연 심장이 녹음을 면치 못하려든, 하물며 투악협천(妬惡狹淺)함과 만사에 남에서 낫고자 하던 마음으로써, 보전하여 지금 살아있음이 도리어 괴이치 않으리오. 평생 은악양선(隱惡佯善)하고 재물을 널리 흩어 인심을 취합하던 일이 그림의 떡이라.

주주야야(晝晝夜夜)에 통곡비열(痛哭悲咽)하여 청춘상부(靑春喪夫)[357] 한 거동과 지원극통을 품은 형상 같아서, 무시(無時) 곡읍이 그칠 적이 없을 뿐 아니라, 머리를 마구 부딪치며 가슴을 두드려 초상(初喪) 만난 상인(喪人) 같으나, 그 몸인즉 생어옥엽(生於玉葉)[358]이요, 장어금궐중부귀(長於禁闕中富貴)[359]라. 어찌 병인들 나지 않으리오.

심화(心火)가 성하고 질양이 떠나지 않아 일신을 괴로이 자통(自痛)하더니, 문득 배종(背腫)[360]이 대단하여 인사(人事)를 알지 못하고, 백약이 무효하여 죽기에 이르니, 한상궁이 공주 위한 정성이 제 몸이 진키를 그음하여 뜻을 변치 않고, 공주 최녀를 귀중하고 자기를 미워하여, 녹섬 등의 초사(招辭)에 넣어 절해(絶海)에 원찬하였던 분원(忿怨)은 춘설 스러지듯 하여, 아예 심중에 머무르지 않고, 주야로 공주를 붙들어 위로하

---

357) 청춘상부(靑春喪夫) : 젊은 나이에 남편을 잃음.
358) 생어옥엽(生於玉葉) : 왕가(王家)의 귀한 자녀로 태어남.
359) 장어금궐중부귀(長於禁闕中富貴) : 대궐의 부귀(富貴) 가운데서 자라남.
360) 배종(背腫) : 등에 나는 큰 부스럼. =등창.

고 구호하는 도리, 충렬의 현신이라도 이에 미칠 바가 없으되, 공주 악심을 고치지 않아 악언(惡言)으로 금후 부부를 원망하며, 북공과 윤·양·이·경을 욕하기에 당하여는, 한상궁이 화(和)한 낯빛으로 공주의 패덕을 간하고, 매양 개과천선하기를 청하여, 천신(天神)이 복을 빌리게 함을 갖추 고하니, 공주 구고와 북공을 원망하여 윤·양·이·경 등을 꾸짖다가도, 때때 북공의 선풍옥골을 생각하여 그립고 설운 정이 뭉쳐, 꿈이 넋을 인도하여 북공의 얼굴을 반기나, 생세에 다시 부부의 의(義)를 펼 길이 없으니, 차라리 어서 죽어 영백(靈魄)이나 북공의 자취를 따르고자 하는지라.

배종(背腫)이 극중한 가운데 사상지심(思相之心)[361]이 간절하여, 더욱 병회(病懷)를 돕는지라. 한상궁이 공주의 질양이 사지 못하게 되었음을 망극하여, 정·오 이왕께 이 소유를 고하니, 정왕과 오왕이 지극한 성우(誠友)[362]에 그 과악(過惡)은 다 잊고, 신세를 참잔(慘殘)[363]하여 날마다 왕래하여 병후(病候)를 살펴 의약을 착실히 하고, 말씀을 천문에 아뢰매 상이 공주의 과악을 통해하시어 단연이 천륜자애(天倫慈愛)를 베듯이 하시나, 그 병이 중함을 들으시매 참절(慘切)코 자닝하시어[364], 정·오 이왕더러 가라사대,

"문양의 죄과인즉, 죽고 남지 못할 것이로되, 그 청춘이 잔잉하니 여등(汝等)이 살펴 병을 고치라. 짐이 저를 불러 보고자 않으리오마는, 인군(人君)의 도리 사정으로써 당연한 중죄를 사(赦)치 못할 것이요, 또 외조(外朝) 시비(是非)를 부를지라. 시고(是故)로 짐이 제 죄를 풀지 못

---

361) 사상지심(思相之心) : 남자나 여자가 마음에 둔 사람을 몹시 그리워하는 마음.
362) 성우(誠友) : 매우 정성스러운 우애.
363) 참잔(慘殘) : 애처롭고 불쌍하여 차마 보기 어려움.
364) 자닝하다 : 애처롭고 불쌍하여 차마 보기 어렵다.

하니, 여등이 짐의 뜻을 문양에게 전하고 그 심사를 위로하라.”

정·오 이왕이 배사수명(拜謝受命)하고 물러나, 차후 공주를 구호하는 도리 극진하여 '고인(古人)의 나룻 그을니는 우애'365)를 따르니, 공주 한상궁과 정·오 이왕의 구호하는 덕을 입어 목숨을 이으나, 천수만한(千愁萬恨)과 각골(刻骨) 앙앙(怏怏)한 심사를 일시에 그치지 못하여, 윤·양·이·경을 없애고자 뜻이 발발하되, 누구로 더불어 의논하리오. 속절없이 심장을 사를 뿐이라.

정·오 이왕이 지성으로 구호하매 공주의 배종이 사오일을 신고하여, 살이 썩어나고 새 살이 비친 후, 비로소 생도를 얻으나, 화용이 수척하고 옥골이 표연(飄然)하여 보기에 위태로이 되었으니, 한상궁이 보기할 찬품과 미죽을 구미에 맞도록 하니, 공주 그 정성을 감동하여, 전자에 저를 심히 미워하여 최녀와 의논하고 해하던 바를 참괴(慙愧)해 하고, 뉘우치는 뜻이 점점 나는지라.

이때 윤의열이 구고 존당을 받들며 숙매(叔妹) 금장(襟丈)을 서로 화우하여, 양·이·경 삼부인으로 지극한 정이 골육동기 같되, 심중에 참연한 바는 공주의 슬픈 신세라.

그윽이 협문을 다시 통하고 친히 나아가 낯으로 공주를 보아 정의를 펴고, 애자지원(睚眥之怨)366)을 품지 않는 뜻을 베풀고자 하되, 진부인이 단엄 견고하여 사람의 궁흉극악지사(窮凶極惡之事)를 들으면, 비록 언두에 자주 이르지 않으나, 중심에 치부(置簿)함이 되고, 순태부인의

---

365) 고인(古人)의 나룻 그을리는 우애 : 중국 唐나라 때 사람 이적(李勣)이 누이의 병구완을 위해 손수 미음을 쑤다가 수염을 태운 고사, 곧 자죽분수(煮粥焚鬚)를 이르는 말. '형제 특히 남매간의 우애가 두터움'을 비유하여 이르는 말.
366) 애자지원(睚眥之怨) : 한 번 흘겨보는 정도의 원망이란 뜻으로, 아주 작은 원망.

화홍인자(和弘仁慈)함이 간간이 공주의 신세 볼 것 없음을 측은하여 일 컬은즉, 진부인이 나직이 대왈,

"천흥의 액회 괴이하여 공주를 만나 현처와 영자(英子)를 다 보전치 못할 번 하오니, 생각한즉 심골이 서늘하온지라. 존고의 성덕으로 비록 저를 위하여 측은이 여기시나, 우리 부중 비자로 하여금 간악한 곳에 왕 래함이 없게 하심을 바라나이다. 불인(不人)을 멀리 하는 것이 옳으니이 다."

태부인 왈,

"내 마음인들 어찌 저 불인을 가내에 들이고자 하리요마는, 마음에 자 닝함이 그 청춘이요, 또 황상의 사랑하시는 공주임을 헤아리매, 그 신세 참혹하여 삼종지의(三從之義)를 폐절(廢絶)하고, 잔등야우(殘燈夜 雨)367)에 홍루(紅淚)368)가 유미(柳眉)를 잠금이 측은하고, 불인이 저의 지은 죄는 생각지 못하고 각골한 원망이 우리 집 남녀노소 없이 다 삼킬 듯 미워 할 바를 헤아리건대, 어찌 마음이 편하리오."

진부인이 탄 왈,

"존고의 하교 마땅하시나, 수요장단(壽夭長短)369)과 화복길흉(禍福 吉凶)이 천수(天數)에 정한 바라. 저 공주 아무리 우리 집을 원망하여 도, 이때는 독한 수단을 베풀 곳이 없사오니, 그 악악(惡惡)한 질언(叱 言)이야 무엇이 두려우리까? 다만 사이를 엄히 하여 시녀 배 왕래치 않 으면, 서로 소식을 모르는 사이 되올지라. 첩은 실로 천흥이 부부윤의 (夫婦倫義)를 유렴(留念)치 않는 것을 과도타 못하나이다."

---

367) 잔등야우(殘燈夜雨) : 깊은 밤에 등불은 기름이 다하여 꺼질락 말락 희미하고, 비가 또한 내려, 고독하고 애잔한 마음을 가눌 길 없음을 나타낸 말.
368) 홍루(紅淚) : 붉은 눈물. 피눈물. 몹시 슬프고 분하여 나는 눈물.
369) 수요장단(壽夭長短) : 오래살고 일찍 죽음.

태부인이 공주의 악악함을 무섭게 여기는 고로, 우겨 비자를 보내어 안부를 물을 의사를 아니 하니, 윤의열이 태부인과 존고의 말씀을 듣자오매, 자기 각별한 성덕으로 존고 안전에 고치 못하고, 공주의 슬픈 정사를 헤아려 주야에 잊지 못하니, 숙식이 편치 않되, 스스로 공주를 위하여 숙식이 불안함을 이른즉, 남이 교정(矯情)370)으로 알아, 스스로 어진 덕을 자랑코자 하는 줄 알 듯하여 발설치 못하였더니, 일일은 양·이·경 삼부인이 다 설원정에 이르러 종용이 담화하고, 소이·양과 주씨 등이 한가지로 나와 말씀할 새, 윤부인이 홀연 추연한 빛이 일어나, 양·이·경 삼 부인을 향하여 왈,

"첩이 부인네로 더불어 명위적인(名爲敵人)이나 실은 골육동기(骨肉同氣)와 다름이 없고, 심담(心膽)이 상조(相照)하니, 첩이 수고로이 발치 않아도, 부인네 첩의 마음을 모르지 않을 것이요, 피차 뜻이 다르지 않을지니, 금일 마침 종용한 고로 진정을 펴나니, 부인네는 괴이히 여기지 말라. 첩이 외람이 상원위(上元位)를 당하여 부인네로 더불어 머리 지어 군자의 중궤(中饋)를 임하매, 허물을 면키 어렵되, 부인네 극진히 규정(糾正)하고 정성으로 도움을 힘입어, 봉친대객(奉親對客)에 대단한 죄를 면하였는지라. 그윽이 생각건대, 아등은 인신(人臣)의 천한 자식이요, 공주는 만승지존(萬乘之尊)의 탄휵(誕慉)371)하신 바로, 비록 후에 들어온 서어(齟齬)함이 있으나, 당당한 황녀로써 국법(國法)에 부마(駙馬)에게 두 아내 없음을 헤아리면, 아등 같은 무리는 폐출하고, 공주 온전히 정군의 중궤를 소임 하여도 시비할 이 없을 것이요, 원망치 못할 바로되, 성주의 관홍대덕이 하상지원(夏霜之怨)372)을 살피시어 아등을 폐출

---

370) 교정(矯情) : 진심을 속이고 거짓으로 꾸밈.
371) 탄휵(誕慉) : 존귀한 신분의 사람이 낳아서 기름.

치 않으시니, 이 일로 드디어 공주의 적인이 수풀 같으니, 궁인의 성정이 하나를 위하여 정을 쏟으매 돌이킬 줄을 알지 못하는 고로, 공주의 나이 젊은데 세사(世事)를 경력지 못하였거늘, 돕는 무리 무상하고 불인한 고로 변괴를 지음이라. 아등과 제아(諸兒)가 다 액회 차악한 연고니, 스스로 명도를 탄할 뿐이라 어찌 홀로 공주의 탓이리오."

하더라.

---

372) 하상지원(夏霜之怨) : 여름에 서리가 내릴 만큼의 큰 원한. *여자가 한을 품으면 오뉴월에도 서리가 내린다.

명주보월빙 권지팔십오

어시에 윤부인이 가로되,

"아등과 제아가 다 액회 차악한 연고라. 스스로 명도를 탄할 뿐이요, 남을 원(怨)할 일이 아니거늘, 또한 각각 참화를 벗어나 필경은 천일을 봄이 있으니, 더욱 애자지원(睚眦之怨)373)을 품지 않는 것이 마땅히 옳으니, 이제 공주 삼종지탁(三從之托)이 없음 같아서, 적적(寂寂)한 심궁에 촌장(寸腸)을 사르고 신세를 느끼매 장차 병을 이룰지라. 부인네가 첩으로 더불어 글월을 부쳐 그 병을 묻고, 사세(事勢)를 보아 친히 가 낯으로374) 위로함이 어떠하리오."

부인의 말이 마치지 못하여서 이부인이 흔연 칭복 왈,

"첩이 이 뜻이 있은 지 오래되, 합문이 공주의 과악을 절치하시니, 감히 비추지 못하여 민울(悶鬱)할 즈음이러니, 부인이 애자지원(睚眦之怨)을 품지 않으시고 화우(和友)할 도리를 생각하시니, 첩 등은 다만 부인의 성덕을 열복할 따름이라. 스스로 어진 일을 하지 못한들, 부인의 인자혜화지덕(仁慈惠化之德)으로 화우하시는 성심을 좇지 않으리까? 그러나 부인이 먼저 글월로 문후하고 조초375) 얼굴로 반기자 하시나, 공

---

373) 애자디원(睚眦之怨) : 한 번 흘겨보는 정도의 원망이란 뜻으로, 아주 작은 원망.
374) 낯으로 : 얼굴을 서로 마주 보고.

주의 성정이 결단코 수삼년 사이 회심개과(回心改過)하여 어진 곳에 나
아감은 믿지 못하나니, 아등의 서간을 보면 노기발발(怒氣勃勃)하여 답
서 않기는 이르지 말고, 욕설이 참참하리니, 차라리 궁극히 틈을 얻어
아등(我等)이 불의(不意)예 나아갈진대, 대면하여 미처 욕설을 발치 못
하고 함분(含憤) 은노(隱怒)하다가, 점점하여 여러번 얼굴로 위로함을
극진히 하면, 혹자 감화할 도리 있을까 하나이다."

　양부인이 또한 그리 여겨 왈,

"첩은 중무소주(中無所主)한 인사(人士)376)라. 하물며 화우(和友)하
시는 혜화(惠化)를 막으리까? 스스로 생각하셔서, 서간으로 먼저 문병
코자 하시면 첩이 또 한 가지로 글월을 부치고, 몸소 나아가고자 하시면
첩도 또한 따를 뿐이라."

　경소저 단순(丹脣)을 열어 탄식 왈,

"첩이 무슨 사람이관데 삼부인의 마땅히 여기시는 일을 배척하여, 스
스로 투정(妬情)을 나타내고 어진 덕을 깃거 않으리오마는, 첩의 참변
을 오늘날 설파하리이다. 첩이 범사에 남 같지 못하여, 정문에 속현(續
絃)하되 삼년을 구고의 모르시는 며느리 되어, 자식이 나매 불안하고 황
민(惶憫)턴 바를 어이 다 고하리오. 더욱 군자의 자취 첩의 곳의 자주
임하니, 부모 능히 말로써 막지 못하여 사형의 임소 소주로 가다 핑계한
즉, 궁극히 찾아 후정 심처의 이르러 첩의 유모와 시녀 등을 질타(叱咤)
하고, 첩을 구욕(驅辱)하여 감히 숨을 의사를 못하게 하고, 부질없이 왕
래한 연고로 아자를 먼저 참혹히 잃음이 되어, 놀라온 심신을 먼저 정치
못하여서, 군자 엄전에 용납지 못할 변을 당하니, 근본인즉 첩의 연고라.

---

375) 조초 : 좇아 . 따라. 뒤따라. 이어.
376) 인사(人士) : (예스러운 표현으로) '사람'을 낮잡아 이르는 말.

비록 첩이 지은 죄 없으나, 여자의 마음에 불안함이 장차 어떠하리오.
일월을 천연하여 군자 삼 삭만에 엄전에 사명(赦命)을 얻고, 첩을 존당
구고 부르시니 감히 물러 있지 못하여, 처음으로 배현지례(拜見之禮)를
이루고, 즉시 돌아가지 못하여 수삼 삭을 머물매, 문득 요정의 후려 가
는 변을 면치 못하여 궐정(闕庭)의 가매, 머리를 무주리며 거꾸로 매어
달고 박살하려다가, 오히려 일명을 남겨 태섬 궁비를 맡겨 수중(水中)
에 들이치라 하니, 마침 궁인의 의기현심으로 급화를 구함이 되어, 반생
반사중(半生半死中) 강씨를 따라 겨우 살 땅을 디뎠으나, 세월이 오랠수
록 생각한즉 심골이 서늘한지라. 부인네가 다 지리한 환난을 당하여 혹
석혈누옥(石穴陋獄)에도 가두이며, 혹 익수지환(溺水之患)을 당하여 세
상의 희한한 경계를 겪었으나, 오히려 첩같이 신체발부(身體髮膚)를 상
해와 승니의 머리같이 무지르고, 잔혹한 형벌을 받아 일신에 온전한 살
이 없도록은 않아 계시리니, 이제 부인네가 지성으로 화우코자 하시니,
저 공주 능히 회심자책(回心自責)하여 부인네 덕택을 감동하면 기쁘려
니와, 다시 신묘랑 같은 요정을 얻어 전일 솜씨[377]를 버리지 않을까 먼
저 궁극한 염려 앞서는지라. 이 또한 첩이 인덕(仁德)이 없어, 사람의
궁측(窮惻)한 신세를 생각지 않고 괴이한 의심을 두는 것이, 마침내 불
현(不賢)키를 면치 못한 줄 모르지 않되, 부인네께 어찌 심곡에 있는 바
를 내외하리오. 청컨대 문양궁 소식을 탐청하여, '요괴로운 사정(事情)
이 이제나 없는가?' 자세히 아시고, 몸소 나아가 화사를 이룸이 좋을까
하나이다."

말씀이 진정소발(眞情所發)[378]이요, 사기(辭氣) 안정자약(安靜自若)

---

377) 솜씨 : 솜씨.
378) 진정소발(眞情所發) : 참된 마음에서 나옴.

하여 할연(豁然) 열숙(烈肅) 한 거동이 문인(文人) 열사(烈士)의 풍이 있고, 부인 여자의 용용무지(庸庸無知)함과 같지 않아, 조금도 구차치 않으니, 윤부인이 본디 양부인의 온순함과 이부인의 상쾌함과 경부인의 단아(端雅) 정직(正直)함을 깊이 아름다이 여기는지라. 이에 탄 왈,

"첩인들 어찌 문양공주를 감격할 의사 있으리오마는, 구태여 미운 마음은 없으니, 지성으로 저를 감화코자 하나니, 서간을 보고 독한 성이 발발하여 질욕하나, 그런 일은 놀랍지 아니하고, 사정을 또 감추어 두고 첩 등을 해코자 하여도, 액회 진한 후는 다시 염려 없으리니, 이제 다만 굳게 막은 협문을 트려 하면 말이 많아 쉽지 못하리니, 먼저 서간으로 아니 묻지 못하리라."

이에 필연을 나와 쓰기를 시작하니, 양·이 등이 한가지로 글월을 이루매, 경씨 최말(最末)에 붓을 잡아 두어 줄로 문후하매, 말씀이 번잡치 않되 사의 간절하여 정성이 나타나고, 필획이 찬란하거늘, 윤부인의 한 장 서간에 지현혜화(至賢惠化)와 숙연사덕(肅然四德)이 완전히 나타나고, 양부인의 온순한 덕과 이부인의 너른 양이 전일 굿긴 바를 쾌히 잊고, 서사(書辭)가 간절하여 애자지원(睚眦之怨)을 품지 않음이 현저한지라.

사부인(四夫人)이 다 쓰기를 마치고, 시절 향기로운 과품과 기이한 찬선을 갖추어 한상궁에게 보낼 새, 주영과 양·이·경 삼부인의 시녀 각각 문양궁으로 나아가며, 고 왈,

"노야 비록 출정하여 계시나 분부 정녕(丁寧)하시어, 문양궁 비자 노복도 상부 문전에 드리지 못하게 하여 계시니, 혹자 소비 등이 문양궁 왕래한 일을 오신 후 아시면, 죄책이 없지 않을까 두렵나이다."

윤부인 왈,

"이런 일은 내 당하리니 근심치 말라."

주영이 문양궁의 나아가 바로 들어가지 않고, 밖에서 궁인으로 하여

금 서간을 보내고, 찬선(饌膳)과 과품(果品)을 미좇아[379] 보내니, 공주 배종이 조금 나았으되 흉격(胸膈)에 원이 뭉쳐 바야흐로 이를 갈며, 윤·양·이·경 등을 물어뜯고자, 독한 성을 참지 못하고, 북공의 풍류신광(風流身光)이 이목(耳目)에 의의(依依)하여 그리운 정을 억제 못하니, 바야흐로 가슴을 두드려 통곡할 즈음이러니, 문득 한상궁이 만면희색으로 들어와, 윤·양·이·경의 서간을 앞에 놓고 위로 왈,

"옥주는 이 서간을 보소서. 숙녀의 사덕(四德)이 갖추 기특하여 원을 풀어 잊음이 이 같으니, 옥주 답간을 극진히 하고 차후로 서찰 왕복이나 빈빈하면, 자연 주군이 돌아오셔도 이를 금단치 못하여, 끊겨진 신(信)이 이 가운데 잇는 도리 있으리이다."

인하여, 윤·양 등의 서간을 먼저 읽어 드리려 한즉, 공주 발연이 벌떡 일어나 서간을 찢고 고성대매(高聲大罵) 왈,

"요괴 년들이 나로 더불어 전세 원수라. 나의 골똘한 분이 윤·양·이·경 사녀와 현기 등을 아울러 짓밟아 백골도 남기지 않고 분쇄함 곳 보면, 내 신세는 이에서 더 못하여도 쾌활할지라. 요녀 등이 거짓 화우하는 덕을 빛내어, 문병하는 서간을 부쳐 구가 합문의 명예를 더욱 모으려 함이니, 상궁은 어찌 그 간특함을 알지 못 하느뇨? 내 당당이 서간 가져온 시녀를 죽여 없애 요악(妖惡)을 다시 부리지 못하게 하리라."

한상궁이 대경하여 연망이 공주를 붙들고 서간을 앗아 왈,

"옥주 차마 어찌 이런 해거(駭擧) 패설(悖說)을 하시나니까? 윤·양·이·경 사부인이 극진이 화우지덕(和友之德)을 닦으시고, 애자지원(睚眥之怨)을 필보(必報)키를 생각지 않으시고, 옥주의 외롭고 슬픈 신세를 추연하시어 서간을 부쳐 위로하시는 사의(辭意) 간절하시고, 길이

동렬(同列)의 정을 맺고자 하시니, 옥주는 실로 천금을 허비하여도 얻지 못할 경사라. 주군이 한결같이 매몰하실지라도 윤·양·이·경 사인으로 정의를 펴시면, 현기 등 제 공자는 옥주 섬김이 친모와 다르지 않으리니, 아직 공자 등이 어리거니와 세월이 물 흐르듯 하니 얼마 하여 장성하리오. 이렇듯 하면 옥주 삼종지탁(三從之托)을 끊지 않는 쟝380)이니, 어찌 생각지 못하시나이까?."

공주 분노를 억제치 못하여 손으로 서안을 치고, 길이 한 소리를 탄 왈,

"심의(甚矣)라. 하늘이 어찌 나를 연고 없이 밉게 여겨, 한낱 골육을 보전치 못하고, 저 윤·양·이 등은 무슨 기특한 일로 그대도록 유복한고? 가히 천의를 알지 못하리로다."

상궁이 민망하여 사리로 간하는 말이 다 자자히 어질고 화평하여, 공주의 모진 심장을 어루녹이거늘381), 정왕이 마침 공주를 보러 왔다가 공주와 한상궁의 문답 설화를 듣고, 장(帳)을 들고 들어와 공주를 백단개유(百端開諭)하여, 회과천선(悔過遷善)하여 사람이 어진 것이 복되고 악한 것이 신상에 대단이 해됨을 이르니, 공주 정왕과 상궁의 말을 비록 좇지 않으나, 일단 정병부 위한 정은 생전에 풀릴 길이 없는 고로, 윤·양 등으로 통신하여 다시 동렬의 의를 펴면, 막힌 협문이 트여 자기 몸이 상부로 왕래하여 북공의 얼굴 얻어 보는 것이 될까, 천만가지로 사량(思量)하여 모진 노를 참고, 인하여 두어 줄 글로 답간을 써 보내고, 비로소 찢었던 글을 이어 그 사의를 살피매, 모든 글이 정정(貞靜) 단숙(端肅)하여 글 위에 나타나니, 공주의 극악흉참(極惡凶慘)한 마음으로

---

380) 쟝 : 것. 꼴. 때문. 까닭. 사물, 일, 현상 따위를 추상적으로 이르거나 그 모양, 이유, 원인 따위를 이르는 말

381) 어루녹이다 : 가볍게 쓰다듬어 언 것을 녹이거나, 뭉친 것을 풀어주다. 듣기 좋은 말이나 행동으로 달래거나 마음을 풀어 주다.

도 오히려 참괴함이 없지 않으나, 윤·양 등의 기특함을 꺼리고 미워하
니, 투현질능(妬賢嫉能)하는 성정이야 졸연히 고치리오. 머리를 도리어
베개에 박고 우는지라. 우는 눈물이 창(窓)[382]해 소소(昭昭)하여, 남을
부러워하며 기특한 인물을 미워함이 병이 되었으니, 한상궁이 위로하여
뉘고, 밖에 나와 주찬을 갖추어 주영 등을 대접하고, 윤부인께 답간을
올려 후덕을 천만 사례하고, 주영 등을 칭사하여 돌아 보내니, 주영 등
이 답간을 맡아 돌아와 부인께 드리며 한상궁의 감은하던 바를 고하니,
윤부인이 공주의 글을 보고 불쌍히 여기니, 이씨 웃으며 왈,

"공주 마지못하여 답서를 하여 보냈으나, 우리를 일장질욕(一場叱辱)
함은 참참(慙慙)하리라."

양씨 왈,

"서간이 아니라도 모진 성과 독한 분이 어데 가리오. 자연 여러 일월에
해참한 욕언이 아등의 신상에 다 모일 듯하니, 어찌 마음이 편하리오."

경씨 왈,

"이러나 저러나 윤부인이 지극히 감화코자 하시니 아등은 일체지인
(一體之人)이라. 공주의 현숙함 곧 보면 어찌 기쁘지 않으리오마는, 실
로 범에게 상한 사람 같아서, 간인의 흉계 어느 지경(地境)까지 미칠까
이것이 염려로소이다."

윤부인이 미소 왈,

"첩이 이렇듯 서신한 후, 제 다시 간계를 행하는 일이 있거든, 첩이
당당이 부인네께 그릇함을 사죄하리이다."

소이씨 소양씨 다 의열의 성덕을 열복하고, 경씨 반점 투정이 없는지
라, 어찌 공주에게 통신함을 불열하리요마는, 그 위인을 무섭게 여김 이

---

382) 창(窓) : 창문(窓門). 여기서는 '눈'의 비유적 표현.

러라.

이후 의열이 하루 한 번씩 구실 삼아 공주께 문후하는 글을 부치되, 갈수록 공경함이 더하고 사의 간절하거늘, 때때 병구(病軀)383)에 합당한 찬선(饌膳)과 화미(華味)를 보내니, 공주 궁이 무릇 기구(器具)가 없어, 진찬 화미를 장만치 못함이 아니라, 한상궁 일인 밖에 공주께 정성된 이 없는지라. 상궁이 공주를 붙들고 앉았으면, 다른 궁인은 찬품을 공주 구미에 합당이 하지 못하여 공주 먹지 못하는지라. 윤씨의 정성된 화미 찬선과 지극한 서사가 공주의 악악한 마음을 점점 감동함이 되어, 공주 윤씨의 서간이 삼십여 번에 미처는, 악악한 욕언을 그치고 스스로 탄하며 슬퍼하여 헤아리되,

"윤씨 등의 위인이 이 같지 않으면, 정군의 눈이 그대도록 높지 않을 것이요, 내 심력을 허비하여 없애고자 않았으리니, 그 남 달리 어질고 기특한 것이 나의 전정을 마침이로다."

하여, 오직 읍읍(泣泣)히 느끼고 부러워함이 측량없거늘, 한상궁이 인의지덕(仁義之德)과 개과(改過)할 도리를 권하여, 한 자 불법의 말을 공주의 귀에 들리지 않고, 한 번 모진 낯빛을 뵈지 않으니, 공주 비록 만악(萬惡)이 구비하나, 이때를 당하여 형세 예 같지 못하여, 모비는 외궁에 폐치(廢置)하였고 최녀 흉인은 검하경혼(劍下驚魂)이 되며, 자기는 황상이 부녀의 정의(情義)를 끊어, 녹봉을 거두시고, 궐정 왕래를 막으시거늘, 천고(千古) 과악은 만성(萬姓)이 훼자(毁訾)하니, 무슨 천승지존(千乘之尊)과 황녀지귀(皇女之貴)가 있으리오. 애시에384) 바라는 밧자385)는 한상궁으로 더불어 사제의 도와 모녀 같은 정을 겸하여 상궁을

---

383) 병구(病軀) : 병든 몸. =병체(病體).
384) 애시 : 애초. *애초; 맨 처음.

의지할 뿐이오, 또 너른 궁에 외로이 세월을 보내니 어찌 그런 악사를 한상궁과 의논할 길이 있으리오. 주야의 보는 것이 상궁의 화한 얼굴이요, 듣는 말이 다 어진 규정(糾正)이라. 삼년을 한 때도 떠난 일이 없이 데리고, 정·오 이왕이 자주 와 보고, 개심수덕 함을 재삼 권하니, 가슴 가운데 이검(利劍)을 장(藏)하였으나 풀 곳이 없고, 자연 윤씨의 간곡한 정성과 지인혜화(至仁惠化)를 감동함이 되어, 마음이 많이 풀리니, 천성의 총명정기(聰明精氣) 남에서 나은지라. 깨닫고 뉘우치기를 시작한 후에야 기특한 사람이 못 되리오. 점점 무시(無始) 통곡과 질욕하기를 그치고, 북공을 사상(思相)하기로 조양석월(朝陽夕月)386)에 촌장(寸腸)을 끊을 뿐이니, 상궁이 공주의 점점 회심함을 깃거 갈수록 어진 일로 도우며 패악지사(悖惡之事)를 입 밖에 내지 않더라.

익설 평제대원수(平齊大元帥) 삼로도총병(三路都總兵) 정죽청이 오만 정병과 십원 명장을 거느려 호호탕탕(浩浩蕩蕩)히 제국으로 나아가매, 이 본디 여러 곳 정벌의 대공(大功)을 세워 명만천하(名滿天下)387)하며 위진해내(威震海內)388)하여 재덕과 중망(重望)의 높음이 있는지라. 기치절월(旗幟節鉞)이 향하는 바의 각읍(各邑) 주현(州縣)이 황황영지(惶惶迎之)하고 백성이 단사호장(簞食壺漿)으로 맞는지라. 대군이 행하여 동시월(冬十月)에 비로소 제국에 이르러 녹운성에 하채(下寨)389)하고, 먼저 격서를 제국에 보내니, 제왕 합이 바야흐로 삼만 정병과 천원 용장

---

385) 밧자 : '바(所)-자(者)'의 형태. 바의 것.
386) 조양석월(朝陽夕月) : 아침 해와 저녁 달.
387) 명만천하(名滿天下) : 이름이 천하에 가득 퍼짐.
388) 위진해내(威震海內) : 위엄이 세상에 진동함.
389) 하채(下寨) : 진지(陣地)를 구축하고 진(陣)을 침.

(勇將)을 모아 황성을 범할 뜻이 급하되, 일기(日氣) 한엄(寒嚴)390)하고 대설(大雪)이 쌓이므로, 세환(歲換)하여 개춘(開春)하기를 기다려 동병(動兵)하려 수륙(水陸) 양처의 군을 한 곳의 모았더니, 홀연 대군이 이르러 격서가 왔다 하는지라. 왕이 격서를 보니 하였으되,

"천조(天朝) 병부상서(兵部尙書) 용두각 태학사(龍頭閣太學士) 천하병마절제사(天下兵馬節制使) 평제대원수(平齊大元帥) 정모는 글로써 제국 왕에게 보내노라. 희(噫)라, 군신대의(君臣大義)는 삼강오상(三綱五常)391)의 으뜸이라. 금(今)에 성천자 성덕이 돋는 해 같으시어, 만기(萬機)를 총찰(總察)하시매 사이번국(四夷藩國)392)이 귀순치 않는 이 없고, 만민이 성주의 대은을 목욕감아 강구(康衢)393)에 노래를 화(和)하고, 격양(擊壤)394)에 포복(哺腹)395)하여 요천순일(堯天舜日)396)을 다시 볼 것이거늘, 난역(亂逆) 적신(賊臣)이 매양 국척(國戚)으로 좇아 일어나 천승에 모림(冒臨)397)하여 부귀 극하매, 도리어 참람(僭濫)한 의사 일어

390) 한엄(寒嚴) : 몹시 추움.
391) 삼강오상(三綱五常) : 삼강(三綱)과 오륜(五倫).
392) 사이번국(四夷藩國) : 사방의 오랑캐와 제후국(諸侯國)들.
393) 강구(康衢) : 강구연월(康衢煙月)의 줄임말. 번화한 큰 길거리에서 달빛이 연기에 은은하게 비치는 모습을 나타내는 말로, 태평한 세상의 평화로운 풍경을 이르는 말. *강구(康衢); 사방으로 두루 통하는 번화한 큰 길거리.
394) 격양(擊壤) : 격양가(擊壤歌). 풍년이 들어 농부가 태평한 세월을 즐기는 노래. 중국의 요임금 때에, 태평한 생활을 즐거워하여 불렀다고 한다. *격양(擊壤); ①땅을 침. ②흙으로 만든 악기의 하나. 또는 그런 악기를 치는 일.
395) 포복(哺腹) : 함포고복(含哺鼓腹)의 줄임말. *함포고복(含哺鼓腹) : 잔뜩 먹고 배를 두드린다는 뜻으로, 먹을 것이 풍족하여 즐겁게 지냄을 이르는 말. 요임금 시대의 백성들의 태평한 삶을 이르는 말.
396) 요천순일(堯天舜日) : 유가에서 이상적인 왕도정치가 이루어졌던 시대라고 하는 중국의 요(堯)·순(舜) 임금의 시절이란 뜻으로, '태평한 시절'을 말한다.
397) 모림(冒臨) : 세력이나 명예 따위가 어떤 집단에서 제일가는 위치에 오름.

나니, 초적과 장사 흥적의 형제 연하여 반하여 황성을 엿보다가 멸망지화(滅亡之禍)를 취하였더니, 이제 제국이 군신대의를 어지럽히고 지친지정(至親之情)을 알지 못하여, 제국 칠십여 성을 두매 문득 천위를 항형(抗衡)398)할 의사 있어, 대국 토지를 겁탈(劫奪)하고 흉역(凶逆)이 낭자(狼藉)하니, 성천자 진노하시어 나로 하여금 제국 역신을 탕멸하라 하시니, 내 비록 부재박덕(不才薄德)이나 제국을 탕멸치 못할까 근심하리오마는, '솔토지민(率土之民)이 막비왕신(莫非王臣)이라'399), 무죄한 생령(生靈)이 원억히 도륙(屠戮)할 바를 추연하여, 먼저 글을 보내어 내 뜻을 알게 하나니, 왕의 죄악이 비록 관영(貫盈)하나, 개과(改過)함은 성인의 허하신 바라. 모름지기 이해득실(利害得失)을 생각하라."

하였더라.

제왕이 견파에 대로하여 격서를 찢어버리고 제신더러 왈,

"뉘 과인을 위하여 정천흥을 생금(生擒)하여 죄를 다스리고, 인하여 제국 신하를 삼을꼬?"

대장군 섭거정과 대선봉 복삼철이 응성 왈,

"신등이 비록 어리석고 재주 없으나, 한 팔로 오히려 구정(九鼎)을 움직이는 힘이 있고, 풍우(風雨)를 임의로 하는 재주 있으니, 정천흥을 생금(生擒)치 못할까 근심하리오. 하물며 전하의 용병하시는 도리 크게 신기하니, 천흥이 한 번 우리 진세와 병법을 보면 간담이 떨어져 스스로 항(降)하리이다."

왕 왈,

---

398) 항형(抗衡) : 서로 지지 않고 맞섬.
399) '솔토지민(率土之民)이 막비왕신(莫非王臣)이라' : 온 영토 안에 사는 사람들이 다 왕의 신하 아닌 사람이 없음. 『맹자』〈만장장구 상(萬章章句 上)〉에 있는 글귀.

"경등의 용맹이 무적(無敵)하거니와 천흥의 재략(才略)은 천조에도 이름난지라. 범연히 하여는 어려우니 과인의 뜻은 가벼이 동(動)치 말고, 엄동(嚴冬)이 진(盡)키를 기다려 송군으로 더불어 접전함이 마땅한지라. 대군이 만리 밖에 와 엄한(嚴寒)을 당하매 의식(衣食)이 어려울 뿐 아니라, 눈이 쌓여 영(嶺)이 막히면 양초(糧草)를 운전치 못하리니, 천흥이 손무(孫武)400)의 용(勇)과 양평(良平)401)의 지모(智謀) 있어도 양초(糧草)를 운전치 못한 후는 삼군 장사가 기한(飢寒)을 면치 못하여 싸우기 전에 죽을 이 많을까 하노라."

제신이 일시에 마땅함을 일컫고, 개춘(開春) 후 접전하기를 기약하니, 정원수 녹운성에서 제왕의 개춘 후 접전코자 함을 들으매 세월을 천연함이 민망하나, 일기 엄한(嚴寒)하여 양진이 대한즉 사졸이 많이 상할지라. 역시 다행이 여겨 오직 양초를 착실히 운전할 새, 목우유마(木牛流馬)402)를 수없이 만들어 양초를 운전할 새, 대설이 쌓여 영을 넘지 못하면, 원수 한 장 부작을 영(嶺) 위에서 소화하면 편각(片刻)403)에 녹아 물이 되고, 구태여 얼음이 되지 않는 고로, 양초를 운전하기에 수고롭지 않은지라. 원수 또한 사졸의 추위를 염려하여 대설이 쌓이는 날이면, 가만히 장하(帳下)에 내려 사람이 알지 못하게 부작을 써 사르면, 봄날 같아서 한 조각 얼음이 얼지 않고, 원수 한 번 부채를 부치면, 일기 훈화

---

400) 손무(孫武) : 중국 춘추 시대의 병법가. 기원전 6세기경의 제(齊)나라 사람으로, 오왕(吳王) 합려(闔閭) 밑에서 장군이 되어 초나라, 진나라를 위압하고 절도와 규율 있는 군사를 양성하였다. 저서에 병서 ≪손자≫가 있다.

401) 양평(良平) : 중국 한(漢)나라 때의 책사(策士) 장량(張良)과 진평(陳平)을 함께 이르는 말.

402) 목우유마(木牛流馬) : 중국 삼국 시대, 식량을 운반하기 위해 제갈량이 소나 말의 모양으로 만든 수레, 기계 장치로 움직이게 하였다.

403) 편각(片刻) : 삽시간.

(薰和)하고 북풍이 나직하여 겨울 같지 않으니, 사졸이 조금도 추운 빛이 없어 만리 전진(戰陣)에 한고(寒苦)를 알지 못하니, 제국이 배판(配判) 후 동일(冬日)이 훈화함이 이 해 같은 적이 없는지라.

원수 부원수와 제장을 명하여 제국 관액(關阨)404)의 요긴처(要緊處)를 세어가며 취하니, 지혜(智慧) 모략(謀略)이 신명기이(神明奇異)하여 생각 밖에 비상한 일이 많으니, 수고로이 싸우지 않아서 덕화로 항복 받고, 지혜로 겁탈하여 수삭지내(數朔之內)에 이십여 관액을 앗고, 삼십여 성을 탈취하니, 제왕이 대로하여 정원수와 싸우기를 날회고 성곽을 도로 찾고자 하되, 벌써 천조 장사가 원수의 영을 들어 지키기를 엄히 하니, 능히 빼앗을 길이 없는지라.

이러구러 봄이 되니, 제왕이 엄한(嚴寒)에 싸우지 않고 천연(遷延)하여, 송군이 대설에 영(嶺)이 막혀 양초를 운전치 못하여, 기한(飢寒)에 골몰(汨沒)하고, 만리타국의 수토(水土)에 상하여 죽을까 하더니, 체탐의 전하는 말을 듣고 바삐 승부를 결코자 하여, 송진에 통하고 군기를 각별이 빛내더라.

정원수 만리 전진에서 해 바뀌매, 지극한 충효로 군친을 영모하고, 얼핏 한 사이 집 떠난 지 기년(朞年)이 되니, 고국이 아스라하여 고구친척(故舊親戚)과 만물이 눈에 암암하니, 존당 부모의 무궁한 염려와 결울(結鬱)한 회포를 생각하매, 영웅의 기운이 설설(屑屑)405)하고, 장부의 눈물이 떨어짐을 깨닫지 못하는지라.

아침을 당하면 북궐을 향하여 팔배대례(八拜大禮)를 폐치 않아 조회

---

404) 관액(關阨) : ①국경이나 요지의 통로에 두어 드나드는 사람이나 화물을 조사하던 곳. ②군사적으로 중요한 곳에 세운 요새.
405) 설설(屑屑)하다 : 자잘하게 굴다, 구구(區區)하다.

하던 예를 행하고, 존당 부모께 신성(晨省)하던 때를 당하면, 존전에 시봉함같이 궤슬정좌(跪膝正坐)하여 한 때도 게으르지 않아, 숙흥야매(夙興夜寐)하여 독실한 행실이 대현군자의 풍이 가즉하며, 호령이 엄숙하여 사람으로 하여금 불감앙시(不敢仰視)할 위풍이 있으되, 덕기(德氣) 빈빈(彬彬)하여 사졸을 무휼하매 애증이 편벽치 않고, 마음으로써 정(精)한 저울을 삼으며, 눈으로써 맑은 거울을 삼아, 상벌이 명쾌하고 은혜 베풂이 두터워, 덕화를 먼저 하고 위엄을 후에 하되, 사졸이 두려워하고 우러르는 마음이 적자(赤子) 자모(慈母) 바라듯 하는지라. 장중(場中)에 독한 형벌이 없고, 한 군사도 목숨을 끊는 이 없으되, 스스로 원수의 덕택을 감격하여 명령을 지켜 범죄자가 없는지라.

춘 이월 기망(旣望)을 당하여 표하정 너른 들 위에서 양진이 대적할 새, 양진 군용이 정숙하고 기율이 정제한 가운데, 제왕이 망룡포(蟒龍袍)에 홍금쇄자갑(紅錦鎖子甲)406)을 껴입고, 머리에 순금 투구를 쓰고 허리에 백옥쌍린대(白玉雙鱗帶)를 두르고 전후좌우로 백여 원(員) 장수를 거느려 진문 앞에 나와, 사졸로 하여금 웨여 왈,

"제왕 전하가, '송 원수와 말하자', 하신다."

한대, 송진 문기(門旗) 열리는 바에 대기 움직여 백모황월(白旄黃鉞)407)이 햇빛을 가리는데, 허다 사졸이 물밀 듯 나오며, 정원수 홍금포(紅錦袍)의 자금쇄자갑(紫錦鎖子甲)을 껴입고, 머리에는 봉시(鳳翅)투구408)를 쓰고 허리의 양지백옥대(兩枝白玉帶)409)를 두르고, 좌수에 적

---

406) 홍금쇄자갑(紅錦鎖子甲) : 갑옷의 일종. 붉은 명주옷에 사방 두 치 정도 되는 돼지가죽으로 된 미늘을 작은 고리로 꿰어 붙여서 만들었다.
407) 백모황월(白旄黃鉞) : 털이 긴 쇠꼬리를 매단 기(旗)와 황금으로 장식한 도끼.
408) 봉시(鳳翅)투구 : 봉의 깃으로 꾸민 투구. 봉시(鳳翅)는 봉의 깃. 투구는 예전에, 군인이 전투할 때에 적의 화살이나 칼날로부터 머리를 보호하기 위하여

은 기를 잡았으며 우수에는 자금선(紫錦扇)을 들고 진문(陣門) 밖에 나
매, 척탕(滌蕩)한 풍류가 먼저 적군의 심간을 놀래며, 쇄락(灑落)한 기
상이 탈속(脫俗)하여 추천(秋天)을 다투는지라. 제세안민(濟世安民)할
재덕이 있어, 우주를 광보(廣步)하며 건곤(乾坤)을 소매410)의 넣을 뜻이
있으니, 한팽(韓彭)411)의 기상이 이에 견주매 연약하고, 주아부(周亞夫)
의 위풍이 차인(此人)으로 비할진대 일두(一頭)를 사양할지라. 제왕이
귀국할 때 정원수 신진명사(新進名士)로 있던지라. 왕의 군신이 멀리서
바라보고 기이함을 겨를412)치 못하여, 문득 제왕의 외람한 뜻이 정원수
를 달래고자 의사 있는지라. 마상에서 읍하여 왈,

"갑주재신(甲冑在身)413)하고 말 위에서 예(禮)를 못하나니, 원수는 허
물치 말라. 다만 원수를 대하여 심곡(心曲)을 펴나니 원수는 그윽이 생
각하여 보라. 자고로 천하는 일인의 천하가 아니라, 덕이 있고 천명이
돌아 간 곳에 당당이 만리강산(萬里江山)의 임자가 나나니, 인력(人力)
의 미칠 바 아니라. 과인이 행여 제국에 도읍(都邑)하매 민망(民望)이
내게 돌아온 지 오래되, 과인이 스스로 군신대의와 지친지정(至親之情)
을 상(傷)해오지 못하여, 연년 조공(朝貢)414)을 폐치 않고, 번신지례(藩
臣之禮)를 공순이 행하더니, 맞추어 본국이 기황(饑荒)함으로 대국 토지

쓰던 쇠로 만든 모자.
409) 양지백옥대(兩枝白玉帶) : 명주에 백옥(白玉)을 붙여 만든 허리띠를 양 끝이
　　가닥이 나게 맨 모양.
410) 소매 : 소매. 윗옷의 좌우에 있는 두 팔을 꿰는 부분. 늑옷소매
411) 한팽(韓彭) : 한(漢) 나라의 명장인 회음후(淮陰侯) 한신(韓信)과 건성후(建成
　　侯) 팽월(彭越)을 가리킨다.
412) 겨를 : 어떤 일을 하다가 생각 따위를 다른 데로 돌릴 수 있는 시간적인 여유.
　　=틈.
413) 갑주재신(甲冑在身) : 갑옷을 입고 투구를 쓰고 있는 차림임.
414) 조공(朝貢) : 종속국이 종주국에 때를 맞추어 예물을 바치던 일. 또는 그 예물.

풍등(豐登)한 곳을 가려 취함이 있으나, 구태여 반(叛)코자 하는 의사가
아니더니, 이제 원수 대군을 거느려 이곳에 하채(下寨)하여 해를 묵어
오래 유처(留處)함을 보니, 과인의 수하 무수한 제장 가운데 원수만한
자가 없는 것이 아니라, 애인하사(愛人賀士)415) 함은 과인의 본뜻이라.
원수 젊은 나이에 혈기지분(血氣之分)으로써 싸워 이길까 여기나, 과인
이 반생 행세에 위엄과 덕망이 인국(隣國)을 들레고, 수하 장사가 다 한
신(韓信) 손무(孫武)의 용(勇)과 양평(良平)의 지모(智謀)를 두었으니,
원수 싸우매 성명이 위태할지라. 원수 뜻을 돌이켜 과인을 좇을진대 과
인이 탕무(湯武)416)의 덕을 이루면 원수 여상(呂尙)417) 됨을 사양하랴?
모름지기 이해(利害)를 생각하여 만리타국에 고혼(孤魂)이 되지 말라."

원수 제왕의 망측지언(罔測之言)을 들으니 불승분해(不勝憤駭) 하여
고성대매(高聲大罵) 왈,

"반국역신(叛國逆臣)이 천지에 관영한 죄악을 몸 위에 싣고도, 오히려
개과(改過)할 줄 알지 못하여, 대역부도지언(大逆不道之言)이 입 밖에
나는 줄을 깨닫지 못하니, 네 능히 저리하고도 어깨 위에 머리를 보전하
랴? 네 반상(叛狀)이 꼭뒤418)를 꿰뚫었으니 불구(不久)에 패망하리라."

제왕이 노왈,

"뉘 능히 천흥을 잡을꼬?"

---

415) 애인하사(愛人賀士) : 모든 사람을 사랑하고 선비에겐 예를 다함.
416) 탕무(湯武) : 중국 은나라를 건국한 탕왕(湯王)과 주나라를 건국한 무왕(武王).
   둘 다 현군(賢君)으로 이름이 높다.
417) 녀상(呂尙) : '태공망(太公望)'의 다른 이름. 여(呂)는 그에게 봉해진 영지(領地)
   이며, 상(尙)은 그의 이름이고 성은 강(姜)이다. 중국 주나라 초기의 정치가로
   무왕을 도와 은나라를 멸하고 천하를 평정하였다. 저서에 《육도(六韜)》가
   있다.
418) 꼭뒤 : 꼭대기. *꼭뒤; 뒤통수의 한가운데.

복삼철이 응성(應聲) 출(出) 왈,

"소신이 천흥을 생금하여 전하의 분을 풀리이다."

하고 말을 몰아 내달으니, 정원수 자약히 웃고 왈,

"너는 어떤 것이관데 감히 나와 겨루고자 하느뇨? 선봉장을 내어 너와 승부를 결하리라. 언파에 진(陣) 안으로 들고, 선봉 환기 일만 군을 거느려 정창출마(挺槍出馬)하니, 복삼철이 부디 정원수와 싸워 자웅을 결코자 하여 진중으로 들려 하니, 성기(聲氣) 웨여 왈,

"경환기를 먼저 베고 천흥을 생금하라."

하니 복삼철이 마지 못하여 경선봉과 크게 싸홀새, 양진 군사 어우러져 두 장수 칼을 번득이매 서리 날리고 무지개 같은지라. 그러나 복삼철의 용력인즉 이상하니, 경선봉이 이미 원수의 지휘를 들었는지라, 삼십여 합(合)에 거짓 못이기는 체하여 달아나니, 일만 군을 거느리고 산곡을 바라고 달아나거늘, 복삼철이 승승(乘勝)하여 말을 놓아 이십여 리를 따르되, 경선봉이 간간이 말을 돌이켜 수합씩 싸우다가 달아나니, 복삼철이 대로하여 입 가운데 진언(眞言)을 염(念)하며 소매로 좇아 한 장 부작을 던지니, 경각에 운무(雲霧) 사색(四塞)하며 광풍이 대작(大作)하고 검은 기운이 자옥하여, 송군의 정신을 어지럽히니, 경선봉이 정히 아무리 할 바를 알지 못할 즈음에, 산곡간으로 좇아 함성이 대진하며 좌선봉 윤기천과 호위장 순담이 각각 대군을 거느려 매복하였다가, 삼철의 흑무(黑霧) 내는 것을 보고, 원수 '청명(淸明)' 부작을 써 준 것이 있는 고로 소화(燒火)하고 짓쳐 내달으니, 양진 군사 정신이 황홀하여 아무 곳 군졸인 줄 알지 못할 사이에, 윤기천이 바로 삼철을 취하니, 순담 경환기 일시의 철통같이 싸고 제군을 시살하니, 철이 세 급함을 보고 도망할 의사를 내어, 다시 진언하고 작법(作法)하매, 문득 번개 번득이며 뇌성이 진동하여 경각에 송군을 다 짓칠 듯하거늘, 윤선봉이 또 원수의 주

던 부작을 던지매, 뇌우(雷雨) 정(靜)하여 어지러운 비 그치니, 삼철이
이에 미처는 하릴없어 앙천(仰天) 탄 왈,

"나의 재주 소향무적(所向無敵)419)으로, 풍우(風雨)를 임의로 부르며
흑무(黑霧)를 내면 정신 차릴 자가 없어 헛되이 죽더니, 금일은 흑무(黑
霧)와 뇌우(雷雨)를 쓸 곳이 없으니 속절없이 죽으리로다."

언파에 자문코자 하거늘, 윤 선봉이 앞으로 달려들고 순 장군이 뒤로
들어, 창검을 앗고 철삭으로 긴긴히 결박하여 경선봉이 눌러 타고 올새,
윤·순 양장이 소리를 높여 왈,

"복삼철의 거느렸던 군사는 무죄하니 순히 항하는 자는 죽이지 말라."

철의 군졸이 갑주를 벗고 응성 부복 왈,

"주장(主將)이 이미 생금되었으니 소졸 등이 어찌 항복하여 살기를 구
치 않으리오."

순·경·윤 삼장이 명하여 뒤에 좇으라 하고, 마상에서 노래 부르며
본진으로 돌아오니, 원수 복삼철을 생금하여 옴을 보고, 장중에서 흔연
히 삼장의 수고함을 일컬으며, 삼철을 계하에 꿇리고 항복하라 하니, 철
이 울고 말을 않으니, 원수 우는 연고를 물은데, 삼철이 대왈,

"소장이 제왕을 좇은 지 팔년에, 그 대접이 문왕(文王)420)의 여상(呂
尙)421)과 고종(高宗)422)의 부열(傅說)423) 같으니, 은혜를 백골에 새겼

---

419) 소향무적(所向無敵) : 어지를 가든지 대적할 만한 사람이 없음.
420) 문왕(文王) : 중국 주나라 무왕의 아버지. 이름은 창(昌). 기원전 12세기경에
　　활동한 사람으로 은나라 말기에 태공망 등 어진 선비들을 모아 국정을 바로잡
　　고 융적(戎狄)을 토벌하여 아들 무왕이 주나라를 세울 수 있도록 기반을 닦아
　　주었다. 고대의 이상적인 성인군주(聖人君主)의 전형으로 꼽힌다.
421) 여상(呂尙) : 중국 주나라 초기의 정치가로 무왕을 도와 은나라를 멸하고 천하
　　를 평정하였다. 저서에 ≪육도(六韜)≫가 있다.
422) 고종(高宗) : 중국 은(殷)나라 제22대 임금. 이름은 무정(武丁). 꿈에 나타난

더니, 오늘날 천조 대병을 만나 능히 재주와 용력을 비추지 못하고, 헛되이 잡힘을 받으니 용렬함을 부끄러워하고, 청하산에 구십 노모 있어 왕을 좇을 적 잡고 말리는 것을, 국왕의 지우를 감격하여 부득이 왕을 좇았더니, 이제 항복치 말고자 한즉 왕을 위한 충의나, 일명을 보전치 못 한 즉, 노모를 저버림이 되고, 항(降)코자 한 즉 충의(忠義) 이지러지니, 능히 충효를 양전(兩全)할 길이 없어 설워 하나이다."

원수 그 말을 듣고 즉시 맨 것을 끄르라 하고, 탄 왈,

"네 말을 들으니 인심에 감동함을 면치 못할지라. 내 어찌 너를 잡아 두리오. 쾌히 놓아 보내나니, 네 왕을 도와 대군을 능히 대적하여 다시 잡히지 말라. 두 번 사(赦)키 어려우리라. 네 제왕을 도움이 충의라 하나, 대역불인(大逆不人)을 도우매 매명(罵名)을 면치 못하고, 마침내 천조를 반한 적자(賊者) 되리니, 네 또 두 눈이 있어 사람을 알아볼진대, 제왕이 진실로 선종지인(善終之人)으로 네 충을 세울 만하더냐?"

언파에 복삼철의 말과 의갑(衣甲)을 주어 돌아감을 재촉하니

삼철이 원수의 선풍옥골과 빈빈(彬彬)한 성덕을 보매, 크게 경복하고 감은하여, 처음 가벼이 저를 잡으려 하던 바를 뉘우치는지라. 머리를 두드려 사례하고, 눈물을 드리워 가로되,

"소장이 이제는 충효를 양전(兩全)치 못하게 되었으니, 차라리 노모를 찾아 산중에 숨고 나지 않으려 하나이다."

원수 소왈,

현신(賢臣)의 초상화를 그려 부열(傅說)이라는 훌륭한 신하를 등용하고 정사를 바로잡아 은나라를 부흥시켰다.

423) 부열(傅說) : 중국(中國) 은(殷)나라 고종(高宗) 때의 재상(宰相), 토목(土木) 공사(工事)의 일꾼이었는 데, 당시(當時)의 재상(宰相)으로 등용(登用)되어 중흥(中興)의 대업을 이루었음.

"이는 네 임의(任意)로 할 바니 날더러 이를 바 아니로다. 다만 네 기상이 무명소장(無名小將)으로 마치지 않으리니, 타일 복록을 누릴까 하노라."

인하여 청하산으로 보내니, 삼철이 천만 사례하고 원수의 말로 좇아 제왕이 패망할 줄 알고, 뜻을 고쳐 산중으로 돌아 가 노모를 봉양하고, 다시 제왕의 정사를 아는 체 않으니, 제왕이 첫 싸움에 복삼철을 생금당하고, 삼철이 거느렸던 군사를 다 잃은바 되니, 처음에 경환기 패하여 달아나는 체함을 보고. 왕은 그 계교임을 알지 못하는지라, 복삼철이 경환기를 베어 돌아오리라 하여, 장졸을 더 보내지 않았다가, 복삼철이 송영(宋營)에 잡혀 간 후야 비로소 알고, 통완하여 연하여 체탐군을 놓아 삼철의 사생을 들본 즉, 혹 죽다 하며 혹 놓아 보내다 하여 진적(眞的)함이 없으니, 왕이 분노를 이기지 못하여 명일 다시 접전(接戰)할 새 왕이 이르대,

"원수 복삼철을 잡고 만여 군을 빼앗았거니와, 승패는 병가의 상사라. 금일은 과인과 진법(陣法)을 겨루고, 이어 두 곳 장수를 내어 사재(射才)·검술(劍術)과 용력(勇力)으로 자웅을 결코자 하되, 다만 사랑하는 장수를 상해오미 마땅치 않으니, 의갑을 벗기며 투구를 내리치며 말을 죽이거나 하는 이로 승패를 정함이 어떠하뇨?"

원수 소왈,

"천조 대군이 소국 적신으로 더불어 재주를 겨룸이 불가하되, 왕이 부디 행코자 할진대 무엇이 어려우리오."

먼저 제왕의 진(陣)치기를 재촉하니, 대개 왕이 진법이 신통하여 진을 이루매 조화가 많은지라. 제 재주를 믿고 거짓 사양 왈,

"대국 원수 먼저 치소서."

원수 즉시 한 진을 치니, 천지건곤(天地乾坤)의 조화와 한없는 신기

로, 진상의 서광(瑞光)이 찬란하고 채운이 어린 곳에, 청룡(靑龍)424)이 일어나 오채 현란하더라.

원수 진을 이루고 조화를 물은즉, 제왕 군신이 일인도 아는 자가 없어, 오래 묵연하였다가 날호여 겨우 진 이름을 알 뿐이니, 벌써 진법에 원수를 당치 못하였거늘, 양편 장수를 열씩 정하여 사재(射才)를 겨루매, 송장(宋將)은 백발백중(百發百中)하되 제장은 열 장수 가운데 겨우 삼사 인이 송장을 앙망하고, 기여는 다 맞히지 못하고, 검술(劍術)을 겨루매 송장은 제장이 탄 말 다리도 찌르며 투구도 벗기고 의갑도 찢되, 제장은 능히 손을 놀리지 못하여 일제히 패한 바 되며, 용력이 또 이렇듯 하여 몰수(沒數)히 패하여, 송진 중 즐기는 소리는 예기(銳氣)가 하늘에도 오를 듯하고, 제진에서 낙담상혼(落膽喪魂)함은 울듯 한지라. 원수 단사(丹砂)425)에 백옥(白玉)426)이 현출하여 왈,

"왕이 진법으로부터 사재 검술과 용력을 겨뤄보자 하더니, 왕의 장수 연하여 우리 장수를 따르지 못하여 다 패함이 되니, 왕이 이제도 항복할 의사가 없느냐?"

제왕이 답 왈,

"오늘 우연이 재주를 시험하여 원수의 제장을 미치지 못하는 이 있으나, 어찌 중대한 일을 가벼이 결하여, 항복할 수 있으리오. 합이 뜻을 결하여 천하를 얻지 못하는 날이면 스스로 죽어 부끄러움을 잊으리라."

---

424) 청농(靑龍) : 이십팔수 가운데 동쪽에 있는 일곱 별. 각(角), 항(亢), 저(氐), 방(房), 심(心), 미(尾), 기(箕)를 통틀어 이른다.

425) 단사(丹砂) : 진사(辰砂). 수은으로 이루어진 황화 광물. 육방 정계에 속하며 진한 붉은색을 띠고 다이아몬드 광택이 난다. 붉은색 안료(顔料)나 약재로 쓴다. 여기서는 붉은 입술을 나타낸 말.

426) 백옥(白玉) ; 흰빛을 띤 옥. 여기서는 하얀 '이'를 나타낸 말.

하고 후일 다시 싸우기를 언약하고 쟁(錚) 쳐 군을 거두니, 원수 또 진을 풀어 녹운성으로 오니라.

제왕이 이날 궁실에 돌아와 이르되,

"정천흥으로 더불어 싸워 이길 도리 없으니 내 부디 저를 맞아 제국 보좌(補佐)를 삼고자 하였더니, 그 뜻이 천자를 위하여 돌 같은 충성이 당당하여, 사생(死生)에 마음이 변치 않을 거동이요, 화복(禍福)에 낯빛을 고칠 위인이 아니라. 이제는 마지못하여 가만히 죽일 꾀를 생각할 뿐이니, 정천흥 일인 곧 없으면 그 밖은 염려할 것이 없다."

하여, 방연(龐涓)427)이 손빈(孫臏)428) 해하던 저주(詛呪)를 행하고, 또 초인(草人)을 만들어 제자(帝者)의 복색을 하여 높이 앉히고 송황제(宋皇帝) 세 자(字)를 쓴 후, 날마다 활로 쏘아 명모(明眸)를 상하게 하고, 칼로 찌르게 하며, 웃고 왈,

"어느 시절에 송황을 이같이 하리오."

하며, 성문을 굳게 닫고 정원수의 죽음을 기다리고 싸울 의사가 없으니, 원수 일야는 녹운성에서 서안(書案)에 기대 우연히 잠을 들어, 꿈 가운데 제왕의 흉모를 보고, 놀라 깨어 중심에 생각하되,

"이 도적이 성문을 굳게 닫고 싸우지 않음은 정히 나의 죽기를 기다림이라. 이 도적(盜賊)이 만일 나만 해코자 할진대 지성(至誠)으로 감화하여 천승지위(千乘之位)를 안과케 할 것이로되, 마침내 반역이 꼭뒤를 꿰뚫었고 상모(相貌) 흉하여 의사 궁흉하니, 금번에 멸(滅)치 않으면 이후

---

427) 방연(龐涓) : 중국 전국시대 위(魏)나라 장수(將帥). 병법가(兵法家). 제(齊)나라 손빈(孫臏)과 함께 귀곡자(鬼谷子)에게 병법을 공부하였으나 서로 대립하였다.

428) 손빈(孫臏) : 중국 전국시대 제(齊)나라 병법가(兵法家). 손무(孫武)의 손자로 알려져 있다. 위(魏)나라 방연(龐涓)과 함께 귀곡자(鬼谷子)에게 병법을 공부하였으나 서로 대립하였다.

의 일이 측량없으리라.”

하며, 저주사(詛呪事)가 위를 범하여 혹자 만분의 일이나 유해할까 염려하여, 친히 목인(木人)을 만들어 자기 성명을 써 깊이 묻고, 그 위에 부작(符作)을 붙인 후 태연히 요괴로운 일을 두려워하지 않되, 흉적의 거동이 세월을 천연하여 쉬이 싸울 뜻이 없음을 통완하여, 짐짓 적심(賊心)을 흔흡(欣洽)게 하여, 결딴429)을 내려 하는 고로, 부원수 이하를 당부하여 말을 내되,

“원수 불의에 괴이한 병을 얻어 수족(手足)을 놀리지 못하고, 한 술음식을 나오지 못하여 저물도록 헛말을 쑤어리고430), 인사를 알지 못하여 죽게 되었다.”

하니, 제왕이 흉사를 행하고 날마다 송영 소식을 탐청하다가, 정원수의 죽게 되었음을 연(連)하여 듣고, 행열(幸悅)함을 이기지 못하더라.

정원수 흉적을 바삐 탕멸코자 하여 또 거짓말을 퍼지오대, 원수 죽다 하고 군중(軍中)에 발상하게 하니, 대군의 곡성이 천지를 흔들고, 후장(後將) 구응사(救應使)가 안에서 초상을 가음알고, 호위장 순담이 밖을 각별이 지키게 한 것이, 법령(法令)이 해타(懈惰)하거늘, 부원수 조현창이 승상 조진의 장자로 일찍 크게 공을 이뤘더니, 점점 의사 교만하여 사졸(士卒)을 사랑치 않아 무죄히 형벌하고, 대원수의 죽음을 슬퍼 않는다 하여, 터 없는 허언을 주출하여 체탐의 듣기를 요구하니, 탐후사(探候士)431)가 조금도 의심치 않고 이대로 전하니, 왕이 대열 왈,

“하늘이 나를 위하여 천흥을 죽여 천조 오만 대병과 십원 명장을 다

---

429) 결딴 : 망하여 거덜이 남. 또는 그러한 상태.
430) 쑤어리다 : 시부렁거리다. 쓸데없는 말을 자꾸 지껄이다.
431) 탐후새(探候士) : 척후병(斥候兵).

나를 주시는도다."

하고, 정원수의 성복(成服)⁴³²⁾ 지나기를 겨우 기다려, 병을 일으켜 대군을 친히 거느리고, 섭기정으로 '앞을 뚫고 가라' 하고, 왕후 팽씨 여중용사(女中勇士)요, 병법에 숙달하더니, 한가지로 가기를 청하여 구응사(救應使) 되어 군을 나눠 송영(宋營)을 깨뜨리고 들어가 십원 명장과 오만 대병을 제 기물(器物)을 삼으려 하니, 어찌 우습지 않으리오.

이때 정원수 큰 궤 하나를 들여놓고 붉은 명정(銘旌)을 세워 영연(靈筵)을 배설하고, 부원수 조현창을 명하여 이만 군을 거느려 제왕 궁실이 빈 때를 타 불질러 없애고, 사문(四門)에 방 붙여 백성을 안무하라 하고, 우선봉 경환기로 소봉산 밑에 매복하였다가 제왕을 잡으라 하고, 자기는 구응사 석준을 데리고 군중을 떠나 뒤 뫼에 숨고, 좌선봉 윤기천과 호위장 순담 등 제장은 장중(帳中)에 있다가 제왕을 만나거든 구태여 싸우려 말고, 스스로 항복고자 하는 사색을 보여 제왕의 마음을 깃기라 하니라.

과연 차야의 제왕이 칠만 군을 거느려 송진을 겁영(劫營)할 새, 군졸의 무리 저마다 정원수의 별세함을 슬퍼, 금일 성복을 지내고 밤이 깁도록 애성(哀聲)이 천지를 움직이니, 영채(營寨) 지키미 극히 허수한지라⁴³³⁾. 제왕이 소왈,

"사람이 한번 죽으매 만사 거짓 것임을 이런 일로써 알리로다. 정천흥이 일세를 아울러 당세의 제일 영준이러니, 삼십도 못 살고 헛되이 만리 전진에 와 참혹히 죽고, 벌써 영채를 지킴이 이렇듯 허수하니, 부원수 조현창은 개국공신 조빈(曹彬)⁴³⁴⁾의 손으로 장문(將門) 자손이거늘,

---

432) 성복(成服) : 초상이 나서 처음으로 상복을 입음.
433) 허수하다 : 짜임새나 단정함이 없이 느슨하다.

어찌 용병하는 도리 이렇듯 무상(無狀)하뇨?"

섭기정이 앞을 당하여 홀연 마음이 영신(靈神)하여435) 가로되,

"인심(人心)은 불가측(不可測)이라. 영채를 착실히 지키지 않고 우리 군신으로 하여금 일분 의심이 없게 하였다가, 모르는 가운데 흉모 있는 동 어이 알리까?"

왕 왈,

"그럴 리 없으니 바삐 짓쳐 들어가게 하라."

섭기정이 마지못하여 앞을 뚫고 왕은 중군이 되어 일시에 영채를 겁측하니, 윤기천 등 천장이 장중에서 원수의 관을 붙들고 실성통곡(失性痛哭)하다가, 적군이 영채(營寨)를 짓쳐들어옴을 보고 하늘을 우러러, 탄 왈,

"천야(天也)며 명야(命也)라. 원수 이에 와 몸을 마치시고, 조원수의 교만패악(驕慢悖惡)함이 일을 만나기 쉬울러니, 오늘 밤을 당하여 적군이 영채를 겁측하니, 뉘 있어 막으리오. 아등은 갑주(甲冑)를 벗어 성명을 보전하리라."

언파에 윤선봉과 순장군 등이 한 편으로 치워서며 적군이 깊이 들어오기를 요구하는지라. 제왕이 어리고 외람한 의사 있어 거짓 인덕(仁德)한 체 하여, 소리를 높혀 왈,

"항자(降者)는 불살(不殺)이라. 과인이 만민의 부모 되고자 하나니, 어찌 생령(生靈)을 염려치 않으리오. 장수로부터 군졸에 이르도록 항(降)하는 무리는 죽이지 말라."

하니, 제왕 장졸이 왕명을 좇아 윤선봉 등을 해치 않는지라. 제왕과

---

434) 조빈(曹彬) : 중국 송(宋)나라 태조 때의 무장(武將). 개국공신(開國功臣).
435) 영신(靈神)하다 : 갑자기 이상한 느낌이 들다.

섭기정이 바야흐로 깊이 들어와 보건대 조원수 등이 없고, 군졸이 적음을 의아하여 묻고자 할 즈음에, 고각(鼓角)이 천지를 흔들고 함성이 대진(大振)하며, 천병만매(千兵萬馬) 호호탕탕(浩浩蕩蕩)이 짓쳐 오는 바의 화광(火光)이 조요(照耀)하니, 제왕 군신이 정신을 잃어 창황이 말을 몰아 마주 나오려 한즉, 정원수 갑주를 빛내고 옥설청총만리운(玉雪靑驄萬里雲)436)을 타고 사졸을 지휘하여 적군을 시살하니, 동탕한 위인이 볼수록 기이하고 규규(赳赳)한 위풍은 운중룡(雲中龍)이며 나는 범이라. 당당한 기상이 적군의 넋을 놀래는지라. 제왕이 장중(場中)의 들어와 원수의 빈영(殯靈)437) 배설한 것을 얼핏 보고, 일분 의려(疑慮)함이 없다가, 천만 생각 밖 정원수를 만나매 놀라온 혼백이 비월(飛越)한지라. 바삐 섭기정을 붙들어 왈,

"장군이 재주를 다하지 않으면 우리 군졸이 싼 것을 헤치지 못하리로다."

섭기정이 십분 창황(蒼黃)하여, 저의 배운 재주를 다하여 풍우와 요괴로운 사정(邪情)을 다 시험하되, 정원수 풍우를 물리치며 요사(妖邪)한 기운을 다 쓸어버려 경각에 없애버리고, 한 장 부작을 내어 공중에 던지매 수고로이 싸우지 않아서, 신병귀졸(神兵鬼卒)이 첩첩이 제왕 군신을 에워싸고, 광풍이 대기(大起)하여 비사주석(飛沙走石)438)하니, 제군이 눈을 뜨지 못하되 송군은 관계치 아니하니, 섭기정이 손으로 눈을 가리나 능히 사석(沙石)을 면치 못하여 낯이 상하고 눈에 가득이 모

---

436) 옥설청총만리운(玉雪靑驄萬里雲) : 말 이름. 갈기와 꼬리가 파르스름한 백마(白馬)인 청총마(靑驄馬)의 일종.

437) 빈영(殯靈) : 초상이 났을 때 설치하는 빈소(殯所)와 영좌(靈座).

438) 비사주석(飛沙走石) : 모래가 날리고 돌멩이가 구른다는 뜻으로, 바람이 세차게 부는 것을 이르는 말. =양사주석(揚沙走石).

래가 들매, 구응사 석준이 정창출마(挺槍出馬)하여 섭기정을 생금하려 하니, 기정이 눈을 뜨지 못하여 사람을 알아보지 못하나, 용맹이 본디 비상한 고로, 석 장군과 싸워 십여 합에 불분승부(不分勝負)더니, 석장 군이 잠깐 고개를 돌이킬 적, 기정이 조궁(操弓)[439]에 금비전(金飛箭) 을 먹여 한 번 쏘매, 요행 바른 곳이 맞지 않아, 좌각이 잠깐 상하되 석 장군이 살을 맞으매 분용(憤勇)이 배배(倍倍)하여, 한 번 창날이 번득 이는 곳에 섭기정을 질러 마하에 내리치니, 송진 군졸이 일시에 달려들 어 기정을 분쇄하고, 다시 왕과 팽씨를 에워싸고 치기를 급히 하니, 제 왕이 기정 같은 용장을 속절없이 죽이고, 동서남북에 철통같이 쌓여 능 히 벗어날 길이 없거늘, 공중으로 좇아 내리는 사석(沙石)에 눈을 뜨지 못하는지라. 왕이 팽씨를 붙들고 통곡 왈,

"과인이 반생 행세(行勢)에 안하무인(眼下無人)하고, 기병하매 소향무 적(所向無敵)이러니, 하늘이 돕지 않아 오늘날 녹운성 가운데 정천흥 소 자의 계교의 빠졌으니, 죽을 밖에 다른 모책이 없는지라. 돌아 내 신후 (身後)를 생각하건대 현비로 동주(同住) 삼십년에 일점 골육이 없고, 남녀 간 동기 없으니 뉘 있어 나의 시수(屍首)를 염장(殮葬)하리오. 현 비 오히려 중년(中年)이라, 미려한 용안(容顔)이 사람이 황홀할 바니, 어찌 패망한 합을 위하여 절의를 잡으리오."

팽씨 또한 왕을 붙들고 실성유체(失性流涕)라. 정원수 제국 군졸을 향 하여 왈,

"너의 국군이 대역부도(大逆不道)요, 이 싸움에 애매한 생령이 목숨이 남지 못하여 옥석을 가리지 못하니, 모름지기 일찍 항복하여 죽기를 면하라."

---

439) 조궁(操弓) : 활을 잡아당김.

칠만 대군이 소리를 응하여, 항(降)하여 왈,

"소졸 등은 죽음이 지원극통(至冤極痛)하니, 이제 명을 좇아 항(降)하나니, 시살(弑殺)하는 화를 당치 않게 하소서."

원수 장졸을 영(令)하여 죽이지 말라 하고, 제왕과 팽씨의 나가는 길을 비로소 틔워 주어 왈,

"흉역의 죽을 시각이 오히려 다다르지 않았으니, 그만하여 내어 보내거니와 명일은 날이 저물지 않아서 네 명을 마치리라."

제왕과 팽씨 저의 궐정에 이만 군병과 십여 원(員) 용장(勇將)이 있음을 생각고, 다시 잔병패졸을 모아 대업을 이루고자 하는 고로, 겨우 몸을 빼어 정원수의 터주는 길로 도망하여 본진으로 돌아오니, 궁녀 태감의 무리 제왕의 오는 길로 마주 오며, 이미 궁실을 부원수 조현창이 소화하고, 본진에 남았던 이만 군과 십여 원 장수 다 항복하였다 하는지라. 왕의 부부 이 말을 들으매 간담이 떨어지는 듯하여, 길거리에서 방성통곡 하다가 갈 곳이 없어 수봉관으로 가려, 수십여 리를 행치 못하여서 이미 동방이 기백(旣白)한 데, 우선봉(右先鋒) 경환기 소산 아래 매복하였다가 천병만마(千兵萬馬)를 거느려 제왕과 팽씨를 철통같이 싸고, 치기를 급히 하되, 제왕의 용맹이 비상한 고로, 필마단창(匹馬單槍)으로 무수한 대군을 당하여 경이히 잡히지 않는지라. 반일을 싸워 필경은 왕이 말을 죽이고 칼을 잃어 보군(步軍) 유(類)에 섞이되, 경이히 잡지 못하여 경선봉이 평생 용력을 다하여 만여 군으로 일시에 달려들어 왕을 베매, 팽씨 하릴없어 항(降)한데, 경선봉이 왕의 머리를 말에 달고 팽씨는 여자인 고로, 욕되이 잡지 않고 말을 태워 원수 영(營)으로 돌아오니, 벌써 날이 어두웠더라.

원수 제왕의 머리를 스스로 벨 줄 모르지 않되, 자기 공을 으뜸하지 않으려 하는 고로, 짐짓 갈 길을 틔워 경선봉으로 하여금 죽이게 함이

라. 경 선봉이 이미 제왕의 머리를 원수께 드리고 공로를 고하매, 원수
즉시 선봉의 공적을 논상하여 치부(置簿)하고, 팽씨는 정전의 드리지
않고 갈 곳이 있거든 가라 하니, 팽씨 음특(淫慝)한 여자라, 원수의 용
화를 그윽이 흠앙하나, 연기(年紀) 내도하여 제 죽은 아들과 동년인 고
로 차마 섬겨지라 못하고, 지휘사 유종이 시년 사십에 풍광이 동탕하니,
팽씨 유종의 앞에 나아가 다른 데 갈 곳이 없으니 비첩지열(婢妾之列)
에나 용납함을 청하니, 유종이 그 말을 채 듣지 않고 짚고 섰던 칼날이
번득이며 팽씨의 머리 떨어지니, 이에 웃고 이르대,

"내 평생 통한하는 바는 계집의 음황하고 염치없음이라. 아무리 대음
대악(大淫大惡)인들 나라가 망하고 국군(國君)이 머리를 어깨 위에 보
전치 못하니, 정사 망극함이 천지를 분간치 못할 것이거늘, 오늘날 다른
남자를 생각하니, 그 흉음(凶淫) 극악(極惡)이 만고의 없는 것이라."

하니 군중이 다 상쾌히 여기고 원수 유종의 위인을 아름다이 여기되,
사람을 너무 빨리 죽이다 하여 웃은 데, 유종 왈,

"그런 음황한 계집을 오래 머물게 한즉 반드시 유해하리이다."
하더라.

명일 원수 대군을 거느려 성중에 들어가니, 부원수 벌써 제왕 궁실을
불 지르고 백성을 안무하였으니, 제왕이 패망하매 인심이 정하고, 송영
(宋營)에서 미처 탈취치 못한 관액(關阨)이라도 각각 지킨 장수가 문을
열어 항복하는지라. 원수 어진 말씀으로 사민(四民)440)을 안무하고 예
의를 권장하니, 성중에 머문 지 수삼삭(數三朔)이 못하여 인심이 크게

---

440) 사민(四民) : 온 백성. 사(士)·농(農)·공(工)·상(商) 네 가지 신분이나 계급
의 백성.

정한지라.

원수 제국 승상 우달심으로 국토를 지키게 하고, 복삼철을 불러 도총사를 삼아 우달심과 한가지로 문무 국정을 가음 알게 하니, 군자의 덕화가 아니 미친 곳이 없어, 흉참하던 풍속이 크게 순후(淳厚)하고, 남녀노소가 예의를 차리며 미말천인(未末賤人)이라도 행실을 삼가고, 아동주졸(兒童走卒)441)이 정원수의 덕화를 노래하여 감격치 않는 이 없더라.

원수 이미 제국 흉적을 소탕하매 고국에 돌아 갈 마음이 시위 떠난 살 같아서, 하오월(夏五月) 중순에 대군을 돌이켜 황성으로 향할 새, 제국 문무(文武)로부터 백성부로(百姓父老)가 멀리 와 전별하니, 눈물이 비 같아서 부모를 원별함 같은지라. 원수 면면이 위로하고, 수레를 돌이키매 백성과 복삼철 등이 수레를 붙들고 체읍(涕泣) 배별(拜別) 왈,

"아등이 처음에 생각키를 그릇하여 제왕을 섬겼으나, 당차시 하여 원수의 하늘같은 대은이 골절에 사무치니, 나라가 망하고 임금이 죽되 능히 사절(死絶)치 못하고, 백성이 안연하며 신료가 무사함을 얻어 망멸지화(亡滅之禍)를 면하고, 패풍악속(敗風惡俗)을 고쳐 요순시절(堯舜時節)을 다시 봄은 실로 원수의 명성지덕(明聖之德)이라. 백성과 문무신료의 바라는 마음이 원수로써 국군(國君)을 삼아, 격양(擊壤)442)에 포복(哺腹)443)하고 남풍(南風)의 시444)를 읊고자 원하나니, 원수는 제

---

441) 아동주졸(兒童走卒) : 철없는 아이들과 어리석은 사람들을 아울러 이르는 말.
442) 격양(擊壤) : 격양가(擊壤歌). 풍년이 들어 농부가 태평한 세월을 즐기는 노래. 중국의 요임금 때에, 태평한 생활을 즐거워하여 불렀다고 한다. *격양(擊壤); ①땅을 침. ②흙으로 만든 악기의 하나. 또는 그런 악기를 치는 일.
443) 포복(哺腹) : 함포고복(含哺鼓腹)의 줄임말. *함포고복(含哺鼓腹) : 잔뜩 먹고 배를 두드린다는 뜻으로, 먹을 것이 풍족하여 즐겁게 지냄을 이르는 말. 요임금 시대의 백성들의 태평한 삶을 이르는 말.
444) 남풍시(南風詩) : 남훈시(南薰詩). 중국 순임금이 지었다는 남풍시(南豊詩; 南

국 생령의 바람을 끊지 마소서."

인하여 우양(牛羊)과 술을 가져 원수의 접구(接口)함을 바라는지라. 원수 본디 너른 주량(酒量)에 그 바라는 정으로써 먹고자 하는 마음을 좇지 않으리오. 흔연히 잔을 거우르고 안주(按酒)를 맛보며 위로 왈,

"내 일시 정벌로 이에 이르렀으나 매양 있을 것이 아니요, 돌아감이 당연하거늘 어찌 이다지도 과도히 슬퍼하리오. 여등이 나를 잊지 않거든 갈수록 충의를 힘쓰며, 패악포한(悖惡暴悍)함을 멀리하여 불의에 빠지지 말라."

우달심과 복삼철이 배사수명(拜謝受命)하니, 일색이 늦으매 원수 대군을 돌이키니, 백성이 멀리 가도록 바라보다가 뫼를 돌아가매, 애각(涯角)445)이 가리니, 기치(旗幟) 절월(節鉞)을 다시 볼 길이 없으니, 삼철 등이 눈물을 뿌리고 돌아와 원수의 덕화를 잊지 못하여, 성남(城南)에 일좌(一座) 대가(大家)를 세우고 정원수의 화상을 그려 고루(高樓)에 봉안(奉安)하고, 사시향화(四時香火)를 백년에 끊지 않기로 결단하여, 공경하는 정성이 극진하고, 이 땅 사람이 혹 절박한 일이 있어, 그 화상에 축원한즉, 영험(靈驗)한 일이 있는지라. 더욱 지극히 받들더라.

원수 하(夏) 오월 십순(拾旬)에 제국에서 회군(回軍)하여, 추(秋) 팔월 회간(晦間)의 소주(蘇州)446) 지계(地界)에 이르니, 황성이 멀지않은지라. 흔행(欣幸)하여 급히 행코자 하나, 구몽숙이 차처에 유찬(流竄)하여 있는 고로, 일일을 머물러 몽숙을 찾아보고자 하여 관아로 나아오

薰詩라고도 함)의 "따사로운 남풍이여 우리 백성 불만을 풀어줄 만하여라(南風之薰兮 可以解吾民慍兮)"구(句)에서 온 말로 백성들의 근심을 풀어줄 '따사로운 바람', 또는 '성군의 정치로 태평성대를 누리는 것'을 뜻한다.
445) 애각(涯角) : 멀리 떨어져 있어 외지고 먼 땅.
446) 소주(蘇州) : 중국 강소성(江蘇省)에 있는 도시.

더니, 문득 길거리에 한 사람이 헌 옷으로 몸을 가렸으나, 곳곳이 살이 드러나고 삿띠447)를 눌러 띠었으며, 초리(草履)448)를 신고, 여러 사람 유(類)에 각별히 몸을 내밀어 원수의 오는 위의를 관경하되, 형색(形色)이 초고(楚苦)하며 거동이 괴이하여 행걸(行乞)하는 모양과 다르지 않으니, 길 치우는 하리 그 사람의 꼭뒤를 질러 가로되,

"뉘 행차라 감히 몸을 내밀어 버릇없이 보느뇨? 보고 싶거든 깊은 곳에서 엿보라."

기인이 눈물을 흘리며 즉시 물러서시니, 원수 한 번 보매 어찌 몰라보리오. 결단하여 그 면목이 의연이 고우(古友)의 얼굴이니, 구몽숙이 아니면 뉘리오. 원수 반갑고 참연함을 이기지 못하여 관아(官衙)로 들어가지 않고, 장졸을 명하여 앉을 곳을 정하라 하니, 하리 일시의 장막을 둘러 포진을 정제하매, 원수 하리를 명하여 가로되,

"아까 길 치우던 하리에게 꼭뒤를 찔려 물러섰던 상공을 모셔 오되, 행여 상하게 하면 죄를 면치 못하리라."

하리 등이 청령하고 나는 듯이 몽숙의 곁에 나아가, '원수 노야 모셔 오라 하시더라.' 하고 일시의 껴들어 장막으로 들어오매, 원수 벌써 수레에 내려 기다리다가 몽숙을 보고, 바삐 그 손을 잡으며 팔을 어루만져 상연(傷然)이 타루(墮淚)하여 가로되,

"형의 참잔(慘殘)한 형용을 대하매, 인심을 가진 자야 뉘 아니 눈물을 흘리리오. 아지못게라! 이곳에 유찬한 지 오래지 않고, 경사에서 표숙과 사제(舍弟) 등이 형의 요생(療生)449)할 도리를 염려할 듯하되, 이다지

---

447) 삿띠 : 새끼줄로 만든 허리띠.
448) 초리(草履) : 짚신. 볏짚으로 삼아 만든 신. 가는 새끼를 꼬아 날을 삼고 총과 돌기총으로 울을 삼아 만든다.
449) 뇨생(療生) : 죽지 않을 정도로 근근(僅僅)이 살아감.

도 곤궁함은 어찌오?"

몽숙이 원수를 보고 반갑고 슬프며 부끄럽고 애달음이, 비록 저의 행한 바나 전전악사(前前惡事)를 헤아리매 새로이 낯을 깎고 싶은지라. 체읍하여 오래 말을 못하다가 날호여 겨우 소리를 이뤄 가로되,

"누제(陋弟) 현형을 모해코자 한 죄악이 천지에 관영하니, 지금까지 일누(一縷)를 보전하여 이곳에 유찬함도 성주의 여천대은(如天大恩)이요, 사부와 현형의 덕이라. 어찌 지은 죄를 헤건대 이 경계를 설워 하리요마는, 명도(命途)의 기박함이 일마다 괴이하여, 이에 있은 지 칠팔 삭이 못하여, 이상한 귀매(鬼魅)가 누제(陋弟)를 극악히 보채어, 비록 옷이 있어도 입지 못하며, 미곡이 있어도 조석 식반을 차려 먹지 못하게 작희하며, 주야로 보채기를 그치지 않으니, 옮으면 따라오지 않을까 하여 다섯 번 가사를 옮되, 찾아 따라 오고, 자사(刺史) 태수(太守)가 형의 명을 받들며, 사부의 서간으로 좇아 누제를 고휼(顧恤)코자 양미를 주족(周足)450)히 이어주고, 군사를 발하여 그 귀매를 잡고자 하나 능히 잡지 못하여 그치니, 누제의 의식은 신기히 도적하여 내고, 누제의 노복으로 삼긴 것은 한 때도 못 견디게 보채여 없애고, 소제로 하여금 시초(柴草)를 친히 하여 밥을 익히게 하고, 가간(家間)에는 만석 미곡이 있어도 조석(朝夕)을 못하게 희(戱)지으며, 소제더러 사처(四處)로 다니며 빌어먹으라 하니, 소제 어찌 부끄러움을 모르리오마는, 공연이 기사(饑死)치 못하여 두루 걸식한 지 오래더니, 오늘 하늘의 도움을 입어, 현형(賢兄)을 만나니 영행함을 이기지 못하리로다."

원수 이 말을 듣고 더욱 차악(嗟愕)하고 자닝하여, 이에 본부 자사를 명하여 부원수 이하 사졸을 다 관아에서 쉬게 하라 하고, 자기는 몽숙으

---

450) 주족(周足) : 두루 넉넉히 함.

로 더불어 한가지로 그 집으로 향하더라.

명주보월빙 권지팔십육

&

화설 정원수 구몽숙으로 더불어 그 거처하는 집으로 향할 새, 장졸을 일인도 데려 가지 않고 다만 두 낫 서동과 일필(一匹) 청녀(靑驢)[451] 로 몽숙과 한가지로 행하니, 자사로부터 장졸이 원수의 영을 어기지 못하여 따르지 못하고 다 관아로 향하니, 원수는 몽숙으로 더불어 그 머무는 곳에 이르니, 가사(家舍)가 누추하기를 면하고 협착(狹笮)[452]지 않아 견딜 만하되, 기용즙물(器用什物)이 동해수(東海水)로 씻은 듯하여, 한낱 미곡 찬선을 머물러 둔 것이 없으니, 이는 귀매 다 가져감이라.

원수 몽숙으로 더불어 오래 떠났던 회포를 펴매 정이 간절하여, 반점 내외할 뜻이 없고, 지성으로 몽숙을 살리고자 하며, 참잔한 형용을 슬피여김이 골절에 사무치니, 몽숙의 감은각골함이 오직 구원(九原)[453]에 '구슬을 머금고 풀 맺기를 기약할'[454] 뿐이라. 차일 석반을 몽숙과 한

---

451) 청녀(靑驢) : 털빛이 검푸른 당나귀.
452) 협책(狹笮) : 공간이나 면적이 매우 좁음.
453) 구원(九原) : 저승. 사람이 죽은 뒤에 그 혼이 가서 산다고 하는 세상.
454) '구슬을 머금고 풀 맺기를 기약함' : 함환결초(銜環結草)를 번역한 말. *함환결초(銜環結草); '남에게 입은 은혜를 꼭 갚는다' 의미를 가진 '함환이보(銜環以報)'와 '결초보은(結草報恩)'이라는 두 개의 보은담(報恩譚)을 아울러 이르는 말로, '남에게 받은 은혜를 살아서는 물론 죽어서까지도 꼭 갚겠다.'는 뜻으로 쓰

상에 먹되 흉귀(凶鬼) 어른거리지 않고, 베개를 한가지로 하여 밤을 지내되 귀매 형적을 보지 못할러라.

십리 밖에 사는 배사옹이라 하는 사람은 부자라. 새벽을 당하여 숨을 헐떡이고 밖에 와 몽숙 보기를 청하니, 몽숙이 배가의 밥을 여러 번 빌어 먹었는 고로, 즉시 중청의 나와 배사옹을 청하여 보매, 배사옹이 눈을 모(模)455) 없이 뜨고 가슴을 두드려, 가로되,

"상공아 천하의 괴이하고 놀라온 일도 있나이다. 내 자식이 다만 일자(一子)뿐으로 전년(前年) 이후로 점점 숙식을 폐하니 죽을 날만 기다리거늘, 설상가상(雪上加霜)으로 또 괴이한 일이 있어, 일신이 검고 옷칠한 듯 흉참한 귀매(鬼魅) 일곱이 함께 달려들어, 내 자식을 온 가지로 보채며 왈,

"우리 몽숙을 조르고 보채어 그 죄를 다스리더니, 금야는 대귀인이 그 집에 와 밤을 지내니 우리 가지 못할지라. 지접(止接)할 곳이 없으니 마지못하여 금야(今夜)만 이에 있다가, 그 귀인이 돌아간 후 몽숙을 보채리라"

하니,

"아지못게이다! 상공을 보채던 귀매 모양이 어떠하더니까?"

몽숙이 청파에 면색이 다름을 깨닫지 못하여, 배사옹을 잠깐 머무르고 방중에 들어와 원수를 보고, 가로되,

"아자(俄者) 그 사람의 말을 들어 계실 것이니 제어할 도리를 가르치소서."

원수 침음(沈吟) 양구(良久)에 주필 부작 열두 자를 써 주어 왈,

인다.
455) 모(模) : 모양(模樣). 남들 앞에서 세워야 하는 위신이나 체면.

"이것을 그 병인 누운 곳에 부쳐 두면, 병인에게도 좋고 형을 보채던 귀매도 자연 달아나리라."

몽숙이 대열하여 배사옹을 나와 보고 부작을 주어 왈,

"이것을 시험하여 병소에 붙여 두라."

사옹이 받아 가지고 집에 돌아와 그 아들의 병침(病寢)에 붙이매, 시각이 넘지 못하여서 배사옹 아들의 적년(積年) 고질(痼疾)이 쾌차(快差)하고, 홀연 동남으로 좇아 검은 기운이 왼 집을 두르며 급한 비 붓듯이 오더니, 배사옹 집 동산 뒤 쪽에 있는 굴이 무너진데, 그 속에 있던 온갖 괴이한 짐승들이 한데 모여 다 죽은 가운데, 산저(山猪) 닐곱이 죽어 늘어져있으니, 이는 몽숙을 보채던 흉귀(凶鬼)더라. 사옹이 겨우 뇌우 그침을 기다려 몽숙을 와 보고, 여러 흉귀가 천벌을 입음을 이르고, 제 아들의 쾌소함을 일러 사례하니, 몽숙이 역시 다행하여 배사옹의 복됨을 일컬으니, 사옹이 기쁨을 이기지 못하여 부작 쓴 사람을 찾아 사례코자 하니, 몽숙 왈,

"이는 다른 사람이 아니라 평제대원수 정죽청이니 노장이 전일 저를 봄이 없으니, 부작사(符籍事)로 보기를 구한즉, 제 즐겨 보지 않을까 하노라."

사옹이 감히 봄을 청치 못하고 한갓 그 재덕이 만사에 이 같음을 경앙흠복(敬仰欽服)할 따름이더라.

원수 행거(行車)가 바쁜 고로 차일 소주를 떠나려 할 새, 몽숙이 원수를 붙들고 슬퍼함을 마지않으니, 원수 또한 상연(傷然) 유체(流涕)하여 차마 떠나지 못하나, 군친을 영모하는 회포 간절하니, 마지못하여 몽숙으로 더불어 작별하매, 몽숙의 의식지절과 세밀지사를 다 지극히 염려하여 적소에 다시 군핍한 일이 없게 하고, 그 집에 부작을 부쳐 사정(邪精)을 제어하며, 임별에 몽숙의 손을 잡고 왈,

"소제 진심하여 형을 쉬이 환쇄(還刷)케 하리니, 멀면 사오 년이요, 가까우면 이삼 년이라. 형은 그 사이 보중하라."

몽숙이 체루(涕淚) 산산(澘澘)하여 말을 이루지 못하더니, 날호여 오열 왈,

"현형 같은 대현의 뒤를 좇아 성주를 섬기지 못하고, 이제 한없는 죄과를 몸 위에 싣고, 소주 적객이 됨은 성주와 현형의 은덕이라. 다시 환쇄(還刷)함을 바라지 못 할지라. 소제 본디 강근지친(强近之親)이 없으니, 처자의 요생지도(聊生之道)를 다 형에게 미뤘나니, 누제(陋弟)의 아자가 거의 문자를 배우기의 가까웠으니, 형이 거두어 가르치물 바라노라."

원수 왈,

"당부하지 않으나 형의 자식은 내 자식과 다르지 않으리니 근심 말고, 행여 소주 고혼이 될까 슬퍼 말라. 내 말과 일을 달리 않으리니, 형을 고토에 돌아오도록 하리라."

몽숙이 체읍(涕泣) 사례 하더라.

원수 몽숙을 이별하고 행거를 재촉하여 개가 승전곡으로 호호탕탕(浩浩蕩蕩)이 황성으로 나아오니, 추 구월 기망(旣望)에야 경사의 이르니라.

화설 정동대원수 삼노도총병(征東大元帥三路都總兵) 윤총재(尹總裁) 효문공이 자원출정(自願出征)하여, 삼만 정병과 십원 명장을 거느려 기치(旗幟) 절월(節鉞)이 동으로 향하매, 이 본디 도덕대현(道德大賢)의 명성군자(明聖君子)로 이부천관(吏部天官)을 거(居)하여 혁연한 명망과 무궁한 재덕이 이윤(伊尹) 주공(周公)의 후를 이어 산두중망(山斗重望)456)이 일신에 온전할 뿐 아니라, 장사 군졸을 거느리매 호령이 엄숙하고, 덕화(德化) 빈빈(彬彬)하여 은혜를 먼저 하며 위엄을 나중으로

하되, 사졸의 두려워하는 마음이 형벌을 받지 않으며 높은 성음을 듣지 않을수록 더하더라.

저희 말로 이르되,

"우리 원수의 은혜를 잊지 못하고 영을 위월(違越)하여 죄의 나아가는 이는 불인흉패(不仁凶悖)하여 동류에도 용납지 못할 것이라."

말째 사졸이라도 예의(禮儀)를 의장(倚仗)457)하여 원수의 영(令)을 지키고, 지나는 바를 추호를 불범하니, 삼만 대군과 십원 대장이 행하되 고요 나즉하여 초목이 상치 않고, 계견(鷄犬)이 놀라지 않으며, 백성이 저자를 걷지 않는지라. 소과주현(所過州縣)이 명망(名望)을 공경하여 황황지영(惶惶祗迎)할 새, 원수 선문(先文)458)을 보내는 바에 매양 풍악을 갖추지 말라 하는 고로, 제읍 주현이 감히 비례로써 원수의 마음을 깃기지 못하고, 재보로써 그 염결(廉潔)한 뜻을 더럽히지 못하는지라. 한갓 천신이 지남같이 하여 불인포악(不仁暴惡)하던 자사(刺史) 주현 (州縣)이라도 저의 사나운 본성을 발치 못하여, 안찰사 내려옴 도곤 더하여 근신겸퇴(勤愼謙退)하기를 구실 삼으니, 이 또한 각 읍 백성의 복이더라.

호호탕탕이 행하여 동창 지계(地界)에 다다라, 대국 토지를 다 지나고 동국(東國)을 디디매, 길가에 사람의 주검이 뫼를 이뤄, 남녀노소 없이 시신을 ane지 못하였거늘, 또 염질(染疾)459)이 치성(熾盛)하여 가가

---

456) 산두중망(山斗重望) : 태산북두(泰山北斗; 태산과 북두성)와 같은 매우 두터운 명성과 인망.
457) 의장(倚仗) : 의지함.
458) 선문(先文) : 중앙의 벼슬아치가 지방에 출장할 때, 그곳에 도착 날짜를 미리 알리던 공문
459) 염질(染疾) : ①염병(染病). 장티푸스. ②전염병.

호호(家家戶戶)에 면할 이 없고 인심이 흉참하여, 부자(父子)가 상실(相失)460)하며, 백주대로(白晝大路) 상(上)에 도적(盜賊)이 편만(遍滿)하여 행장(行裝)461)을 겁탈하는지라.

원수 남다른 인덕(仁德)으로써 먼저 임자 없는 신체를 보매 참담함을 이기지 못하여, 삿자리462)에 싸 공산에 묻기를 부지런히 하니, 날마다 지나는 바에 사오십 시수(屍首)463)를 아니 묻을 적이 없는지라. 차고로 동창지계를 디뎌 행거(行車)가 더디기 심하되, 원수 한 번도 무심히 지나칠 적이 없으니, 사졸이 행거 더딤을 민망히 여기니, 원수 추연 왈,

"시운이 부제(不齊)함을 인하여 동창 생령(生靈)이 죄 없이 죽었으니 거두지 않음이 인자의 덕이 아니라. 어찌 길이 바쁘다 하여 지나쳐버리오. 사졸이 날로 더불어 용사(用事)를 한가지로 하여, 승전입공(勝戰立功)은 날회고 적덕(積德)을 일삼으라."

사졸이 원수의 덕화를 감복하여 급히 가기를 우기지 못하고, 시체를 보면 삿자리에 싸 묻기를 일삼을 뿐 아니라, 염질(染疾)에 아주 죽게 되었거나, 귀매에 들려 실성발광 하여 죽게 되었어도, 다 원수 앞에 나아오면, 의약으로 치료치 않아도 쾌차함은 이르지도 말고, 원수의 기치 절월이 동창을 디딤으로부터, 염질이 간정하고464) 요괴 자취를 피하여 멀리 숨는지라. 차고(此故)로 동창 생령이 조석(朝夕)에 위태한 목숨을 보전하여 살아난 자가 무수하고, 각각 꿈 가운데 염귀(染鬼)465)와 요얼

---

460) 상실(相失) : (부모와 자식이) 서로를 잃어버림.
461) 행장(行裝) : 여행할 때 몸에 지니고 다니는 물건과 차림. 늑행리(行李). 행구(行具)
462) 삿자리 : 짚이나 갈대 따위를 엮어서 만든 깔개.
463) 시수(屍首) : 송장.
464) 간정하다 : 소란스럽던 일이나 앓던 병 따위가 가라앉아 진정되다.
465) 염귀(染鬼) : 염병(染病; 장티푸스)을 옮기는 귀신.

(妖孼)466)이 자취를 감추며, 이르되,

"영허도군(靈虛道君)이 이 땅을 디뎠으니, 이제는 동창에 작란치 못하리니, 우리 자취를 번거히 못할지라. 태풍산 굴혈(窟穴)로 숨을 것이라."

하고, 이 몽사(夢事) 귀천(貴賤) 남녀(男女) 없이 다 한가지라. 반드시 윤원수 속세 범인이 아님을 깨달아, 저마다 동창을 복구(復舊)할까 바람이 깊더라.

원수 행하여 동창 궁실로 바로 나아가려 할 새, 부원수 가로되,

"궁실에 요적(妖賊)이 가득하였으니, 우리 바로 뚫고 들어가면 사졸이 상할 이 많을까 하나이다."

원수 소왈,

"아등이 비록 기특한 일이 없으나 평생 요신(妖神)과 잡귀(雜鬼)를 두려워 않았나니, 요불승덕(妖不勝德)467)이요, 사불범정(邪不犯正)468)이라, 어찌 요적(妖賊)을 두려워하리오. 처음에 내 안무사(按撫使)를 행함은 저 요적과 싸울 일이 대단치 않음으로 동창 소국을 순시하여 백성을 안무(按撫)하고 요정(妖精)을 쫓고자 함이러니, 의외에 천의와 중론이 대원수를 보냄이 옳음을 일컬어 부득이 병혁(兵革)을 일으켰으나, 어찌 저 요적과 싸울 일이 대단하리오."

부원수 왈,

"원수의 말씀이 마땅하시나, 요적이 벌써 누만 대군을 모아 태풍산과 궁실에 웅거하여 외람히 '동천자(東天子)' 위호(位號)를 칭하고, 천병을 막자름이 심할 듯하니, 불의(不意)에 궁실을 앗으려 한즉, 원수는 감히

---

466) 요얼(妖孼) : 요괴(妖怪). 요사스러운 귀신.
467) 요불승덕(妖不勝德) : 요괴로운 것은 바르고 어진 것을 이기지 못한다.
468) 사불범정(邪不犯正) : 사악(邪惡)한 것은 정대(正大)한 것을 범하지 못한다.

범치 못하나 사졸은 결단하여 상해올 듯하니, 아직 다른 관액(關阨)[469]
에 하채(下寨)함이 옳을까 하나이다."

원수 듣지 않고 삼군을 거느려 바로 궁실로 들어 갈 새, 이때 요적이
누만 군을 거느려 동월후백과 동창왕을 죽이고 향하는 바에 무적(無敵)
이라. 위엄이 동창을 들레고, 세대의 희한함을 자부하여 대업(大業)을
이루기를 기약하니, 벌써 '동천자(東天子)'로라 칭하고. 유별심 호술귀
로 대장군 대도독을 삼아 동절백을 겸하여 각각 군졸 삼만씩 거느리게
하니, 천조(天朝) 대군 오는 줄은 알지 못하고, 유별심과 호술귀로 다
봉읍에 보내어 백성을 안무하고 오라 하고, 차정계는 태풍산에 나아가
군졸을 점검하여 궁궐로 좇아 돌아오려 나간 사이에, 원수의 대군이 궁
궐로 들어가매, 군용(軍容)의 정숙함과 원수의 천일(天日) 같은 의표
(儀表)와 용봉(龍鳳) 같은 자질이 성현의 품격을 가져, 덕화와 외모 훤
칠하고, 부원수의 영풍준골(英風俊骨)이 백일(白日)의 빛을 앗으며 추
월(秋月)의 정화를 가져 천고(千古)의 희한하니, 어찌 차정계 요적의
불인간악(不仁奸惡)함에 비기리오.

궁실을 지키는 군졸이 천조 대장의 기특함과 행군기율(行軍紀律)의
정제함을 흠앙(欽仰)하여, 차정계 아들더러도 이르지 않고 문을 열어
원수의 대군을 맞아 드리니, 윤원수 궁실에 들어가 항졸(降卒)을 죽이
지 않고, 차정계 두 아들과 처를 잡아내어 본즉 다 요기(妖氣) 총롱(叢
朧)[470]하고 독사(毒邪) 은은(隱隱)한지라. 원수 차인 등을 일시 살려
두고자 하였더니, 그 요사를 보매 급히 죽이려 할 뿐 아니라, 정계의 처

---

469) 관액(關阨) : ①국경이나 요지의 통로에 두어 드나드는 사람이나 화물을 조사
하던 곳. ②군사적으로 중요한 곳에 세운 요새.
470) 총롱(叢朧) : 몹시 번잡하게 어른거림.

는 황후의 복색이요, 장자는 태자의 복색이라. 원수 그 참람(僭濫)한 복색을 보매 더욱 분에(憤恚)하여, 일시의 베기를 재촉하여 그 머리를 성상(城上)의 달고, 사문(四門)의 방 붙여 백성을 위로 왈,

"이제 역적이 역천무도(逆天無道)하여 동월후백과 동창왕을 죽이고, 제호(帝號)를 참칭(僭稱)하여 백성을 협제(脅制)함이 되었으나, 이제 천조 대병이 궁실에 들어와 동창 생령의 탕화를 구하나니, 일찍 요적을 버리고 국군(國君)의 참사(慘死)한 원수 갚기를 생각하여 빨리 돌아오라."

하니, 차정계의 군졸이 본디 오합지졸(烏合之卒)이라. 원수의 군사 동창 지계(地界)를 밟음으로부터, 염질(染疾)이 건정(乾淨)471)하고 요괴 자취를 피하여, 신성(神聖) 대귀인(大貴人)을 두려워함을 들으매, 원근을 혜지 않아 한 번 원수의 성덕(聖德) 광휘(光輝)를 구경코자 하는지라. 자연 '은민(殷民)472)이 주(周)473)로 돌아옴'474) 같아서, 차정계를 지키지 않고 원수의 영채(營寨)로 일시에 모드니, 그 수를 혜기 어려운지라. 원수 은혜와 덕을 베풀어 귀항(歸降)하는 백성을 위무(慰撫)하고 성중에 쌓였던 시신을 깊이 무드니, 임자 없는 백골이 땅에 밟힘을 면하더라.

차정계 태운산에 잠깐 머물 사이에 궁실을 빼앗기고, 이자(二子)와

---

471) 건정(乾淨) : 더럽지 않고 깨끗함. 일처리를 잘하여 뒤끝이 깨끗함.
472) 은민(殷民) : 중국 고대 은(殷)나라 백성.
473) 주(周) : 기원전 1046년에서 기원전 256년까지 중국을 지배하던 왕조. 주(周) 무왕(武王)이 은나라 주왕(紂王)의 폭정을 진압하고 건국하여, 호경에 도읍을 정하고 봉건 제도를 시행하였다.
474) 은민(殷民)이 주(周)로 돌아옴 : 고대 중국의 은 나라 백성들이 주왕(紂王)의 폭정을 피하여 숨었다가 주(周)나라 무왕(武王)이 새로 나라를 세우고 선정(善政)을 베푼다는 소문을 듣고 주나라로 돌아왔던 일을 말함.

처를 죽인 바 되니, 모진 분과 독한 성이 골똘하여 사(使)를 보내어 유발심과 호술기를 부르고, 크게 군기(軍器)를 일으켜 천조 대병을 다 짓치려475) 이를 갈고, 윤희천의 머리 베기는 낭중취물(囊中取物) 같다 하고, 택일하여 양진이 대적하기를 청하니, 송진에서 부원수 대원수께 고하여 가로되,

"천조 대병이 소국 적류와 접전코자 하매, 먼저 격서를 보내는 도리 있거늘, 원수는 어찌 차적에게 격서를 보내지 않으시나니까?"

원수 소왈,

"예백의 총명하기로써 요적(妖賊)의 근본을 알지 못하느뇨? 차정계는 사람인지 모르거니와 호술기와 녹발심이란 것은 더욱 사람이 아니라. 각별한 요정이니 군자 어찌 저 유에게 격서를 보내어 위덕을 잃으리오. 내 다만 교유서를 성곽(城郭)마다 부쳐 백성을 상해오지 않으며 스스로 귀항케 하리라."

부원수 그렇게 여겨 말을 아니 하더라.

원수 교유서로써 관액마다 부치매, 남녀의 예의 대절과 충효를 갖추 베풀어 공부자(孔夫子)의 춘추(春秋)를 지으시던 문리(文理)와 맹자(孟子)의 경전(經傳)을 이르시던 언변(言辯)을 겸하여, 한 번 보매 골절이 녹는 듯하여 모진 마음이 풀어지며, 제 앞 그름을 생각하매 낯을 깎고 싶은지라. 정계에게 항복하여 차적의 기치(旗幟)를 다 높이 꽂았다가, 원수의 교유서를 본 후 크게 깨달아 뉘우쳐 관문을 크게 열어 대군을 맞으며, 일시에 항복하여 차적을 위하지 않으니, 원수 동창 궁실에 머문 수순이 못하여 한 번 창검을 빗기며 사졸을 수고치 않아서 인심이 물 흐름 같아서, 장수와 군졸이 다투어 송진으로 모여드니, 큰 길이 좁

---

475) 짓치다. 함부로 마구 치다.

고 성문이 터질듯 하니 군자의 덕이 이 같더라.

차정계 여러 관액과 많은 군졸을 반 넘게 잃고, 윤원수의 재덕이 만대의 희한함을 듣고, 더욱 통완하여 녹발심과 호술기를 재촉하여 군병을 총독케 하나, 군졸이라 하는 바 다 오합지졸이라, 한 번 흩어지매 향하여 찾을 모책(謀策)히 없으니, 녹·호 양장은 흉측능휼(凶測能譎)[476]하여, 군병을 호령하며 다래여 주육(酒肉)을 포복(飽腹)게 하고 차정계로 더불어 영수산 하의 진치고, 송진과 접전함을 재촉할 새, 자칭(自稱) 왈, '동천재(東天子) 친정(親征)하려 하는 위의(威儀)라' 하여, 기치(旗幟) 의장(儀仗)[477]이 천자 모양이라. 용봉일월기(龍鳳日月旗)를 부치며 황양산(黃陽繖)[478]을 받치고, 백모(白旄) 황월(黃鉞)을 좌우로 갈라 세우고, 군용(軍容)을 십분 엄정(嚴整)이 하여 송군을 두렵게 하고, 호술기 소리를 높이 하여 왈,

"우리 폐해 송 원수와 말하자 청하신다."

하니, 송진(宋陣)에서 참모사 정관이 은갑(銀甲) 은투구에 삼지창을 잡고, 허다 사졸(士卒)을 거느려 출마, 대호(大號) 왈,

"우리 대원수 너 같은 요정과 수작함을 더럽게 여기사, 날을 보내어 자웅을 결하라 하시니, 모름지기 기를 누이고 목을 늘여 나의 칼을 받으라."

차정계 대로하여 호술기와 녹발심을 재촉하여 위풍을 빛내라 하니, 녹·호 양장이 청령(聽令)하여 일시에 정참모를 취하니, 송진 중에서

---

476) 흉측능휼(凶測能譎) : 몹시 흉악하고 속이기를 잘함.
477) 의장(儀仗) : 천자(天子)나 왕공(王公) 등 지위가 높은 사람이 행차할 때에 위엄을 보이기 위하여 격식을 갖추어 세우는 병장기(兵仗器)나 물건. 의(儀)는 위의(威儀)를, 장(仗)은 창이나 칼 같은 병기를 가리킨다.
478) 황양산(黃陽繖) : 의장(儀仗)으로 쓰던 누런색의 양산(陽繖). *양산(陽繖); 햇볕을 가리는 데 사용하던 의장. 가에 늘어지도록 둘러친 헝겊이 3층으로 되어 있고 중간은 긴 자루로 받치고 있다.

부원수 정세흥이 대군을 거느려, 진문 밖에 나와 기를 두르며 북을 울려 싸움을 도도니, 늠연(凜然)한 신위는 씩씩하고, 당당한 정기 녹·호 양 장의 요사(妖邪)를 제어할 바라. 차적(賊)의 군병이 칭찬 왈,

"이는 반드시 천선(天仙)이 하강하심이요, 진세(塵世) 속인(俗人)이 아니라. 부원수 이 같은 인물이니 대원수는 더욱 이를 것이 없으리로다."

하여, 황홀(恍惚) 경찬(驚讚)함을 마지않으니, 차적이 대로하여 부원수 일컫는 군사를 스스로 죽이고, 이에 정원수를 향하여 왈,

"네 대장이 인사를 모르는 고로 짐을 배견(拜見)치 아니 하거니와, 짐이 이미 응천순인(應天順人)479)하여, 동방(東方)의 인심을 크게 취하고 향하는 바의 위명(威名)이 진동하니, 여등 같은 황구소아(黃口小兒)480)는 파리 목숨 쓸어버리듯 하려니와, 짐이 일단 의기현심에 참지 못하는 바는 생령(生靈)의 도륙(屠戮)이라. '송이 본디 고아(孤兒)와 과부(寡婦)를 속여 얻은 나라이니'481) 불인지국(不仁之國)이라. 짐이 당당이 불인지국을 탕멸하고, 와탑(臥榻)에 타인의 소리를 듣지 않으리니, 너 소애 무슨 사리(事理)를 알리오마는, 혹자 천의를 앎이 있거든 항복하여 검하경혼(劍下驚魂)이 되지 말라."

정원수 차언을 들으매, 노목(怒目)이 진녈(震裂)하고 분발(憤髮)이 상지(上指)하여, 여성(厲聲) 대질(大叱) 왈(曰),

---

479) 응천순인(應天順人) : 하늘의 뜻에 순응하고 백성의 뜻을 따름.
480) 황구소아(黃口小兒) : 젖내 나는 어린아이라는 뜻으로, 철없이 미숙한 사람을 낮잡아 이르는 말.
481) 송(宋) 태조 조광윤(趙匡胤: 927-976)이 절도사(節度使)로서, 후주(後周) 세종(世宗)이 갑자기 병사하여 황태자 시종훈(柴宗訓: 953-968)이 불과 7세의 나이로 제위에 오르고 황태후가 섭정을 하게 되자, 부하장수들의 추대를 받아 반란을 일으키고, 공제(恭帝; 시종훈)로부터 황위(皇位)를 선양 받아 송나라를 건국한 일을 두고 이르는 말.

"위로 성천자(聖天子) 만기(萬機)를 총찰(總察)하시매, 성덕(聖德)이 일월(日月) 같으시거늘, 역천무도(逆天無道)한 도적이 동방의 준준(蠢蠢)한 농부로서, 국왕을 죽여 죄적(罪迹)이 천지에 관영(貫盈)하고, 다시 대국 토지를 노략하며 동월후백을 다 해하여, 눈 위에 서리를 무릅썼거늘[482], 문득 위호(位號)를 참칭(僭稱)하고 흉패(凶悖)한 말로써 천조대장(天朝大將)을 욕하니, 너희 죄적은 천사무석(千死無惜)[483]이오 만사유경(萬死猶輕)[484]이라. 우리 진(陣)에서 너를 찢어 죽이지 못하면 결단하여 영웅이 아니라."

차정계 대로하여 녹·호 양장으로 하여금 정원수를 베라 하니, 녹·호 양장이 정원수와 좌우 선봉 등으로 하여금 크게 싸울 새, 양진 군사 어우러져 쟁(錚) 북을 울리며 창검을 번득여 승부를 다투는지라. 윤원수는 장대(將臺)에서 양진 승패를 보며, 녹·호 양장이 결단코 사람이 아니요, 괴이한 요정임을 밝히 앎에, 제요가(制妖歌)[485]를 한가히 외오니, 청월(淸越)[486]한 성음(聲音)이 장공(長空)[487]에 어리고, 단혈(丹穴)[488]에 봉황이 우짖는 듯, 화평하고 유열하여 천지에 화기를 이루며, 만물의 치성(熾盛)을 볼지라. 녹·호 양장의 재주와 용력이며 요술(妖術) 신행(神行)이 정원수를 못 이길 바 아니로되, 정원수의 당당한 정기 족히 요얼(妖孼)을 제어할 바거늘, 겸하여 윤원수의 제요가에 녹·호 양장의 정신과 기운이 아득하여, 능히 정원수를 당치 못하는지라. 정원수

---

482) 눈 위에 서리를 무릅썼거늘 : 설상가상(雪上加霜)을 번역한 말.
483) 천사무석(千死無惜) : 천 번을 죽여도 조금도 아까운 마음이 없음.
484) 만사유경(萬死猶輕) : 지은 죄가 커서 만 번을 죽여도 그 죄가 오히려 가벼움.
485) 제요가(制妖歌) : 요사(妖邪)를 제어하는 영험(靈驗)을 가진 노래.
486) 청월(淸越) : 소리가 맑고 가락이 높음.
487) 장공(長空) : 끝없이 높고 먼 공중.
488) 단혈(丹穴) : 예전에, 중국에서 남쪽의 태양 바로 밑이라고 여기던 곳.

좌우 선봉과 참모사로 더불어 적군을 시살(弒殺)하매, 용맹이 신기하여 사람의 머리 버히기를 낭중취물(囊中取物)같이 하는지라. 적군이 대란 (大亂)하여 항복하는 재 반이 넘더라.

녹·호 양장이 분함을 이기지 못하여, 몸을 흔들어 공중에 솟으며 칼을 부원수에게 내려치매, 정원수 몸을 기우려 피하다가 두 팔이 함께 다 질녀489) 좌편 팔이 상하여 혈출갑상(血出甲上)490) 하되, 불변안색하고 두 칼을 모아 잡아 꺾어 던지고, 보궁(寶弓)에 비전(飛箭)을 먹여 공중을 바라며 흑무(黑霧) 엉긴 곳을 쏘매, 일성(一聲)을 애고491)하며 와락 내려지는 것이 있거늘, 모두 보니 큰 사슴이 숨통을 맞아 세 길이나 늘어졌는지라.

정원수 좌우 선봉으로 하여금 그 사슴을 끌어다가 원수께 뵈오라 하고, 다시 공중을 향하여 또 쏘매 흑무 어린 곳으로 좇아 사석(沙石)이 비 오듯 하니, 송군이 또한 무서워하여 능히 공중을 보는 이 없고 다만 멀리 피하되, 정원수 분완하여 사생(死生)을 돌아보지 않고 쏘기를 마지않더니, 또 공중으로써 내려오는 살이 정원수의 우각(右脚)에 깊이 박히되, 원수 불승분완(不勝憤惋)하매 아픈 줄을 모르고, 공중을 우러러 평생 재주를 다하여 쏘기를 그치지 않으매, 또 애고 소리 진동하며, 진문 안에서 윤원수 제요가 외오는 소리 청랑하더니, 흑무(黑霧) 트이며 또 내려지는 것이 있으니, 모다 보매 아홉 꼬리를 가진 금빛 같은 여우라. 가슴을 맞아 내려지나 아주 죽든 않았거늘, 정원수 사졸로 하여금 끌어다가 원수께 바치라 하고, 쌍천검을 휘두르며 적병을 시살하니, 용

489) 다질니다 : 부딪다. 부딪치다.
490) 혈출갑상(血出甲上) : 피가 갑옷 위로 솟아남.
491) 애고 : 아이고의 준말.

력이 비상하고 날램이 제비도곤 더한지라.

윤원수 호술기와 녹발심을 잡으매 차정계는 잡음이 자연 쉬울 것이므로, 정원수의 상함을 민망하여 쟁(鉦)쳐 군을 거두니, 차정계 첫 싸움에 녹·호 양장을 잃고 불승분완하나, 사졸이 죽지 않는 유는 다 항복하니, 제 누만(累萬) 군을 거느려 바야흐로 접전하다가, 사졸을 잃을까 염려함으로 능히 싸우지 못하더라.

아이(俄而)오, 사졸이 사슴과 여우를 끌고 대원수 앞에 이르고, 부원수가 돌아와 가로되,

"소장이 차적을 마저 잡아 일만 조각에 찢으려 하였거늘, 원수 무슨 일로 쟁을 쳐 군을 거두시니까?"

원수 왈,

"장군이 금일 녹·호 양 요정을 잡으려 하매, 좌비의 칼을 맞고 우각의 살을 맞아 위경(危境)을 당할 뿐 아니라, 차적이 녹·호 양장을 잃고 바야흐로 궁진(窮盡)한 도적이 되어, 독한 분이 열화 같아서, 비록 장군을 간대로 상해오지 못하나, 아까운 사졸을 많이 상해올 듯하고, 궁진한 도적을 이심(已甚)히 잡으려 서둘 일이 아니라. 나의 뜻이 차적을 잡으려 함이 아니요, 자연(自然)한 가운데 제어할 도리를 생각함이러니, 장군이 너무 급히 서둘기에 비각(臂脚)을 상해오니, 이 어찌 놀랍지 않으리오."

부원수 미급답(未及答)에, 가슴에 살을 꽂고 정전(庭前)의 죽었던 여우 슬피 울며 왈,

"나는 태운산 밑에 사는 삼천년 묵은 호표(虎豹)러니, 산중에 있을 때 사람을 잡아 기혈(氣血)을 빨아 먹은 자가 팔백이 넘고, 사람의 얼굴을 빌어 차왕을 좇아 병혁을 일으켜는 바의 적군을 죽임이 또 무수하더니, 금일 태창성의 연하여 쏘는 살이 능히 피하기 어려울 뿐 아니라, 영허도

군(靈虛道君)이 제요가를 불러 요술을 능히 발뵈지 못하게 하시니, 평생 술업(術業)이 헛 곳의 돌아 가 감히 본형을 감추지 못하니, 어찌 슬프지 않으리오. 녹발심은 이천 년 묵은 사슴으로 또한 사람을 많이 죽이고, 환술을 배워 사람이 되었더니, 차왕을 도은 연고로 참화를 만나니 뉘우치나 미칠 길이 업도소이다."

원수 듣는 말마다 요악함을 이기지 못하여, 사슴과 여우를 깊은 구렁에 들이치고, 섶을 가득이 쌓은 후 염초(焰硝)492)를 섞어 불을 놓으니, 화광이 연천(連天)하고 문득 검은 기운이 뭉쳐 동남으로 향하거늘, 윤원수 친히 보궁을 잡아 쏘매 검은 새 함께 꿰여 내려지니, 원수 그 새를 마저 살라 물 가운데 풀어 버리고, 정원수의 상처에 약을 싸매어 주며, 다시 사졸을 점검하니 하나도 죽지 않았고, 또 정원수처럼 상한 자가 없으니, 원수 기뻐하나 정원수의 상처를 염려하니, 정원수 소왈,

"소장이 비록 용렬하나 어찌 요정의 칼날과 살 끝에 상한 것을 염려하리까? 아픈 일 없으니 원수는 물려하소서."

원수 추연 왈,

"예백은 이리 이르지 말라. 사람이 부모의 생휵하신 몸을 상해오미 어찌 놀랍지 않으리오. 한갓 예백을 이르지 말고 내 뜻이 말째 사졸도 상치 아니키를 바라나니, 결단하여 이제는 양진이 대진(對陣)치 않으리라. 비록 일월을 천연하나 자연한 가운데 차적을 종용이 잡으리라."

정원수 가로되,

"사람이 혈육이 상해오매 마음이 편할 것은 아니로되, 소장이 잠깐 상하기로써 어찌 차적 잡기를 더디게 하리까?"

원수 소왈,

---

492) 염초(焰硝) : 화약(火藥).

"예백은 착급히 굴지 말라 차적이 일순(一旬) 내의 잡힘을 면치 못하리라."

하더라.

이때 차정계 녹·호 양장을 다 죽이고, 본영에 돌아와 슬프며 분함을 이기지 못하여 가슴이 터질 듯하니, 윤원수와 정세홍의 고기를 씹지 못함을 한하는지라. 산병패졸(散兵敗卒)을 다시 모아 송진과 크게 싸워, 녹·호 양장의 원수를 갚으려 결단하고, 수삼일 조련하여 송진과 접전함을 연하여 청하되, 윤원수 성문을 굳게 닫고 다시 군사를 요동치 않으며, 한가로운 노래와 경서를 읽으며, 말째 군졸에 이르기까지 학문을 아는 자는 맑게 외오고 병사(兵事)에 마음이 없으니, 차적이 분하고 착급하여 일야는 가만히 생각하되,

"나의 재주 한 번 번득이는 바의 사람의 머리 썩은 풀 같더니, 어찌 윤희천을 죽이지 못할까 근심하리오. 희천은 본디 군녀(軍旅)의 소여(疎如)한 위인으로, 거짓 성현 도덕이 있는 체하여, 빛난 문한(文翰)으로써 성곽마다 붙이므로 인하여 인심이 돌아갔으나, 원래 대장(大將)의 재주 없으므로, 내 서로 보기를 청하되 정세홍을 내어 보내고 저는 나오지 않으니, 반드시 암약(暗弱)함을 알지라. 금야에 칼을 품고 송영(宋營)에 가 윤희천과 정세홍을 죽이고, 천조 삼만 정병과 십원 대장을 수하의 총령(總領)하리라."

하고 몸을 흔들어 흑무(黑霧)를 멍에하여 송영을 바라보더니, 문득 일계를 생각고 '금야의 가만히 송영의 들어가 윤·정 양인을 죽이리라' 하더라.

이날 윤 원수 신명한 마음에 차적의 간계를 짐작하고, 초인(草人)을 만들어 자기 상(床) 위에 뉘이고, 부원수를 명하여 계교를 가르치고 한가지로 병풍 뒤에 몸을 감추고, 각각 손에 철삭을 가지고 자객(刺客)을

기다리더니, 반야(半夜)에 홀연 방문이 열리며 적은 새 입실(入室)하더
니, 즉시 몸을 변하여 한 사람이 되니, 신장이 구척이요, 몸이 세 아름이
라. 손에 서리 같은 비수를 번득이며 바로 초인 누운 곳으로 달려드는지
라. 정원수 불승분해(不勝憤恚)하여 먼저 뛰어 내달아, 고성 질왈,

"엇던 요괴로운 도적이 심야의 칼을 잡고 장중(帳中)의 돌입하여, 감
히 우리 원수를 해코자 하느냐?"

어언간(於焉間)493)에 바로 자객이 벌써 초인을 버히고, 다시 칼을 들
어 정원수를 잡아 죽이랴 하더니, 홀연 병풍 뒤로 좇아 기이한 정광이
일어나며 옥룡(玉龍)과 성신(聖神)이 섯돌아494) 정기를 비양(飛揚)하
니, 차적이 스스로 마음이 황황하여 의사 전긍(戰兢)하니, 바삐 달아나
고자 하다가, 정원수의 소리를 들으매 더욱 경악하나 본디 대간대독(大
奸大毒)이라. 정원수를 찔러 녹·호 양장의 원수를 부디 갚으려 함으로,
비수(匕首)를 춤추어 바로 정원수에게 달려드니, 원수 마침 칼을 가지
지 않아 철삭만 주고 분두(忿頭)의 소리를 높혀 내달아 겨룰 적, 칼을
피할 길이 없어 정히 위급할 즈음의, 윤원수 병풍을 박차고 뛰여 내다르
며 크게 웃으며 왈,

"요적이 스스로 내 자는 데 이르러 죽음을 바야니495), 너의 죄역이 천
지의 관영한지라. 내 비록 살육(殺戮)을 피하나 어이 너를 살려 두리오."

언필의 철삭을 가져 그 몸을 긴긴히 결박하며, 차적의 잡은 칼을 앗아
세 동강에 꺾어 던지니, 차적이 윤원수의 얼굴이 어떠한지 본 일이 없
고, 이미 초인을 베었으니 대원수는 죽임으로 알았다가, 병풍 뒤로 좇아

---

493) 어언간(於焉間) : 알지 못하는 동안에 어느덧. 어느새.
494) 섯돌다 : 섞여 돌다.
495) 바야다 : 재촉하다. 보채다.

뛰어 나오는 바에, 옥룡이 호위하고 오채상운(五彩祥雲)이 둘렀으니, 용력이 원수를 미치지 못함이 아니로되, 스스로 수족이 저리고 정혼이 아득하여 속절없이 매임을 면치 못한지라. 오히려 대원수임을 깨닫지 못하여 '엇던 사람의 정광이 이렇듯 이상한고?', 능히 측량치 못하여 바삐 묻되,

"대원수는 내 아까 베었거니와 이는 어떤 사람인다?"

부원수 통완함을 이기지 못하여 그 입을 질러 왈,

"너를 결박하시는 이가 곧 대원수이시니, 네 무엇을 벤다?"

윤원수는 다시 말을 않고, 다만 일장 부작을 등의 부쳐 요술을 행치 못하게 한 후, 상후(床後)에서 숙직하던 장졸을 깨와 도적을 지켜 있으라 하고, 정원수로 더불어 상요의 나아가 밤을 지내고, 명조에 차적을 잡아내어 정전에 꿀리고, 대역부도의 죄를 이르고 무사로 하여금 베기를 재촉하니, 차정계 앙천(仰天) 탄 왈,

"내 이름을 당(唐) 태종(太宗) 이세민(李世民)[496]같이 지어 태평치세(太平治世)로 명호를 짓고, 기리 만리 강산의 임자가 되어 만세를 누릴까 하였더니, 오늘날 윤희천 소자에게 잡힘을 인하여 속절없이 명을 끊게 되니, 이는 하늘이 나를 돕지 않음이거니와, 죽어 당당이 모진 귀신이 되어 윤가의 원을 풀고 말리라."

이리 이르며 원수를 부릅떠 보는 눈이 독사(毒邪) 은은하니, 원수 대로하여 무사를 꾸짖어 급히 베라 하고 수족(首足)을 올리라 하니, 무사가 청령하고 원문 밖에 내어 와 처참하니, 등에 부작을 붙인 고로 차적

---

496) 니세민(李世民) : 중국 당나라의 제2대 황제 태종(598~649). 성은 이(李). 이름은 세민(世民). 삼성 육부와 조용조 따위의 제도를 정비하였고, 외정(外征)을 행하여 나라의 기초를 쌓았다. 재위 기간은 629~649년이다.

이 요술을 발뵈지 못하여, 변화를 발치 못하고 베임을 받으니라.

차정계를 벨 때에 붉은 피 조각 하나이 공중으로 치닫더니, 화(和)하여 검은 기운이 되어 바로 황성(皇城)으로 향하여 부귀한 곳에 투태(投胎)하여 차년 세말(歲末)에 다시 사람이 되어 세상에 나매, 후래(後來)에 윤성린 윤창린 등을 해하여 일장괴란(一場壞亂)을 일으킴이 되니, 원수의 자질을 다 해함이 이때에 제 뜻을 펴지 못하고 죽음을 함독(含毒)함이라. 길인(吉人)을 돕는 도리 명명하니 성·창 양린이 일시 유액(有厄)함을 인하여 요사(妖邪)의 해(害)를 받으나, 어찌 필경이 영화롭지 않으리오. 이 설화는 〈윤문삼세록(尹門三世錄)〉에 있고 〈청문효문양공자녀별전(淸文孝文兩公子女別傳)〉에 있느니라.

윤원수 차적을 촌참하고 대군을 거느려 태풍산에 나아가 요얼의 여당을 탕멸(蕩滅)할 새, 항하는 군사는 다 죽이지 않되, 요괴(妖怪) 사정(邪精)은 개개히 없애, 일후(日後)에 생녕(生靈)의 환(患)을 없게 할 새, 원수의 칼 쓰며 달리는 거동이 신기하여, 날램이 만고(萬古)를 역수(逆數)[497]하나 듣지 못 한 바요, 용맹이 당당하여 평생 강용(强勇)으로 이름 얻은 장군이라도 능히 윤원수를 당치 못할지라.

부원수 이하가 눈을 쏘아 대원수의 용맹을 구경할 뿐이요, 도리어 어린 듯 하여 싸움을 돕는 일이 없으되, 원수 요얼을 일일이 주멸하고, 동창왕의 세자 협과 양제(兩弟) 석과 목을 찾으니, 깊은 옥중에 가두었는지라. 참모 정간으로 하여금 옥문을 깨치고 세자의 삼형제를 붙들어 내어, 동창왕의 죽음을 조위(弔慰)하고, 다시 동월백 철의 부인 양씨와 그 여아 경소저를 교자에 태워 성중으로 들여보내고, 동월후 흡의 부자 부부의 백골을 겨우 찾아 후례(厚禮)로 안장하고, 동월백 경철의 부자 칠

497) 역수(逆數) : 거슬러 헤아림.

인을 다 안장할 새, 동창왕 묘와 동월백 묘 전(前)에 차적의 고기를 가
져 제문 지어 설제(設祭)하고, 승첩(勝捷)한 표문을 황성의 올리고, 세
자 협을 붙들어 동창국왕 위(位)에 나아가게 하고, 충효예의(忠孝禮義)
로 사민(四民)을 교화하니, 윤원수 동창에 머문 지 오륙삭(五六朔)에
인심이 크게 순후(淳厚)하여, 남녀노소 없이 예의를 가다듬어 원수의
교화를 준행(遵行)하니, 도적(盜賊)이 화(化)하여 양민이 되고, 난신적
재(亂臣賊子) 변하여 충량지신(忠良之臣)이 되는지라. 시시(是時)로 도
불습유(道不拾遺)498)하며 야불폐문(夜不閉門)499)하고 남녀가 길을 사
양하니 완연히 다른 나라가 되었더라.

윤원수 거년 십일월에 황성을 떠나, 춘 이월 초순에 동창에 이르러,
계춘(季春)500)에 요적(妖賊)을 탕멸하고, 여러 달을 머물러 백성을 교
화하고 인심을 진정(鎭靜)하매, 오래 폐하였던 농업을 이루니 우순풍조
(雨順風調)하여 전야만곡(田野滿穀)501)이 이루 다 수전(輸轉)502)하기
어렵더라.

하유월(夏六月)에 원수 대군을 돌이켜 황성으로 돌아올 새, 동창왕
협으로부터 문무 신료와 백성이 남녀노소 없이 부로휴유(扶老携幼)503)
하여 백리(百里)에 나와 전별(餞別)할 새, 저마다 원수를 보내는 눈물

---

498) 도불습유(道不拾遺) : 길에 떨어진 물건을 주워 가지지 않는다는 뜻으로, 형벌
이 준엄하여 백성이 법을 범하지 아니하거나 민심이 순후함을 비유하여 이르
는 말. ≪한비자≫의 〈외저설좌상편(外儲說左上篇)〉에 나오는 말이다.
499) 야불폐문(夜不閉門) : 밤에 대문을 닫지 아니한다는 뜻으로, 세상이 태평하여
인심이 순박함을 이르는 말.
500) 계춘(季春) : 음력 3월을 달리 이르는 말.
501) 전야만곡(田野滿穀) : 들에 가득한 곡식.
502) 수전(輸轉) : 물자를 다른 곳으로 실어 나름.
503) 부로휴유(扶老携幼) : 노인은 부축하고 어린이는 이끈다는 뜻으로, 여기서는
향민들이 늙은이를 부축하고 어린이를 이끌고 모두 나옴을 이르는 말.

이 창해(蒼海) 같아서 앞이 어둡고 말이 막히는지라. 원수 동창왕을 먼
저 위로하여 가로되,

"복이 황명을 받자와 이에 이르러 성주의 홍복과 제장의 도움을 힘입
어, 요적을 탕멸하여 선왕의 원수를 갚고, 대왕을 붙들어 천승지위(千乘
之位)를 잇게 하니, 또한 대왕의 행(幸)이라. 망극(罔極)504) 중이나 선
왕의 원수를 갚음이 쾌하니 어찌 기쁘지 않으리오. 도시(都是) 동창 국
운이 잠깐 트임이니, 복의 재용(才勇)이 아니라. 대왕이 어찌 이렇듯 체
읍하여 천승의 위를 손(損)케 하느뇨? 대왕이 삼년일조(三年一朝)505)를
폐치 못할 것이니, 황성에 돌아가나 피차 삼년에 일차씩은 서로 반김을
얻으리니, 대왕은 모름지기 과상(過傷)치 말고 백성을 사랑하며, 원소인
(遠小人)하고 친현신(親賢臣) 하며, 선비를 대접하고 학업을 권장하여,
치국안민(治國安民)을 어질게 하여 다시 어지러운 일이 없게 하소서."

또 백성을 면면이 위로 왈,

"이제는 동창에 요적이 없고, 국군(國君)이 인명화홍(仁明和弘)하여
삼천리지방(三千里地方)은 족히 치국안민(治國安民)하리니, 여등은 날
을 보내며 슬퍼 말고, 날을 잊지 않거든 국군을 도와 충의지심(忠義之
心)을 깊이 몸에 가져 불의에 나아가지 말고 군신이 길이 태평을 누리
라."

동창왕이 체읍 사왈,

"원수의 신출귀몰 하는 재주와 무궁한 덕화로써 요적을 주멸(誅滅)하
여, 과인의 불공대천지수(不共戴天之讎)를 갚게 하시고, 동창 삼천여리

---

504) 망극(罔極) : 극망극지통(罔極之痛). 한이 없는 슬픔. 보통 임금이나 어버이의
    상사(喪事)에 쓰는 말이다.
505) 삼년일조(三年一朝) : 3년에 한 번씩 입조(入朝)함.

지방(地方)을 평정하시어 흉참한 인심을 크게 정(定)하시며, 과인의 형제 삼인으로 하여금 태풍산 누옥(陋獄)을 벗어나 천일을 보게 하심이, 다 원수의 재덕(才德)이라. 과인의 형제 삼인으로부터 사민(四民)[506]에 이르도록, 원수를 감은함이 골수의 사무쳤나니, 금생(今生)에는 능히 원수의 대은을 갚을 도리 없는지라. 후생에 채를 잡아 말 뒤를 따르기를 발원(發願)할 따름이로소이다."

백성이 소리를 연하여 슬퍼하는 말이 끊이지 아니하니, 원수 재삼 위로하고 대군을 돌이켜 노상(路上)에 오르고자 하더니, 동월 백 경공의 부인 양씨, 흰 교자를 타고 원수 앞에 나아 와 슬피 고하여 왈,

"원수의 산해 같은 덕으로써 첩의 가부(家夫)와 제자(諸子)의 시신을 찾아 좋은 뫼에 백골을 안장(安葬)하였으나, 첩이 본디 대국 사람으로 가부 봉백(封伯)하여 식읍으로 내려오매 따라 이르렀으나, 원수 오늘날에 돌아가시매 첩이 고혈(孤子)[507]한 일녀로 더불어 보전(保全)할 길이 아득하니, 첩이 만일 여식을 돌아보지 않을진대 살고자 하리까마는, 여식의 위인이 행여 숙요(淑窈)하고 절행(節行)이 서리 같아서, 차적의 활착(活捉)하는 욕을 당하되, 오히려 주표(朱標)를 흐리지 않았으니, 원수의 덕택으로써 첩의 모녀를 거느려 황성까지 데려다 주시면, 더욱 감은(感恩)할까 하나이다."

원수 양씨의 모녀를 태풍산에서 잠깐 보매, 경씨는 비상한 부인이 될 듯하고 양씨는 어진 여자라. 그 소청이 이 같으니 비록 군중에 여자의 행차 비편(非便)하나, 차마 떨쳐두고 갈 뜻이 없어, 자금선(紫錦扇)을 들어 차면(遮面)하고, 염슬(斂膝) 공경(恭敬)하여 왈,

---

506) 사민(四民) : 온 백성.
507) 고혈(孤孑) : 가족이나 친척이 없어 의지할 데가 없음.

"소생이 부인과 소저를 모셔 감이 군중에 비편하오나, 부인의 청하심이 여차하시니, 근신(謹愼)한 장졸로 하여금 행거를 모셔 황성까지 득달하시게 하리이다."

이에 자기 서재종(庶再從) 윤태천과 후대장관(後隊將官) 진조로 하여금, '양부인과 경소저 행거를 조심하여 모셔 오라' 하고, 대군이 행하여 황성으로 올라오며, 일로(一路)에 사람의 자닝하고 위급한 일 곧 들으면 못 미처 구할 듯하니, 의기 현심으로 환과고독을 각별이 염려하여 무휼하고, 봉변한 사람을 화에서 건져냄이 백에 당할지라.

인인이 윤원수의 성명을 들으면 우러러 성현으로 미루고, 백성의 우러르고 바람이 적자(赤子)가 자모(慈母) 바라듯 하는지라. 동창 국왕 협이 문무 신료와 백성으로 더불어 원수의 화상을 이뤄, 인각(麟閣)[508]을 짓고 높이 봉안하여, 사시향화(四時香火)를 만년(萬年)에 폐치 않으려 하니, 진정 성현의 덕화요, 장부의 쾌한 사업인 줄 가히 알리러라.

윤원수 하 오월 초순의 동창을 떠나 추 구월 기망(旣望)에 황성을 디딜 새, 선문(先文)을 용루(龍樓)에 고하니라.

차시 만세 황야 평제와 동창의 흉적을 근심하시어, 비록 정·윤 등의 출정함이 있으나, 윤희천은 옥부빙골(玉膚氷骨)에 선풍이질(仙風異質)이 티 없는 수정(水晶) 같으며, 반점(半點) 진애(塵埃)에 물들지 않고 만사 화홍(和弘)하기를 주하니, 백만중(百萬衆)을 총령(總領)하여 위엄과 호령이 상설(霜雪) 같음을 기필치 못하여, 혹 아까운 몸이 상할까 성려(聖慮) 무궁하시더니, 국지대경(國之大慶)과 정·윤 등의 재덕으로 평제와

---

508) 인각(麟閣) : =기린각(麒麟閣). 중국 한나라의 무제가 장안의 궁중에 세운 전각. 선제 때 곽광 외 공신 11명의 초상을 그려 각상(閣上)에 걸었다고 한다.

동창 요적을 탕멸하고, 연하여 첩보를 주하니, 황야 대열하시어 정·윤 양가의 각별한 은영을 뵈시고, 쉬이 회군반사(回軍班師)함을 기다리시 더니, 이미 개가승전곡(凱歌勝戰曲)으로 환경하는 선성(先聲)이 닿아, 그 입경일(入京日)이 구월 기망이니 맞추어 한 날이라. 상이 만조 문무 천관(文武千官)을 거느리시어 정천흥 윤희천을 교외에 맞으실 새, 사 (使)를 바로 정원수에게 보내어 행거를 동문 안으로 들어오게 하시니, 이는 두 원수 다 한 문으로 모이게 하심이라.

동교(東郊) 십리 밖에 어막(御幕)을 배설하고 옥좌를 여시어 양 원수 를 기다리실 새, 일색이 반오(半午)에 개가승전곡(凱歌勝戰曲)이 은은 이 들리매, 대사마 위국공 윤광천이 참지 못하여 마주 나가매, 이 곳 동 정 원수의 돌아오는 위의라.

윤원수 삼군을 거느려 나아오다가 눈을 들매, 일위 공후 재열(宰列) 이 허다 추종을 거느려 마주 오는 바의, 신채 풍광이 동탕하여 안광이 찬란하니, 원수 이미 사백(舍伯)의 나아옴을 보매 반가운 정이 빛내 흔 들리는지라. 즉시 하마하여 장막을 둘러 잠간 앉을 곳을 정하매, 위공이 빨리 장막에 들어가 원수를 볼 새, 원수 바삐 절하고, 형제 집수연비(執 手聯臂)[509]하매 반가움이 넘치고 즐거움이 극하되, 만사에 부친이 재 세치 못함이 각골지통(刻骨之痛)이 되었는지라. 오늘날 영화를 한가지 로 두긋기지 못하심을 생각하매, 심장이 촌단하는지라. 형제 양인의 슬 픈 누수 첨의(沾衣)하여 오래도록 말을 이루지 못하다가, 위공이 날호 여 가로되,

"우형이 위국을 정벌하고 돌아옴을 얻으나, 현제 동으로 출정하여 돌 아 올 지속(遲速)을 정치 못하니, 울울하고 창연한 심사를 어찌 다 형언

---

509) 집수연비(執手聯臂) : 손을 잡고 어깨를 나란히 함.

하리오. 다만 존당 숙당이 안강하시고, 자정이 존후(尊候) 일양 강건하
시니, 합문이 무사하며, 없던 아이들이 연하여 나매, 회포를 위로할 곳
이 많아, 도리어 너를 잊은 듯 지내나, 병기는 흉지(凶地)라. 승패를 점
복하기 어려우니 현제의 숙연한 도학과 어진 행사로써, 혹자 요적을 쾌
히 뿌리치지 못할까 우려함이 실로 간절하더니, 금일 승전곡으로 황성
을 디디니 이 기쁨을 어찌 측량하리오."

원수 상후와 존당 체후며 양부모와 생자정(生慈庭)의 존후를 묻잡고,
부원수 본부 소식을 묻더니, 또 평제원수의 돌아오는 위의 막차에 다다
르니, 동정부원수 세흥이 위공의 곤계(昆季)와 연망이 장 밖에 나와 맞
으며, 위국공과 윤원수 도로 이어 맞으매, 정원수 그 아우를 보고 만면
에 반가운 정이 융흡(隆洽)하매 단사(丹砂)에 백옥(白玉)이 영롱하여,
우수로 세흥의 손을 잡고 좌수로 창후 형제를 붙들어 왈,

"사원과 내 한가지로 황성을 떠나 위(魏)·해(海)510)로 길을 나눴더
니, 사원은 위국을 평정하매 기한에 돌아오고 나는 평제를 탕멸하고 금
추에야 환경하거니와, 사빈의 동창 정벌이 생각 밖이요, 오늘날 서로 맞
추지 않아서 함께 돌아옴을 얻으니, 국가 대경과 사사(事事) 행심(幸甚)
함이 이 밖에 또 없는지라. 어찌 기쁨을 언어로 다 이르리오. 아지못게
라! 옥후(玉候)511) 영안(寧安)하시며 우리 친당이 무사하시냐?"

위공이 상후(上候)의 안길(安吉)하심과 취운산 합문(闔門)이 무사하
심을 전하고, 어가(御駕) 문외에 친림하심을 이른대, 정원수 만면춘풍
(滿面春風)이 삼춘혜화(三春蕙和)를 이끌어 즉시 일어나며, 가로되,

"입공반사(立功班師)의 기쁨은 둘째요, 군친이 문외에 친림하심을 들

---

510) 위(魏)·해(海) : 위국과 해북(海北).
511) 옥후(玉候) : 황제의 안부를 이르는 말.

으니 황공 불안한 중, 용전에 현알하고 친위(親位)에 봉배(奉拜)할 뜻이 일시 급한지라. 어찌 가쁜512) 일이 없이 막차(幕次)에 쉬어 한가한 긴 설화를 펴리오."

이에 기를 둘러 결진(結陣)하고 삼군이 하마(下馬)하여 어막으로 나갈 새, 윤원수 또한 결진하고 천천히 걸어 행하매, 양진 군졸의 즐기는 예기 하늘에 오른 듯하고, 정원수와 윤원수 각각 장사를 거느려 어막 앞에 나아가 팔배산호(八拜山呼)할 새, 삼군 장졸의 만세를 호창(呼唱)하는 소리 구천(九天) 창합(閶闔)513)에 진동하더라.

화설 상이 양원수를 기다리시다가 이에 추배(趨拜)함을 당하시어, 순목중동(脣目重瞳)514)에 희기(喜氣) 영자(盈滋)515)하시고 팔채용미(八彩龍眉)516)에 반김을 띠우시어, 바삐 정·윤 양원수를 나아오라 하시어 각각 집수(執手)하시고, 전진(戰陣) 구치(驅馳)를 위로하시며 입공반사(立功班師)를 칭하(稱賀) 하시어 왈,

"정경은 이미 일세 영준으로 동정서벌(東征西伐)의 대공을 세워, 위명(威名)이 대진(大振)하고 공개천하(功蓋天下)하니, 오히려 평제의 대공이룸은 기어필득(期於必得)517)할 줄 생각한 바이거니와, 윤경은 공맹(孔孟)의 도덕(道德)을 전주(專主)하여 일보일언(一步一言)518)이 성

---

512) 가쁘다 : 힘에 겹다. 숨이 몹시 차다.
513) 창합(閶闔) : 하늘 문. 궁궐의 정문.
514) 순목중동(脣目重瞳) : 입술(脣)과 눈(目) 그리고 두 눈동자(重瞳).
515) 영자(盈滋) : 가득함.
516) 팔채용미(八彩龍眉) : 임금의 아름다운 눈썹.
517) 기어필득(期於必得) : 어떠한 일이 있더라도 반드시 얻어냄.
518) 일보일언(一步一言) : 발걸음 하나하나, 말 한마디 한마디, 라는 뜻으로, '모든 행동과 말'을 이르는 말.

리(性理)의 바른 줄맥(-脈)519)으로, 이음양순사시(理陰陽順四時)520)
하여 묘당(廟堂)521)에 앉아서 치정(治政)을 의논하여 태청화각(太淸畵
閣)522)에 현명재상(賢明宰相)이 될 바는 벅벅하거니와, 풍진(風塵) 사
이에 백만중(百萬衆)을 총녕(總領)하여 양진(兩陣)의 교병(交兵)에 전
필승공필취(戰必勝功必取)523)하는 재략이 있음은, 짐이 불명(不明)하
여 자세히 알지 못하였더니, 차적을 주멸함이 용무(勇武) 당당한 대장
부라도 미치지 못할 것이 많은지라. 어찌 기특치 않으리오."

윤·정 양원수 백배(百拜) 사사(謝辭)하여 불감함을 일컫고, 문무 중
신이 일시의 만세를 불러 국지대경(國之大慶)을 하례하니, 즐기는 기운
이 양춘이 무로녹음 같은지라. 상이 정원수의 제벌(齊伐)의 공로치부책
(功勞置簿冊)을 올리라 하시고, 윤원수의 동창 평정한 공로책(功勞冊)도
올리라 하시어, 천안이 친히 살피시매, 금평후 정공과 호람후 윤공을 가
까이 부르시어 옥배(玉杯)에 어온(御醞)을 반사(頒賜)하시고 일컬어 이
르시되,

"정경은 천흥 같은 아들을 두어 국가고굉지신(國家股肱之臣)을 삼아
남정북벌(南征北伐)과 해정제벌(海征齊伐)의 공업이 천고에 희한하고,
다시 세흥이 동창의 큰 공을 이루게 하고, 윤경은 희천 같은 기자(奇子)
를 계후하여 가르침을 남달리 한 연고로, 성자도덕(聖者道德)과 명장지
략(名將智略)을 겸하여 국가의 보필을 삼으니, 으뜸은 경형이 기특하여

---

519) 줄맥(-脈) : 맥락(脈絡). 계통(系統).
520) 이음양순사시(理陰陽順四時) : 음양(陰陽)을 다스리고 사시(四時; 春夏秋冬)의
　　　변화에 순응함.
521) 묘당(廟堂) : 의정부(議政府)를 달리 이르던 말.
522) 태청화각(太淸畵閣) : 매우 깨끗하고 아름다운 전각(殿閣).
523) 전필승공필취(戰必勝功必取) : 싸우면 반드시 이기고 공을 반드시 취함.

광천 희천을 낳고, 버거는 경이 어질게 교훈한 공이라 어찌 아름답지 않으리오."

금평후와 호람후 연망이 어온(御醞)을 받자와 거우르고 일어나 배사왈,

"신 정연은 마침 천흥과 세흥 등을 두어 용렬키를 겨우 면하였사오나, 제 어찌 성주의 찬양하시는 재덕을 만의 일이나 당하리까마는, 행여 성주의 홍복(洪福)을 입사오며, 제장의 도움으로 서절구투(鼠竊狗偸)524)의 적은 도적을 멸함이 있사오나 무슨 공로가 되리까? 하물며 신 윤수는 천성이 우미불능(愚迷不能)하와 시가(詩歌)의 다다라도 분명이 깨닫지 못하옵는 바니, 어찌 군려지사(軍旅之事)525)를 가르치매 감히 남에서 나음이 있으리까마는, 광천 등이 요행 돈견(豚犬) 같기를 겨우 면하와, 일찍 성궁(聖躬)526)의 용린(龍鱗) 봉익(鳳翼)을 더위잡아527) 성주의 여천대은(如天大恩)이 그 몸에 넘치되, 실로 척촌(尺寸)도 국은을 갚지 못하오니, 매양 부자 숙질이 사실(私室)에 엎디어 전긍(戰兢)528)하는 의사 깊사옵더니, 이제 신자 희천이 동창을 주멸함이 전혀 제장의 도운 공이라, 제 어찌 명장(名將)의 지략이 있으리까? 성교를 듣자오매 신이 불승황공(不勝惶恐)하와 대주(對奏)하올 바를 알지 못하리로소이다."

상이 웃으시고 재삼 칭찬하시며, 정·윤 등의 부자 형제를 어온을 취토록 권하시고 풍악을 죄오며, 군신이 즐김을 다할 새, 정원수 친안과

---

524) 서절구투(鼠竊狗偸) : 쥐나 개처럼 몰래 물건을 훔친다는 뜻으로, '좀도둑'을 이르는 말.
525) 군려지사(軍旅之事) : 전쟁에 관한 일.
526) 성궁(聖躬) : 임금의 몸을 높여 이르는 말.
527) 더위잡다 : 높은 곳에 오르려고 무엇을 끌어 잡다.
528) 전긍(戰兢) : 전전긍긍(戰戰兢兢). 몹시 두려워서 벌벌 떨며 조심함.

동기를 반김이 지척천안(咫尺天顔)에 사정(私情)을 펴지 못하나, 반가운 정이 황홀하여 눈으로써 정을 보낼 뿐이라. 평제원수는 본디 주량(酒量)이 장(壯)한 고로, 연(連)하여 반사(頒賜)하시는 어온을 순순이 거후로되 취색(醉色)이 구태여 나타나지 않고, 동정원수는 옥면에 주기(酒氣) 잠깐 올라 봉안이 몽롱이 풀어지니, 도화 일천 점이 뜻들어529) 영롱함이 찬란하고 심히 미묘한지라, 부원수 정세흥이 근간의 술을 접구(接口)치 않다가 금일 주배(酒杯)를 연음하매 옥모의 취색이 찬연하여, 그 기상과 풍신이 신채(身彩)로 좇아 두사인(杜舍人)530)의 헌아지풍(軒雅之風)과 진승상(晉丞相)531)의 관옥지모(冠玉之貌)532)를 일컬을 바 아니요, 평제원수의 백일지풍(白日之風)과 용봉자질(龍鳳資質)이 천승(千乘)을 기필(期必)하며, 그 복덕이 곽분양(郭汾陽)533)을 웃을지라. 낭자한 배반(杯盤)534) 중에 문무 제신이 그 이자의 상모를 못내 칭찬하는지라. 금후와 호람후 두리고 깃거 않아 성만(盛滿)함을 우려하더라.

군신이 즐김을 다하고 날이 늦으매 환궁하실 새, 평제 원수로 하여금 군사를 거느려 좌로 행하라 하시고, 동정원수로 삼군 사졸을 거느려 우로 행하라 하시어, 대원수의 기계(器械)를 녈전(列展)535)하고, 상은 문

---

529) 뜻듣다 : 뚝뚝 떨어지다.
530) 두사인(杜舍人) : 중국 만당(晚唐)때 시인 두목지(杜牧之). 이름은 두목(杜牧). 중서사인(中書舍人)에 올랐고, 중국의 대표적 미남자로 꼽힌다.
531) 진승상(晉丞相) : 중국 서진(西晉)의 미남자 반악(潘岳)을 달리 이르는 말.
532) 관옥지모(冠玉之貌) : 관옥처럼 아름다운 모습. 관옥은 관(冠)을 꾸미는 옥.
533) 곽분양(郭汾陽) : 곽자의(郭子儀). 697~781. 중국 당(唐)나라 중기의 무장(武將). 안녹산 사사명의 반란을 평정하고 토번을 쳐 큰 공을 세워 분양왕(汾陽王)에 올랐다.
534) 배반(杯盤) : ①술상에 차려 놓은 그릇. 또는 거기에 담긴 음식. ②흥취 있게 노는 잔치.
535) 녈전(列展) : 늘어세워 보임.

무 천관을 거느려 뒤에 오실 새, 양진 원수의 도창검극(刀槍劍戟)536)이 햇빛을 가리고, 추상(秋霜) 같은 위엄이 길이 좁게 가더라.

평제원수는 용무재략(勇武才略)이 운남 이후로 절이(絶異)함이 무후(武侯)537)로 견줄 바이거니와, 윤원수 반사는 처음이라. 만목이 황홀하여 주아부(周亞夫)538)의 지난 위풍이 있다 하며, 황상이 뒤에서 바라보시고 불승대희(不勝大喜)하시니, 금평후와 호람후 또한 두굿김을 먹음고 각각 아들을 바라볼 뿐이라. 영광이 만고(萬古)에 처음이요, 세대(世代)에 다시없는 장관이라. 도성(都城) 사민(四民)이며 왕후(王侯) 궁가(宮家)에 이르기까지 거리에 집 잡아 관경(觀景)하며, 정·윤 등의 기특함을 일컬어, 새로이 위 태부인과 유부인의 과악(過惡)을 일러, 가로되,

"청문과 효문 같은 손아를 온 가지로 보채여 못 견디도록 조르던 용심이 아무리 생각하여도 세상의 둘 없는 대악이라."

하더라.

행하여 환궁하시고 만조가 파조하여 돌아 올새, 상이 동창과 평제를 탕멸한 공을 명일 처치하심을 하교하시다.

정·윤 양원수 궐문 밖에 나와 군졸을 각각 '이문(里門)에 기다리는 정(情)'539)을 위로하라 하고, 자기 등은 경사 하리로 각각 부중으로 돌

---

536) 도창검극(刀槍劍戟) : 군사들의 병기(兵器)인 다양한 종류의 칼과 창을 일괄하여 이르는 말.

537) 무후(武侯) : 제갈량(諸葛亮). 181~234. 중국 삼국 시대 촉한의 정치가. 자(字)는 공명(孔明). 시호는 충무(忠武). 무향후(武鄕侯)에 봉작되었다.

538) 쥬아부(周亞夫) : 중국 전한(前漢) 전기의 무장, 정치가. 오초칠국(吳楚七國)의 난을 평정해 공을 세웠고 승상에 올랐다.

539) 이문(里門)의 기다리는 정(情) : 동네 어귀의 문에 기대어 기다린 다는 말로, 의려지망(倚閭之望)을 뜻함. 즉 자녀나 배우자가 돌아오기를 초조하게 기다리는 가족들의 마음을 비유적으로 나타낸 말.

아 올새, 호람후 명일 정원수 봄을 일컫고, 금평후는 윤원수의 손을 잡
고 쉬어 취운산으로 옴을 이르며, 하공 부자는 뒤를 좇아 옥누항에서 밤
을 지내려 할 새, 황친국척(皇親國戚)과 제국열후(諸國列侯)가 취운산·
옥누항으로 나눠 가, 윤·정 양원수의 경사를 치하하더라.

윤원수 부형을 모셔 부중으로 돌아와, 바로 원양전에 들어가 존당과
양 모친께 배알하고, 문친(門親)540)이 다 반기고, 위·유 양부인은 더
욱 비감하여 눈물을 흘리며, 창린 형제 중문 밖에 마주 나와 옷을 붙들
고 즐겨 맞아 들어가, 좌정 후 말을 발치 못하여서, 하·장 양부인의 신
생 양아(兩兒) 좌우에 있으니, 원수 출정할 때에 하·장 이부인이 잉태
만월하였더니, 벌써 세상에 난 지 십삭이 되었으니, 그 영오수발(穎悟秀
拔)함이 부숙여풍(父叔餘風)으로 말을 거의 전코자 하며, 그 모양이 비
상하여 창린 형제와 다르지 않음을 행희 하더라. 그 사이 허다 부인중에
여러 부인이 생자하여 겨우 삼사칠(三四七)541)이 되었더라. 원수 부모
존당과 합내(閤內) 안녕함을 기뻐하며 십여삭(十餘朔) 내에 없던 옥동
이 층층하여 개개 비상하더라.

원수 희열함이 생세지내(生世之內)에 처음이라. 존당과 양 자위께 존
후를 묻잡고, 자질을 어루만져 기쁘며 아름다움을 이기지 못하는지라.
조손(祖孫) 부자(父子)와 형제(兄弟) 서로 별회(別懷)를 베풀 새, 융융한
영화가 만고에 없는 듯, 호람후의 두굿기며 반기는 정은 천륜 밖에 자별
하더라.

미쳐 정회를 펴지 못하여서, 외헌에 하객이 낙역(絡繹)하니, 호람후
자질을 거느려 나와 빈객을 접응할 새, 재열명류(宰列名流) 모여 원수의

---

540) 문친(門親) : 종친(宗親). 같은 가문의 친척.
541) 삼사칠(三四七) : 삼칠일(三七日; 21일) 또는 사칠일(四七日; 28일)

재덕을 못내 칭선하며 하언이 분분하니, 호람후 부자와 숙질이 이루 응대키 어렵되, 만좌 제객이 더욱 그 성행을 일컫고, 하언(賀言)이 분분여류(紛紛如流)하더라.

날이 저물매 제객이 각귀기가(各歸其家)하고, 공이 자질을 거느려 내당에 들어와 태부인을 모셔 말씀할 새, 차시 유부인의 원수를 귀중함이 조부인의 위인 듯하니, 대개 조부인은 천성이 단중하기를 주하는 고로, 위공 등을 애중함이 범연한 것이 아니로되 사랑하는 빛을 나타내지 아니하더라.

호람후 외당에 나와 하공 부자와 담화하여 밤을 지낼 새, 하공의 사위 사랑이 탐혹하여 친자에 감치 않은지라. 원수 초후의 유부인을 즐욕함을 분노하여 여러 일월에 온심(慍心)이 풀리지 않으니, 도금(到今)하도록 흔연 관접(款接)함이 없더니, 금일에 다다라는 하공의 정을 돌아보아 불호한 빛을 못하여 담소하고, 명조에 원수 사묘(祠廟)에 배알하고 화상(畵商)에 배례하매, 각골지통(刻骨之痛)이 누수 광수(廣袖)를 적시더라.

금평후 제자를 거느려 취운산의 돌아오매, 아공자 등이 문외에서 배알하니, 수년 내에 장성함이 범아의 십세나 된 듯하니, 원수 제아의 기특함을 보매 면모에 춘풍이 일어나니, 평후는 더욱 아름다움을 측량치 못하여 아자 등의 손을 잡고 태원전에 들어오니, 태부인이 양 손이 함께 들어오매 반갑고 즐거움이 측량없어, 난간 밖에 나와 양원수의 배례함을 당하여 각각 손을 잡고 기쁨을 깨닫지 못하거늘, 진부인이 양자를 반김과 즐거움이 무궁하더라.

원수 조모를 붙들어 정침에 들으심을 청하고, 모친께 배례하며, 윤·양·이·경과 제수로 예필 후 좌를 이뤄 존당 부모의 존 후를 묻자올새,

만심환희(滿心歡喜)하여 만실(滿室)이 춘풍화원(春風花園)이러라.

태부인이 탐(貪)하여 소왈,

"노모 너희를 보내고 주야 그리던 회포로 숙식이 편치 못하더니, 국가 홍복(洪福)과 여등의 재덕이 출류(出類)하여 오늘날 승전하여 돌아오니, 국가의 충신이요, 내 집의 효자라. 이 즐거움을 무엇에 비하리오. 사람마다 충효를 양전(兩全)키 어렵거늘, 여등은 갖추 겸하니 이런 기특한 일이 어데 있으리오."

이러구러 미쳐 정회를 다 펴지 못하여 외당에 하객이 운집하니, 금평후 외헌에 나와 빈객을 수응(酬應)할 새, 명공 청현이 원수 등의 재덕을 칭선(稱善)함이 측량없더라.

금후 도리어 기뻐 않으며, 원수 청검근신(淸儉謹愼)하기를 주하여 엄훈을 폐부에 새기더라.

평제 원수의 하일지위(夏日之威)며 용호기습(龍虎氣習)이 자연 태산이 암암(巖巖)하고 추천(秋天)이 의의(依依)함542) 같아서, 사람으로 하여금 그 구석543)과 가544)을 엿보지 못하게 하여 두려워하는 의사 있고, 부원수의 준엄굉렬(峻嚴玄烈)545)하며 뇌락상쾌(磊落爽快)함이 대장부의 기상과 영준지상(英俊之像)이 가즉하니, 전일의 실성발광(失性發狂)은 아무 곳에 미쳤다 하여도, 금자(今者)에 보기에는 사람의 탄복(歎服) 기경(起敬)할 바라. 소계암이 또한 이에 와 동원수의 손을 잡고 애중하는 의사가, 얻은 사위로 다르지 않되, 성친을 재촉함은 너무 급한고로, 혼인 다히546) 말은 않더라.

---

542) 의의(依依)하다 : 풀이 무성하여 싱싱하게 푸르다.

543) 구석 : 구석. ①모퉁이의 안쪽. ②마음이나 사물의 한 부분.

544) 가 : 경계에 가까운 바깥쪽 부분

545) 준엄굉렬(峻嚴玄烈) : 조금도 타협함이 없이 매우 엄격하며, 통이 크고 격렬함.

천색(天色)이 어두우매 허다 빈객이 다 돌아가고, 금후 내루에 들어와 태부인을 모셔 담화하다가. 야심하매 물러 죽헌에 나와 취침할 새, 부자 형제가 일실지내(一室之內)에서 오래 이별하였던 정을 이르매, 날이 밝는 줄을 깨닫지 못하고, 금평후 두 원수 사랑함이 유자(幼子) 같고, 형제가 장침(長枕)에 힐항(頡頏)547)하여 즐김이 비길 데 없더라.

어시에 만세 황야.

---

546) 다히 : 쪽. 방향을 가리키는 말.
547) 힐항(頡頏) : '새가 날면서 오르락내리락 함'을 뜻하는 말로 형제간에 우애하며 지내는 모양을 이르는 말.

명주보월빙 권지팔십칠

어시에 만세 황야 정원수의 남정북벌(南征北伐)과 해정제벌(海征齊伐)의 공업이 당세 일인이요, 문무 대재라. 충효덕망이 천고에 희한하니 크게 아름다이 여기사, 천의(天意) 결(決)하여 정천흥으로써 제국의 주(主)를 삼으려 하실 새, 명일 금전(錦殿)548)에 조알(朝謁)을 받으시고, 인하여 제신을 돌아보아 가라사대,

"군신은 부자일체(父子일체)라. 사이번국(四夷藩國)이 반경(叛境)549)이 있는 때를 당하여, 어느 신자가 짐의 우려함을 아니 절박히 여기리오마는, 실로 정천흥과 윤광천 형제 같은 이는 없는지라. 사사(私事)를 불고(不顧)한 위국정충(爲國貞忠)이 금석(金石)에 새겨 죽백(竹帛)550)에 드리움직 한지라. 석(昔)애 윤현이 정연으로 더불어 금국에 나아가 참사하고, 정연은 안율도의 머리를 베고 위풍을 빛내니, 으뜸은 윤현이 충절로 몸을 마쳐 호삼개의 군신으로 하여금 크게 감동케 한 공이며, 버거551) 정연의 대공이로되, 윤현이 생시에 그 이름을 사책(史冊)에 올림

---

548) 금전(錦殿) : 황금으로 꾸민 전각이라는 뜻으로, 아름다운 궁전을 이르는 말.
549) 반경(叛境) : 반역을 일으키는 지경(地境).
550) 죽백(竹帛) : 서적(書籍) 특히, 역사를 기록한 책을 이르는 말. 종이가 발명되기 전에 대쪽이나 헝겊에 글을 써서 기록한 데서 생긴 말이다.

을 꺼려하고, 정연이 또한 이와 같아서 지성으로 사양하매, 윤·정의 이름을 사책(史冊)에 올리지 못하니, 그 아들이 대를 이어 윤광천 형제와 정천흥 등이 명수죽백(名垂竹帛)함을 불원(不願)하니, 짐이 그 겸퇴(謙退)하는 뜻을 앗지 못하여 사기(史記)에 이름을 빼고 보매, 공업(功業)이 헛되고 이름이 후세에 초목과 같이 민멸함이 실로 아깝고 애단552)지라. 광천은 타일 그 나이 차기를 기다려 천승지위(千乘之位)를 줄 양으로 정하고, 천흥을 먼저 제국왕을 삼아 단서철권(丹書鐵券)553)을 주어 자손이 승습(承襲)하고, 병부 군무(軍務)와 대장군 천하병마사(天下兵馬使)의 번극(煩劇)한 중임을 천흥이 아니면 당치 못하리니, 경사에 왕궁을 두고 귀국하든 않게 하리니, 제경(諸卿)은 짐의 뜻을 어떻다 하느뇨?"

삼공(三公)이 주 왈,

"상벌은 선왕의 밝히신 바요, 봉작은 그 위인과 공로를 좇아 따르는 것이니, 성상이 천흥을 봉왕(封王)코자 하심이 실로 마땅하온지라. 신 등이 성주의 상작을 행하심이 명성(明聖)하신 바를 열복(悅服)하나이다."

상이 더욱 기뻐하시어 정천흥으로써 제국 왕 새수(璽綬)554)를 주시되, 병부상서 용두각 태학사 대장군 천하병마절제사를 갈아 555)주지 않으시고, 경사에 평제왕궁을 주시고 귀국치 못하게 하시고, 그 조선(祖先)을 대대 추증(追贈)하며, 금평후는 상제왕(上齊王)을 봉하며, 진부인으로써 태왕비(太王妃)를 봉하시고, 원비(元妃) 절효의열비(節孝義烈

---

551) 버거 : 둘째. 다음. 둘째로, 다음으로.
552) 애달다 : 마음이 쓰여 속이 달아오르는 듯하게 되다.
553) 단서철권(丹書鐵券) : 공신을 표창하던 문권(文券)과 쇠로 만든 표지.
554) 새수(璽綬) : 국새(國璽). 나라를 대표하는 도장.
555) 갈다 : 이미 있는 것을 다른 것으로 바꾸다.

妃) 윤씨로 제국 정비(正妃)를 삼고, 십희(十姬)로써 희빈(嬉)556) 위
호를 주게 하신 후, 부원수 조현창으로 정천후를 봉하시고, 선봉 경환기
로 평제백을 봉하시고, 윤기천으로 평양백을 봉하시고, 구응사 석준의
본직 상태우(上大夫)를 도도아 영능후를 봉하시고, 기차(其次) 제장을
차례로 공로(功勞)를 좇아 작상(爵賞)을 더하시고, 동정원수 윤희천으
로 본직 이부상서 홍문관태학사에 다시 금자광록태우 겸 황태부(皇太
傅)를 더하시고 동평후를 봉하신 후, 부원수 정세흥으로 본직 간의태우
(諫議大夫)를 도도아 형부상서 문연각태학사 동월후를 봉하시고, 동정
에 갔던 제장을 차차로 봉작하시매, 지공무사(至公無私)하시어 각각 이
룬 공을 좇아 작상(爵賞)이 맞갖으니557), 삼군 사졸이 흔흔이 심복(心
服)하여 격조(激調)의 지저귐과, 사중(士衆)558)에 말할 이 없으되, 정
원수와 윤원수 대경하여 연망(連忙)이 면관(免冠) 고두(叩頭) 왈,

  "신 등이 비록 정벌에 소소공로(小小公路)를 얻어 신자의 직분을 만
분지일이나 행하였사오나, 신 등이 본직이 과도하여 열운 복이 넘삽거
늘, 이제 봉왕봉공(封王封公)하시어 신 등으로 하여금 몸 둘 땅이 없게
하시니, 신 등이 이런 과분한 직위를 당하와 반드시 손복감수(損福減
數)559)하올지니, 복원 성상은 황민(惶憫)한 정사를 살피시어 왕위와
봉공지사(封公之事)의 성지를 거두심을 바라옵나니, 신 천흥은 일개 박
덕무식지인(薄德無識之人)이거늘 무슨 덕화로 천승지위(千乘之位)를

---

556) 빈(嬪) : 조선 시대에, 후궁에게 내리던 정일품 내명부의 품계. 종일품인 귀인
    (貴人)의 위. 왕비로 책봉되면 품계가 없어진다. '숙빈(淑嬪)' '영빈(映嬪)' '희
    빈(禧嬪)' 등의 위호(位號)가 있다.
557) 맞갖다 : 마음이나 입맛에 꼭 맞다.
558) 사듕(士衆) : 군중(軍衆). 군사들의 무리.
559) 손복감수(損福減數) : 복이 달아나고 수명이 줄어듦.

누리오며, 신 희천은 천성이 암용불민(暗庸不敏) 하와 소학(所學)이 박누(薄陋)하오니, 여염소자(閭閻小子)들도 가르칠 재주 없삽거늘, 무슨 행의(行義)와 무슨 재주로 동궁(東宮)을 돕사와 감히 황태부 소임을 당하리까? 봉공이 외람할 뿐 아니라 태부작채(太傅爵次) 불감황공(不堪惶恐)하온지라. 신이 태자소부(太子少傅)로 있사올 때에도 춘궁(春宮)을 척촌(尺寸)도 도운일이 없사오니, 바라건대 성명은 각별이 명정군자(明正君子)를 가리사 동궁태부를 삼으시고, 신의 과람(過濫)한 작직을 거두사 손복게 마소서."

말씀이 혈심에서 비롯하여 부귀를 꿈같이 여기고, 성만(盛滿)함을 두려워함이 극하니, 고두사양(叩頭辭讓)하기를 그치지 않는지라. 그 고집이 봉왕 봉공 인수(印綬)를 즐겨 받지 않을 거동이라. 상이 부디 그 뜻을 우겨 왕공(王公) 새수(璽綬)[560]를 주려 하시는 고로, 천안이 크게 불예(不豫)하시어 정색하고 이르시되,

"천여불취(天與不取)면 반수기앙(反受其殃)이라[561]. 경 등이 식니군자(識理君子)로 천의를 모르지 않을 것이거든, 어찌 사체(事體)를 알지 못하는 사람같이 사양함이 이 같으뇨? 공(功)을 정하고 작상(爵賞)을 행함은 한 사람의 사사가 아니라. 고자(古者) 제왕의 법을 의빙(依憑)함이니, 경등이 아무리 다투어 봉작을 면코자 하나, 짐심(朕心)이 굳게 정하였으니, 경등의 원을 듣지 않으리니 부질없이 고사(固辭)치 말지어다."

하시고 이에 금평후와 호람후를 명패(命牌)하시니, 금평후 정공과 호람후 윤공은 국가 대사와 삭망조알(朔望朝謁) 밖은 참예하는 일이 없는

---

560) 새수(璽綬) : 국새(國璽)의 꼭지에 꿴 끈이라는 말로, 국새를 뜻한다.
561) 천여불취(天與不取)면 반수기앙(反受其殃)이라 : 하늘이 주는 것을 받지 않으면 도리어 앙화(殃禍)를 입게 된다.

고로, 금일 조회에 들어오지 않았더니, 패명을 좇아 입궐하니, 상이 천흥과 희천으로써 봉왕 봉공함을 이르시고, 가라사대,

"님군이 명하는 바는 견마(犬馬)라도 사양치 않는다 하니, 하물며 작상을 더함이랴? 짐심이 이미 굳게 정하였거늘 천흥과 희천이 무식히 사양하여, 군신의 화기를 상해오고 대체(大體)를 생각지 아니하니, 경등이 모름지기 각각 아자를 경계하여 봉작을 다시 사양치 못하게 하라."

금평후 먼저 배복 주 왈,

"성교를 듣자오매 불승황황(不勝惶惶)하와 아뢸 바를 알지 못하리소이다. 천흥이 연소부재(年少不才)로 외람이 성은을 입사와 일찍 경악(經幄)의 근시(近侍) 되옵고, 문무 두 길을 디뎌 조정의 대용(大用)함이 되오니, 신이 숙야(夙夜) 전긍(戰兢)하올 뿐 아니라, 인흥이 차례로 용방에 올라 재열에 있으니, 부자 오인이 공후 아니면 옥당명환(玉堂名宦)이라. 옥보(玉寶) 금인(金印)이 상자에 가득하고, 화가주륜(華駕朱輪)이 곡중(谷中)에 메였으니, 매양 가득하면 찢어지는 화(禍)를 생각하와, 유한(流汗)이 첨의(沾衣)함을 면치 못하옵더니, 이제 천흥의 적은 공으로써 군왕을 봉하시고, 지어(至於) 신의 부처에 이르도록 봉왕봉비(封王封妃)하심을 듣자오니, 천은의 망극하심을 모르는 것이 아니오되, 열운 복이 손(損)하올 바를 헤아리오매 몸 둘 땅이 없삽나니, 복망 폐하는 신의 부자의 황황민축(惶惶憫蹙)562)한 정사(情私)를 살피소서."

호람후 이어 주 왈,

"희천은 한낱 암용불민지인(暗庸不敏之人)이라, 마침 동적(東賊)을 탕멸하옴이 위로 성주의 홍복을 힘입삽고, 아래로 제장의 도운 공이라. 제 스스로 일운 공이 없사오니 어찌 외람이 봉작을 양양(揚揚)이 받자

---

562) 황황민축(惶惶憫蹙) ; 몹시 두려워하며 근심하고 삼감.

오리까? 희천의 사양하옴이 성은을 경시(輕視)함이 아니오라, 저의 부재(不才)로 능히 당치 못하올 바를 깊이 불안하옴이니, 폐하는 과도한 봉작을 더하지 마시고, 그 본직이 열운 분(分)563)의 극함을 살피소서."

천심이 양 공의 주사를 들으시고 가장 기뻐 않으시어, 다시 이르시되, "지자(知子)는 막여부(莫如父)요, 지신(知臣)은 막여군(莫如君)564)이라. 짐이 천흥의 당당한 상모(相貌)가 천승(千乘)을 기필(期必)할 바와, 희천의 숙연한 덕화(德化)가 이윤(伊尹)565) 주공(周公)566)의 일류(一類)로 황각(黃閣)567)에 깃들이며, 제자(帝子)의 사우(師友)로 문장 도학이 당세에 일인임을 아나니, 어찌 그 작위 일분이나 과도함이 있으리오. 무릇 손복감수(損福減壽)란 것은 불인박덕(不仁薄德)의 유(類) 범사에 넘침이 있으면 자연이 화를 보거니와, 천흥과 희천 등의 복록완전지상(福祿完全之相)은 곽분양(郭汾陽)568)에 지나거늘, 경등이 어찌 아들을 몰라 보리오마는, 짐의 박덕을 꺼려 상작을 분명히 행치 못하게 하고자 함이니, 짐이 경등을 믿던바 아니라. 모름지기 대체를 숭상하여 당치 않은 근심과 무익히 공구(恐懼)하는 염려를 말고, 이 번 작상은 사

---

563) 분(分) : 분수(分數). 자기 신분에 맞는 한도.
564) 지자(知子) 막여부(莫如父), 지신(知臣) 막여군(莫如君) : 아들을 알기는 그 아버지만한 이가 없고 신하를 알기는 그 임금만한 이가 없다.
565) 이윤(伊尹) : 중국 은나라의 전설상의 인물. 이름난 재상으로 탕왕을 도와 하나라의 걸왕을 멸망시키고 선정을 베풀었다.
566) 주공(周公) : 중국 주나라의 정치가. 문왕의 아들로 성은 희(姬). 이름은 단(旦). 형인 무왕을 도와 은나라를 멸하였고, 주나라의 기초를 튼튼히 하였다. 예악 제도(禮樂制度)를 정비하였으며, ≪주례(周禮)≫를 지었다고 알려져 있다.
567) 황각(黃閣) : 의정부(議政府)를 달리 일컫는 말.
568) 곽분양(郭汾陽) : 곽자의(郭子儀). 697~781. 중국 당(唐)나라 중기의 무장(武將). 안녹산 사사명의 반란을 평정하고 토번을 처 큰 공을 세워 분양왕(汾陽王)에 올랐다.

양치 못할 줄 알라."

금평후와 호람후 성교(聖敎)를 받자오매, 인신의 도리에 감히 다시 사양치 못할지라. 천의(天意) 이같이 견고하시거늘, 부질없는 고사(固辭)로 군신대체(君臣大體)를 상해오미 가치 않은지라. 금평후 주 왈,

"성교 지차하시니 신이 다시 아뢸 말씀이 없사오되, 신의 왕작이 더욱 놀랍사온지라. 복망 폐하는 미신의 지원을 살피시어 상제왕(上齊王) 봉작을 환수하시면 열운 복이 편할까 하나이다."

호람후 또 주 왈,

"희천이 한 번 동정에 소소한 공이 있사오나, 제 나히 아직 이십도 차지 못하였삽나니, 어찌 봉공하심을 감당하리까? 원컨대 동평공 작위를 환수하시어 저의 황황한 심사를 편케 하심을 바라옵나니, 희천이 본디 졸약잔미(拙弱屛微)하와 분의(分義)에 과한 직임을 당한즉, 숙식을 편히 못하옵고 전긍(戰兢)하여 질(疾)을 이루오니, 신의 부자가 천은을 감골치 않음이 아니오되, 스스로 덕이 박하고 재주 미하온데 작록이 인신에 과의(過矣)오니, 어찌 두렵지 않으리까?"

금평후와 호람후 주사를 그치매, 정·윤 양 원수 봉왕봉공함을 고사함이 간절하되, 상이 불윤하시고 천안이 엄려(嚴厲)하시어 이르시되,

"경등의 부자가 아무리 사양하나 짐이 이미 정한 바니, 만조가 비록 가치 아니타 하여도 짐이 정한 바를 고치지 않으리라."

하시니, 정원수 달리(達理) 군자로 이미 자기 명수를 헤아리매, 평제국군 되기를 사양하여 면치 못할 줄 알고, 다시 고사치 못하여 배복 사은 왈,

"신이 부귀를 도적하는 욕심이 그칠 줄을 알지 못하오니 대인할 면목이 없사오나, 천의 마침내 신의 황축(惶蹙)한 사정을 살피지 않으시니 감히 사양치 못하나이다."

천안이 크게 희열(喜悅)하시어 조서를 나리와 공적을 포상하시고, 도독부(都督府)569)와 병부(兵部) 이부(吏部)로 하여금 공훈을 차례로 기록하여 올리고, 호부(戶部)를 명하시어 상사(賞賜)할 금은을 갖추고, 예부(禮部)는 절도(節度)를 정하고 공부(工部)에서는 단서철권(丹書鐵券)570)을 만들고, 한림원은 봉왕(封王) 면복(冕服)571)을 지으라 하시니, 금평후 단지(段地)572)에 머리를 두드려 자기 봉왕하는 성지(聖旨)를 환수하심을 간걸(懇乞)하니, 상이 웃으시고, 가라사대,

"경을 새 나라에 봉왕함이 아니요, 불과 천흥의 봉국에 태상왕(太上王)으로 영효를 두굿기게 하고자 함이러니, 경의 뜻이 이 같으니 상제왕(上齊王) 인수를 거둠이 무엇이 어려우리오. 경의 조선(祖先)을 다 추증(追贈)하매, 경이 또 생세(生世)에 천승국군의 부군(父君)으로 비록 봉왕을 사양하나 영복이 극진하고, 사후에 왕녜(王禮)로 장하리니, 짐이 경의 공검한 뜻을 돌아보아 태왕(太王)을 삼지 아니하노라."

금평후 아자의 왕작이 외람하나 천의 견고하심을 보고, 하릴없어 재배사은 하되, 윤원수 마침내 오사(烏紗)573)를 쓰지 않고, 나이 이십이 차지 못함을 고하여 봉공이 외람하고 불사(不似)함을 한결같이 다투어, 안색이 화평하되 사기 단엄하며 말씀이 종용하나 심정의 견고함이, 여수(麗水)574)의 겸금(兼金)575)을 단련(鍛鍊)하고 곤산(崑山)576)의 흰 옥

---

569) 도독부(都督府) : 중국에서, 군정을 맡아 다스리던 지방 관아. 또는 외지(外地)를 통치하던 기관. 당나라 때는 고구려, 백제가 멸망한 뒤 그 옛 땅에 9도독부, 5도독부를 각각 두었고, 신라 땅에까지 계림 도독부를 두었다.
570) 단서철권(丹書鐵券) : 공신을 표창하던 문권(文券)과 쇠로 만든 표지.
571) 면복(冕服) : 면류관과 곤룡포를 아울러 이르던 말.
572) 단지(段地) : ①층이진 땅. ②계단 아래.
573) 오사(烏紗) : 오사모(烏紗帽). 관복을 입을 때 머리에 쓰던 검은 사(紗)로 만든 모자.

이 단단함 같으니, 군상의 위엄으로도 그 뜻을 앗기 어려운지라. 상이 동평공 작위를 낮추어 동평후를 봉하시고, 가라사대,

"후작을 다시 사양하며 태자태부 소임을 싫게 여길진대, 군신대의와 사체(事體)를 모르고 짐을 업신여김이니, 모름지기 고사(固辭)하는 말을 다시 내지 말라."

하시니, 원수 하릴없어 배복사은(拜伏謝恩)하매, 상이 흔연히 이르시되,

"금일은 봉공(封公)을 사양하여 면하였거니와 타일은 삼공(三公)577) 의 으뜸 자리를 사양치 못하리라."

하시고 좌복야 초평후 하원광의 작호를 도도아 초국공을 봉하시니, 초후 새로이 이룬 공이 없으되, 김탁 흉적을 탕멸하여 성상의 위태하신 변을 면하심은 초후의 대공이로되, 그 나이 차지 못한 고로 국공(國公) 을 봉치 않아 계시더니, 이제 나이 이십이 넘었는 고로 특별이 국공을 봉하시니, 초후 화가여생(禍家餘生)으로 부자가 봉공(封公)함을 크게 외 람하여 사양하되, 상이 불윤하시니 능히 다투지 못하여 사은하니라.

상이 금평후더러 이르사대,

"짐이 전일 경의 집에 사연(賜宴)을 명하였더니, 경이 복제(服制)로 연석을 받지 못하고, 인하여 천흥 등이 출정하여 수년을 즈음친 연고로,

---

574) 여수(麗水) : 중국 양자강(揚子江) 상류인 운남성(雲南省)의 금사강(金砂江)을 이름. 〈천자문〉 '금생여수(金生麗水)'에서 말한 금(金)의 산지(産地)로 유명.
575) 겸금(兼金) : 품질이 뛰어나 값이 보통 금보다 갑절이 되는 좋은 황금.
576) 곤산(崑山) : 곤륜산(崑崙山). 중국 전설상의 높은 산. 중국의 서쪽에 있으며, 옥(玉)이 난다고 한다. 전국(戰國) 시대 말기부터는 서왕모(西王母)가 살며 불 사(不死)의 물이 흐른다고 믿어졌다.
577) 삼공(三公) : 삼정승. 조선의 영의정·좌의정·우의정. 중국 주(周)·명(明)· 청(淸)의 태사(太師)·태부(太傅)·태보(太保). 한(漢)·당(唐)·송(宋)의 태우 (太尉)·사공(司空)·사도(司徒).

시금(時今) 연회(宴會) 단란(團欒)578)치 못함이 흠사(欠事)라. 이제 왕
궁을 이룬 후 잔치를 받게 하라."

금평후 순순 배사하여 성은을 일컫고 물러나니 만조가 퇴조할 새, 상
이 제왕궁을 바삐 지으라 재촉하시니, 평제왕이 주하되,

"신의 집이 광활하여 여러 형제 견딜 만하되, 폐해 부디 궁실을 짓고자
하시면 경사 재물을 허비할 것이 아니라, 본국의 받드는 것으로 족히 궁
실을 이루올 것이니, 호부 금백과 각사 민력을 허비치 말게 하소서."

상이 그 청검한 뜻을 좇아 그리 하라 하시다.

평제왕이 취운산으로 나가는 길에, 옥누항에 들어가 악모와 위·유
두 부인께 배현하고 수년지내(數年之內)의 존후를 묻잡고, 창후 형제 연
하여 승첩하여 입공반사 함을 하례하니, 조부인과 위·유 두 부인이 또
한 평제왕의 열토봉왕(列土封王)579) 함을 칭하고, 조부인이 심리(心
裏)에 여아 천승국모(千乘國母)로 혁혁한 존귀를 누림을 두굿기나, 선
상서 보지 못함을 통할(痛割)580)하고, 차자가 마저 봉후(封侯) 고명(告
命)581)을 가져 이부천관(吏部天官)으로 황태부(皇太傅)를 겸하여 홍문
관(弘文館) 광록시(光祿寺)582)의 으뜸 머리 짓는 재상이 되니, 도리어
성만함을 두리는지라. 호람후 불안하고 외람하나 역시 대견스러움이 극

---

578) 단란(團欒) : 한 가족의 생활이 원만하고 즐겁다.
579) 열토봉왕(列土封王) : 일정한 땅을 정하여 주어 왕을 봉함.
580) 통할(痛割) : 애를 끊으며 아파함.
581) 고명(告命) : 예전에 임금이 관리의 임명, 해임 따위의 인사에 관한 명령을 적
      어 당사자에게 내려주던 문서. ≒사령장(辭令狀).
582) 광록시(光祿寺) : ①고려 시대에, 외빈(外賓)의 접대를 맡아보던 관아. 태조 초
      기에 둔 것으로, 문하성에서 외빈을 접대하는 일을 맡게 되면서 없어졌다.
      ②중국의 북제·당나라 이후 제사나 조회(朝會) 따위를 맡아보던 관아.

하여 조부인을 위로하더라.

평제왕이 숙렬과 진·하 등의 유자를 어루만져 아름다움을 이기지 못하여, 위공 등의 높은 복을 칭하며 동평후를 향하여 웃고 이르대,

"나는 작일에 환경하여 금일 즉시 악모께 배현하여 반자(半子)의 도를 다하되, 사빈 등은 아무 대를 나갔다가 돌아와도 우리 존당과 부모께 즉시 와 배알하는 일이 없으니, 가히 반자의 정이라 이르랴?"

동평후 함소왈,

"형이 우리 집에 박(薄)지 않거니와, 오늘 즉시 와 배현함은 족히 일컬을 말이 아니라. 조회 길에 과문불입(過門不入)583)치 못하여 색책(塞責)584)으로 들어옴이지, 한갓 편위와 존당에 배현코자 함이 아니요, 불과 정·진 이수와 하씨를 반기려 옴이니, 소제 또 저저를 배견(拜見)할 뜻이 급하니 형이 이리 이르지 아니하여도, 가간에 대단한 사고 없는 후야, 취운산에 나아가기를 바야지 않으리까?"

위공이 소왈,

"형이 아등을 자주 왕래코자 하거든, 가사를 옮겨 성내로 들어오소서."

평제왕이 함소왈,

"동기를 위한 정이 박한 것이 아니로되, 내 금일 이에 옴은 존당과 악모 존후를 묻잡고 매자를 반기고자 함이러니, 사빈이 색책으로 온다 하며 과문불입(過門不入)지 못함이라 이르거니와, 군 등의 인사는 우리 집이 비록 가까이 있어도 과불입이 잦을까 하노라."

호람후 소왈,

"속담에 아내를 사랑하는 자가 처가를 중히 여기는 고로, 우리 집에 정이

---

583) 과문불입(過門不入) : 아는 사람의 집 문 앞을 지나면서도 들르지 아니함.
584) 색책(塞責) : 책임을 면하기 위하여 겉으로만 둘러대어 꾸밈.

후하고, 오아 등은 처실을 중히 여기지 않는 고로 처가에 무정한가 하노라."

평제왕이 소이대 왈(笑而對曰),

"연숙 말씀이 마땅하시대, 소생은 본디 신기(神氣)를 굳게 잡아 박행을 피하는 고로, 무죄한 처실을 공연이 박대구욕(薄待驅辱)하는 광거는 않았삽나니, 사원의 아내 거교를 깨치는 광중과 사빈의 맥맥히 박처(薄妻)하던 바는 아무리 생각하여도 괴이하더이다."

위공이 참지 못하여 두어 말 희소를 발하여 존당 숙당의 즐기심을 돕더니, 날이 늦으매 제왕이 취운산으로 돌아가고, 동평후 심사 한가함을 인하여 동월백 경공의 부인 양씨의 따라온 바를 고하니, 조부인이 크게 자닝히 여기고, 호람후 그 정리를 추연하여 옥누항 근처에 빈 집을 얻고 경소저와 양부인을 즉시 데려 오니, 양씨 그 제남 양박에게 의지하려 올라 왔더니, 양박이 그 사이 등과하여 화주 자사로 나가고 없으니, 양씨 모녀 윤원수의 은덕으로 겨우 경사까지 득달하였으나 돌아 갈 곳이 없어 정히 착급할 즈음에, 윤부에서 가사를 얻어주고 조부인이 살 도리를 도모하여 극진히 지휘하고 고렴(顧念)함이 강근지친(强近之親) 같으니, 양씨 여아로 더불어 감은골수(感恩骨髓)함을 이기지 못하더라.

이때 정부에서 제왕이 천승지위(千乘之位)를 받자와 조선(祖先)을 왕작으로 추증하고, 부모 존당의 영효 무궁하여 부귀를 측량치 못하고, 세흥의 작차(爵次)가 육경(六卿)에 종사하고 위거공후(位居公侯)585)하니 젊은 나이에 만사 과의(過矣)라. 순태부인과 금평후 부부 성만함을 두려워하여 도리어 기쁜 줄을 모르더라.

---

585) 위거공후(位居公侯) : 작위(爵位)가 공후(公侯)의 반열에 있음.

소 소사(少師)586) 금평후를 와 보고, 사세(事勢) 이미 다른 곳에 적인(適人)587)치 못하게 되었으니, 여아의 무주러진 운발이 잠깐 길고 또한 신병이 나았으니, 부질없이 세월을 천연하느니, 쉬이 택일하여 성례함을 청한데, 금평후 또한 그리 여겨 쾌허하니, 소계암이 대희하여 즉시 돌아 가 택일하매 길기 신속하여 겨우 일순이 가렸으니, 동월후 돌아온 일망이 넘지 못하여 신취하니, 금평후 중당에 잔치를 열어 일가친척을 청하여 신랑을 보내며 신부를 맞을 새, 동월후 양부인께 전일 허다 광패지사(狂悖之事) 있으나 도금하여 여천지무궁(如天地無窮)한 은정을 두었으되, 갓 돌아와 부자 형제로 더불어 떠났던 회포를 채 펴지 못하였고, 양부인의 냉엄열일(冷嚴烈日)함이 가부가 만리전진(萬里戰陣)에 나갔다가 돌아온 후로도, 조금도 부부의 사사 모꼬지를 생각지 않거늘, 어찌 월후를 보고자 생각이 있으리오.

월후 전일 자기 그릇함을 모르는 것이 아니로되, 여자에게 그릇함을 구구히 빌지 않으려 하는지라. 그 침처(寢處)에 한 번도 들어 간 일이 없다가, 소씨 취하는 길일에야 양부인이 관복(官服)588)을 이뤘다가 존당 태부인 명으로 월후의 길의(吉衣)를 입혀 보낼 새, 부부 가까이 대하매 더욱 기특하여 명월과 기화(奇花) 같고 용린(龍鱗)과 채봉(彩鳳) 같으니, 존당 부모 한없이 두긋기고, 중빈이 칭선함을 마지않으니, 월후 부인의 빙자아질(氷姿雅質)을 가까이 대하여 이향(異香)이 가득함을 더욱 황홀하되, 존당 부모 면전(面前)이라. 사색을 변치 않고 간간이 눈을 들

---

586) 소사(少師) : 태자소사(太子少師). 고려 시대에, 태자부(太子府)에 둔 종이품 벼슬.
587) 적인(適人) : 시집 감.
588) 관복(官服) : =관디. 남자의 혼인예복(婚姻禮服). 또는 옛날 벼슬아치들의 공복(公服)을 말함. 지금은 전통 혼례 때에 신랑이 입는다.

어 볼 뿐이라. 소제 길의(吉衣)를 섬겨 고름을 매며 띠 두르기를 마치매, 날호여 물러 나 좌에 든데, 동지 안상(安詳)하고 사기 나직하여 숙녀의 풍이 일신에 온전하니, 좌객이 칭찬 왈,

"저 같은 숙녀를 두고 무엇이 부족하여 또 신취하는 거조가 있으니, 어인 일이니까?"

순태부인이 소왈,

"이는 연분의 중함을 인하여 기특히 친사를 이루게 되니, 양소부를 구태여 조금도 부족하게 여김이 아니라."

하더라.

동월후 허다 위의를 거느려 소부에 나아가 옥상에 홍안을 전하매, 소학사 팔 밀어 인도하여 좌에 듦에, 소공이 천금 일녀로써 이 같은 영준걸사(英俊傑士)와 친사(親事)를 성전(成全)하매 즐거움이 무궁하여, 월후의 손을 잡고 여아의 일생을 의탁하매 말씀이 간절하니, 월후 흔연히 수명하여 몸을 굽혀 사사하니, 중객이 소공께 쾌서(快壻) 얻음을 칭하(稱賀)하매, 공이 좌수우응(左酬右應)에 희희열열(喜喜悅悅)하여 조금도 사양치 아니하니, 양상서 등이 소왈,

"숙부 오기(吳起) 같은 도적으로써 천금 여서를 삼으시며 이렇듯 환희하시니, 우리 소매의 일생이 괴로움을 크게 분하여 하거늘, 종매(從妹)를 마저 저 것에게 속현하시니, 소질 등은 하언이 나지 않아 분완함을 이기지 못하나이다."

소공이 소왈,

"지난 일은 어떠하던지, 금자(今者)에 행신(行身) 만사 대군자 되었으니 여아의 일생이 괴롭지 않을지라. 현질 등은 예백이 옛 허물을 고쳤으니 사례하라."

하니, 사좌의 소년 명류 월후의 상성(喪性)을 아는 자는 오기와 같은

박행이라 기롱하니, 월후 또한 미미히 웃으며 제인의 기롱을 대답하매
말이 궁진치 않더니, 예부 날이 늦음을 일컬어 신부의 상교를 재촉하매,
양평장 부인 사금장(四襟丈)이 식부 등을 거느려 이에 와 신부를 단장하
여 덩에 올리니, 월후 순금쇄약(純金鎖鑰)으로 봉교한 후, 상마하여 부
중으로 돌아 올새, 후백의 재취하는 위의(威儀)요, 공후의 식부(息婦)며
재상의 여아(女兒)라. 성혼 대례(大禮)589)의 영요(榮耀)한 광채와 장한
위의(威儀)가 일로(一路)에 휘황하고, 신랑의 영풍옥골(英風玉骨)이 승
난(乘鸞)590) 이백(李白)이오, 태을군선(太乙君仙)591)이라. 노상(路上)
관광자가 책책(嘖嘖) 칭선하더라.

행하여 부중에 돌아와 중청(中廳)에서 양 신인이 합근교배(合巹交
拜)592)를 파하고 금주선(錦珠扇)593)을 반개(半開)하니, 신부의 옥태월
광(玉態月光)이 찬연이 방중에 바애고, 신랑의 수려한 미우에 희기(喜
氣) 유출(流出)하니, 용린(龍鱗)과 난봉(鸞鳳)이 희롱함 같은지라.

날호여 신랑이 외당으로 나가니, 신부 금년(金蓮)594)을 돌이켜 존당
구고께 폐백(幣帛)595)을 헌(獻)하고 팔배대례(八拜大禮)596)를 이룰

---

589) 대례(大禮) : 혼례(婚禮).
590) 승난(乘鸞) : 난(鸞)새를 타고 구름 속을 날아감. 『고문진보(古文眞寶)』오언고
　　풍단편(五言古風短篇) 강문통(江文通)의 〈잡시(雜詩)〉승란향연무(乘鸞向煙霧;
　　난새를 타고 구름안개 속을 나네)에서 따온 말.
591) 태을군선(太乙君仙) : 태을성의 신선. *태을성(太乙星); 음양가에서, 북쪽 하
　　늘에 있으면서 병란·재화·생사 따위를 맡아 다스린다고 하는 신령한 별.
592) 합근교배(合巹交拜) : 전통 혼례에서, 신랑 신부가 서로 잔을 주고받고[합근],
　　절을 주고받고[교배] 하는 의례.
593) 금주선(錦珠扇) : 비단으로 폭을 만들고 구슬을 달아 꾸민 부채.
594) 금련(金蓮) : 금으로 만든 연꽃이라는 뜻으로, 미인의 예쁜 걸음걸이를 비유적
　　으로 이르는 말.
595) 폐백(幣帛) : 신부가 처음으로 시부모를 뵐 때 큰절을 하고 올리는 물건. 또는
　　그런 일. 주로 대추나 포 따위를 올린다.

새, 존당 구고 눈을 들어 보매, 이 문득 선원(仙苑)의 아질(雅質)이요, 해상(海上)의 명월주(明月珠)라. 백설(白雪)이 엉긴 기부(肌膚)와 향기로운 기질로, 교옥(皎玉) 같은 용화는 오채(五彩) 영영(煐煐)하고, 팔자춘산(八字春山)은 성자기맥(聖姿奇脈)이요, 효성추파(曉星秋波)는 숙녀의 덕행이 나타나니, 어질고 유순함을 묻지 않아 알지라. 월액화험(月額花臉)597)과 단사앵순(丹砂櫻脣)598)의 고운 빛이 무르녹아, 춘원(春園)의 일만화봉(一萬花峰)이 다투어 웃는 듯, 맑은 광채 벽천(碧天)에 채운(彩雲)을 헤치고 명월이 교교(皎皎)한 듯, 육척향신(六尺香身)에 긴단장(丹粧)599)을 가하고, 일척세요(一尺細腰)에 수라상(繡羅裳)을 끓어 배례하매, 동용주선(動容周旋)이 유법하고, 진퇴절차(進退節次)에 규구(規矩) 응목(應穆)하고, 예모(禮貌) 유한정정(幽閑貞靜)하여 숙녀의 풍이 가즉한지라. 존당 구고 만심환열(滿心歡悅) 하여 옥수를 잡고 연애(憐愛) 왈,

"신부는 요조숙녀라. 비상 특이함이 여차하니 어찌 오문의 복경이 아니리오. 돈아(豚兒)의 조강(糟糠)600) 양씨는 현철(賢哲)한 여자라. 금일 대례에 서로 보는 예를 폐치 말고 길이 화우(和友)하여 황영(皇英)601)의

---

596) 팔배대례(八拜大禮) : 혼례(婚禮)에서 신부가 신랑의 부모께 처음 뵙는 예(禮)인 현구고례(見舅姑禮)를 행할 때 여덟 번 큰절을 올렸다.

597) 월액화험(月額花臉) : 달처럼 둥근 이마와 꽃처럼 아름다운 두 뺨. *'臉'의 음은 '검'으로 '험'은 '검'의 변음(變音)임.

598) 단사앵순(丹砂櫻脣) : 붉은 연지를 찍은 앵두처럼 붉은 입술.

599) 긴단장(丹粧) : 온갖 단장. 특히 혼인 때 신부의 머리에 족두리나 화관을 씌워 단장하는 일을 이른다.

600) 조강(糟糠) : 조강지처(糟糠之妻). 지게미와 쌀겨로 끼니를 이을 때의 아내라는 뜻으로, 몹시 가난하고 천할 때에 고생을 함께 겪어 온 아내를 이르는 말. ≪후한서≫의 〈송홍전(宋弘傳)〉에 나오는 말이다.

601) 황영(皇英) : 중국 순(舜)임금의 두 왕비이자 요(堯)임금의 두 딸인 아황(娥皇)과 여영(女英)을 함께 이르는 말.

자매 같기를 바라노라."

신부 배사수명(拜謝受命) 하고 양씨를 향하여 나직이 재배하니, 양부인이 규구(規矩)를 버리고 좌에 나 답례하니, 태부인이 희열함을 이기지 못하여 윤·양·이·경과 소이씨와 양·소 등으로 병익(竝翼)하여 좌하게 하고, 웃음을 머금어 왈,

"손부와 손녀 등이 열위(列位) 고안(高眼)에 어떠하니까?"

만좌중빈(滿座衆賓)이 신부의 특이함을 제성갈채(齊聲喝采)하여 월후의 처궁이 유복함을 하례하고, 하부인과 양·이·경 등과 신부의 천향아태(天香雅態) 서로 바애여602) 실중이 찬란이 밝았는데, 숙렬의 면모상광(面貌祥光)과 의열비의 팔채광염(八彩光艶))603)에 정신이 어리고 눈이 현황하여, 몸이 홍진(紅塵)에 머므나 마음이 천궁에 올라 왕모(王母)604)와 월녀(月女)605)를 구경한 듯, 혈육지신이 이 같음을 깨닫지 못하고, 화식(火食)하는 사람이 아닌가 의심하니, 양인의 품질을 의논할진대 막상막하하여 진정 대두(對頭)할 성녀(聖女)로되, 신명특달(特達)함이 일분 미치지 못할 듯하나, 수풀 같은 홍장분대(紅粧粉黛)606)뉘 병구(倂俱)하리오. 의열문과 숙렬문의 금자어필(金字御筆)이 헛되지 않음을 일컫더라.

종일 진환(盡歡)하고 내외 빈객이 각산(各散)하니, 신부 숙소를 선수정에 정하니 석일 성녀의 침소러라. 월후 혼정을 맞고 신방에 이르러 옥

---

602) 바애다 : 늑밤븨다. 빛나다. (눈이) 부시다.
603) 팔채광염(八彩光艶) : 아름다운 눈썹의 빛나는 눈.
604) 왕모(王母) : 서왕모(西王母). 중국 신화에 나오는 신녀(神女)의 이름. 불사약을 가진 선녀라고 하며, 음양설에서는 일몰(日沒)의 여신이라고도 한다.
605) 월녀(月女) : 달 속에 있다고 하는 전설 속의 선녀. 항아(姮娥)[=상아(嫦娥)]
606) 홍장분대(紅粧粉黛) : '붉게 연지를 찍고 분을 바른 얼굴과 먹으로 그린 눈썹'이란 뜻으로, 화장한 아름다운 여자를 비유적으로 이르는 말.

인을 보려 하다가, 양부인을 보고 가려 선삼정에 이르니, 양씨 종일 연석에 존당 구고를 모셔 몸을 잇비하였는[607] 고로, 아자를 품고 상요에 나아가 단잠이 바야히니[608], 사람이 들어옴을 알지 못하고 더욱 차야에 동월후의 들어옴은 생각지 않았는지라, 동월후 동창으로서 돌아 온 후 사실에 들어옴이 금야에 처음이라. 부인이 벌써 상요에 나아가 아자를 품고 잠이 깊었음을 보매, 촉하에 염광(艷光)이 더욱 찬란하여, 봉침(鳳枕)[609] 위에 현요(顯曜)하고, 운취금(雲翠衾)[610]이 백설 같은 가슴에 반만 덮였으니, 양목을 그린 듯이 감고 주순(朱脣)이 함홍(含紅)하여 그 취침(就寢)한 거동이 더욱 기특하여, 걸음을 즉시 돌릴 뜻이 없는지라. 월후 황홀한 은애를 참지 못하여 나아가 또한 의대(衣帶)를 잠깐 해탈하고 한가지로 베개를 연하매, 양씨 비로소 눈을 떠 보고 증화(憎火) 가득하여 맹렬이 몸을 떨쳐 일어나 의상을 수렴하니, 월후 무궁한 정을 펼 길이 없어 오직 아자를 품고 이윽히 누었다가, 날호여 일어나 의대를 수렴하며 양안을 길게 떠 부인을 오래도록 보다가, 분연이 이르되,

"생이 만리 전진에 해를 바꾸어 돌아오매 부부사정은 이르지 말고, 범연한 남이라도 한 번 낯으로 칭하(稱賀)함이 있고, 가중 상하가 다 흔연하되, 홀로 부인이 나의 살아 돌아옴을 불행이 여기는 기색이 현연(顯然)하니 그 무슨 뜻이뇨?"

양씨 저수단좌(低首端坐)하여 묵연부답이라. 월후 양부인으로 더불어 흔연 상화할 길이 없음을 애달고 분하여, 자기 정을 알지 못함을 심한(深恨)하나, 일시에 그 견고한 뜻을 돌릴 모책이 없으니, 심화 중하되

---

607) 잇브다 : 고단하다. 수고롭다. 힘들다.
608) 바야히다 : 무르녹다. 한창이다.
609) 봉침(鳳枕) : 봉황(鳳凰)을 수놓은 베개.
610) 운취금(雲翠衾) : 구름과 푸른 하늘을 수놓은 이불.

전자에 자기 허물이 깊고, 양씨를 박대하던 바 인정 밖 거조가 많던 바를 생각한즉, 말이 막혀 양씨를 책망할 말이 없으니, 분노를 서려 담고 다시 책하여, 가로되,

"생이 전일의 소소과실이 있으나, 여자 어찌 매양 함분인통(含憤忍痛)하여, 가부를 본 적마다 노색(怒色)을 감추지 못하는 도리 있으리오. 백씨는 날같이 외입(外入)하신 일이 없으되, 문양공주를 만나신 연고로 의열 존수로부터 양·이·경 제수(諸嫂)가 화액을 비상히 지냈으되, 일찍 사람의 탓을 삼으심을 듣지 못하였나니, 그대 어찌 여러 일월에 생을 원한 함이 삼대원수(三代怨讐)와 백년대척(百年大隻)611)같이 여기느뇨?"

언파에 사색이 가장 좋지 않으니, 양씨 월후의 빗기 뜨는 안채(眼彩)와 분연한 사색을 대하면 심신이 서늘하고, 저를 앎이 시호(豺虎) 사갈(蛇蝎)같이 여기는 고로, 부부사정은 꿈결같이 여기는지라. 저의 이런 책망을 들으면 분한이 층가(層加)하니, 정색 대왈,

"군휘(君侯) 친히 들으며 보지 않은 말을 억견(臆見)으로 이르시니, 첩이 비록 사람답지 못하나 또한 사람의 마음이라. 군자를 전진에서 돌아오지 말기를 바라는 뜻을 마음 가운데 두리까? 이미 입공반사(立功頒賜) 하시매, 위로 성주 공로를 일컬으시어 봉후하시는 은영을 나리오시고, 존당 구고와 일가 족친이 아니 기뻐할 이 없으니, 첩 같은 유(類)는 성도가 완(緩)하여 참난(慘難)을 지내고 말광(末光)612)의 영화를 빌어 부귀 일신에 넘치니, 황황(惶惶)하여 외람하고 또한 기쁘지 않으리까? 무슨 뜻으로 군자를 대할 적마다 함노작색(含怒作色)하리까? 본디 언어

---

611) 백년대척(百年大隻) : 백년 곧 일생토록 잊지 못할 원수.
612) 말광(末光) : 후광(後光). 어떤 사물의 뒤쪽에서 비추어 그 사물을 더욱 빛나게 하거나 두드러지게 하는 빛. *일월지말광(日月之末光); 해와 달의 후광.

민첩지 못하고 화기 부족하여, 군후의 뜻을 영합지 못하니, 군후 매양
증통(憎痛)하시는 바거늘 이제 새로이 책망하시리까?

말씀을 마치매 냉담한 기운은 추상이 늠름하고 열렬한 안색은 빙설
(氷雪)에 한월(寒月)이 비추는 것 같아서, 다시 말 부치기 어려운지라.
월후 그 위인을 어려이 여기나 요란이 쟁힐(爭詰)하기를 않으려 하는
고로, 몸을 일으켜 선수정으로 향하며 도리어 미미히 웃으며 이르대,
"금야는 신방을 지키러 가거니와, 만일 냉박(冷薄)한 빛을 한결같이
지으면, 결하여 한 끝을 내고 말리라."

양씨는 이런 말에는 더욱 놀라오니 혹자 그 광증이 다시 발할까 근심
하더라.

월후 선수정에 들어와 신인으로 더불어 동서로 좌정하매, 소씨는 예
사 신부와 같지 않아 미혼 전에 저로 더불어 언어를 문답함이 있고, 다
시 성녀에게 참욕을 받아 분하고 놀라움이 여러 일월이 될수록 더하니,
실로 세사에 참예할 뜻이 없으되 부친이 비록 계후를 정하였으나 친생
골육이 자기뿐으로, 천륜 밖에 자별(自別)⁶¹³한 정이 있어 타별(他
別)⁶¹⁴한 사랑과 귀중함이 자기 몸에 온전한 고로, 차마 폐륜함을 부친
께 들리지 못하여 좋은 듯이 정상서의 재실로 돌아오나, 중심에 통앙(痛
怏)함이 극하니 능히 화기를 작위치 못하여, 맥맥 냉담함이 옥매(玉梅)
한풍(寒風)을 띠었음 같으니, 월후 자기 부인으로 생겨난 이는 화열 유
순한 위인이 없음을, 도리어 팔자에 매임인가 하더라.

월후 자기 소원인즉 풍융화열(豊隆和悅)⁶¹⁵하고 온순화홍(溫順和弘)

---

613) 자별(自別) : 특별함. =타별(他別).
614) 타별(他別) : 특별함. =자별(自別).
615) 풍늉화열(豊隆和悅) : 성풍이 넉넉하고 온화하며 기뻐함.

함이 저저 숙렬비 같은 부인을 바라던 바로, 양·소 등이 색태염광(色態
艶光)은 숙렬의 버금이나, 그 품격을 미치지 못하여 창해(滄海)의 깊이
와 천지의 도량을 미치지 못하고, 대양부인의 옥을 치듯 담소(談笑) 쇄
연(灑然)하되, 한 자 불법의 말이 없고, 행실에 반점 고집을 두지 않아,
유화(柔和) 상쾌(爽快)함이 열장부의 기상이며, 치마 맨 영웅임을 양·
소 등이 미치지 못하되, 소양씨는 고사(高士) 명인(名人)의 염일단숙(炎
日端肅)616)함과 추상빙설(秋霜氷雪)같은 풍이 있어, 남자 될진대 도행
이 빈빈(彬彬)하고 언론이 정직하여, 묘당(廟堂) 화각(畵閣)의 재상은
아니로되, 급어사(汲御使)617)의 격절(激切)과 안연(顔淵)의 어짊을 겸하
여, 처신(處身) 행도(行道)에 반점 하자(瑕疵)할 것이 없으며, 소씨는 천
연이 도학군자(道學君子)의 침엄단중(沈嚴端重)함이 있으니, 인물로 이
를진대 막상막하라. 월후 소씨를 대하여 은근이 정회를 펴 성씨에게 욕
본 바를 위로하고, 야심함을 일컬어 신부를 붙들어 상요에 나아 갈 새,
은애 취중(醉重)하여 소씨의 천향아질(天香雅質)을 새로이 경복하는 뜻
이 무궁하니, 일침지하(一枕之下)에 천단정애(千端情愛)와 만종풍류(萬
種風流)를 불가형언(不可形言)이로되, 소소저 일분도 장부의 은정을 가
납(嘉納)지 않고 미혼 전에 서로 얼굴을 본 바로써 신누(身累)를 삼더라.
  소씨 인하여 구가에 머물러 존당 구고를 효봉하며 승순군자와 숙매금
장(叔妹襟丈)618)을 화우하는 행사 소양씨로 다름이 없고, 설유랑을 대
접함이 자못 과도하니, 유랑이 감은함을 이기지 못하고, 소양씨 소씨를

---

616) 염일단숙(炎日端肅) : 여름에 뜨겁게 내리쬐는 태양처럼 단정하고 엄숙함.
617) 급어사(汲御使) : 급암(汲黯). 중국 전한(前漢) 무제 때의 충신(忠臣)(?~B.C.
    112). 자는 장유(長孺). 성정이 엄격하고 직간을 잘하여 무제로부터 '사직(社
    稷)의 신하'라는 말을 들었다.
618) 숙매금장(叔妹襟丈) : 시누이와 동서.

화우함은 '적인' 두 자를 잊고, 종형제지간(從兄弟之間)임을 깨닫지 못하여 골육동기(骨肉同氣)로 다름이 없으니, 서로 사랑함이 일신(一身) 같은지라. 월후의 가내 이로 좇아 숙청화열(淑淸和悅) 함이 추수(秋水) 같으되, 월후는 양부인의 냉담(冷淡)함과 소씨의 열숙(烈肅)함이 자기 뜻과 같지 못함을 애달아 하더라.

차시 금평후의 제 오자 필흥의 자는 우백이니 연이 십삼이라. 사람됨이 활연청고(豁然淸高)하여 산천의 영이(靈異)한 정화를 타 났으니, 밖으로 얼굴이 화옥(花玉)의 고움을 가졌고, 안에 금수문장(錦繡文章)을 품었으니, 겸하여 성도(性度)가 천균(千鈞)의 무거움이 있고, 기상이 추천(秋天)의 높음이 있으니, 현현한 신채(身彩)는 세류(細柳)가 춘풍(春風)을 띠고, 화한 얼굴은 백년(白蓮)이 추택(秋澤)에 성개(盛開)한 듯, 봉미성안(鳳眉星眼)[619]이요, 호비단순(虎鼻丹脣)[620]이며, 월액호치(月額皓齒)[621]라. 외모(外貌)의 숙연함이 부형을 품습(稟襲)하고, 총명재화(聰明才華)는 하늘이 정가를 위하여 평제왕의 오곤계(五昆季)로 하여금 세대에 특이한 재주를 빌리심이라.

붓을 한 번 두르매 천언(千言)을 입취(立就)[622]하고, 필획이 찬란하여 지상(紙上)에 창룡(蒼龍)이 서리고, 신성특달(神聖特達)함이 천문지리와 인간만물에 능통치 않을 곳이 없고, 도량이 강하(江河)의 훤칠함이[623] 있으니, 평생에 빠른 노기와 급한 성으로 과격준급(過激峻急)함

---

619) 봉미성안(鳳眉星眼) : 봉황의 눈썹처럼 아름다운 눈썹과 별같이 반짝이는 눈.
620) 호비단순(虎鼻丹脣) : 호랑이 코와 단사(丹砂)처럼 붉은 입술.
621) 월액호치(月額皓齒) : 달처럼 둥근 이마와 하얀 이.
622) 입취(立就) : 문장 따위를 즉시에 이뤄냄.
623) 훤칠하다 : 시원하다. 시원스럽다.

이 없으되, 또한 단아(端雅) 졸직(拙直)하지 않으니, 간간(間間)이 희소하매 화열한 거동이 삼춘혜풍(三春蕙風)이 백물(百物)을 회생(回生)하는 듯, 성효(誠孝) 출천(出天)하여 목족애인(睦族愛人)624)하는 성정(性情)이 백형(伯兄)의 뒤를 따르고, 신장이 나이로 좇아 내도하여625) 팔척(八尺)이 거의요, 만사 숙성장대(夙成壯大)하여 인류에 초출하니, 부모 필자(畢子)로 그 위인이 이렇듯 아름다움을 크게 사랑하고, 조모 순태부인의 연애(憐愛)함이 타인에 비겨 다름이 많아, 십분 과도함이 있으되, 공자 너그럽고 화순(和順)하여 생어부귀(生於富貴)하고 장어호치(長於豪侈)하되, 일찍 자존(自尊)함이 없으니, 완전히 복록을 받으며 무흠(無欠)히 아름다운 위인이 곽분양(郭汾陽)626)의 어진 덕을 겸하였는지라.

황친국척(皇親國戚)과 명공거경(名公巨卿)의 유녀자(有女子)는 정공자의 기특함을 듣고 다투어 구혼하니, 천파만매(千婆萬媒)가 문정(門庭)을 드레되, 금평후의 택부(擇婦)함이 비상하여 경이히 허혼치 않더니, 참지정사(參知政事) 두원이 정공자를 친히 와 보고, 당면(當面)하여 혼인을 간청하는 고로, 금평후 인정을 물리치지 못하여 태부인께 고하고 허혼하여 성친하매, 두씨의 외모 평상하고 만사 질둔(質鈍)하여 공자의 출인한 기상으로 비컨대 용린(龍驎)과 우마(牛馬) 같고, 난봉(鸞鳳)과 오작(烏鵲) 같으니, 천지우주간(天地宇宙間)은 앙망이나 하거니와, 이는 만만 부적(不適)하여 노주(奴主)로 비함도 가치 않되, 오히려 일컬음직 한 곳이 있음은, 일단 미우에 화기 영발(英發)하고 면모(面貌)에 복기(福氣)

---

624) 목족애인(睦族愛人) : 친족과 화목하며 남을 사랑함.
625) 내도하다 : 다르다. 판이(判異)하다.
626) 곽분양(郭汾陽) : 곽자의(郭子儀). 697~781. 중국 당(唐)나라 중기의 무장(武將). 안녹산 사사명의 반란을 평정하고 토번을 쳐 큰 공을 세워 분양왕(汾陽王)에 올랐다.

어리었음이라.

존당 부모 필자의 배항이 여차(如此) 상적(相適)지 못함을 애달아하고 가엾이627) 여기나, 본디 관인후덕(寬仁厚德)한지라. 사랑하고 편히 거느림이 제부(諸婦)와 다르지 않고, 공자 처실이 이 같음을 크게 실망하나, 염박(厭薄)한 사색을 뵈지 않아, 항려(伉儷)628)의 정(情)을 폐치 않되, 두씨 여공지사(女功之事)629)에 소여(疎如)함이 남자도곤 더 심하고, 주야로 잠이 미만(彌滿)하여 밤은 물론이거니와 낮이라도 조식을 포복토록 먹은 후는, 사침에 물러 와 베개에 쓰러져 잠든즉, 동여 일으켜도 모르니, 유모 시녀 낮 문안을 당한즉, 지성으로 흔들어 깨워 문안에 참예하나, 매양 남에서 뒤지는 때 많으니, 가중이 모를 이 없어 시녀 배 무리 지어 웃더라.

일일은 저녁 문안 때 남좌여우(男左女右) 빠진 이 없이 모였으되, 홀로 두씨 먼저 퇴하고 없는지라. 월후 웃고 조모께 고 왈,

"두수 귀녕하니까? 어찌 좌에 아니 계시니까?"

태부인이 소왈,

"두소부 본디 잠에 겨워 하니 물러 간가 하노라."

월후 공자더러 왈,

"두수 침선 방적을 못하시고 잠이 심히 깁다 하니, 네 그 방에 가 숙직함이 무미(無味)치 아니터냐?"

공자 잠소 대왈,

"세상 사람이 다 밤이면 자는 버릇이라. 두씨 각별 타난 것이 잠이라,

---

627) 가엾다 : 마음이 아플 만큼 안 되고 처연하다.
628) 항려(伉儷) : 남편과 아내로 이루어진 짝.
629) 여공지사(女功之事) : 예전에, 부여자들이 하던 길쌈이나 바느질 따위의 일.

석식을 채 먹지 못하여 졸음이 몽롱하되 겨우 참고 혼정하고 물러나면 쓰러지니, 소제 역시 그 침소에 들어가면 혼자 앉아 있으리까? 이러므로 저의 침실에 들어간즉 즉시 잠드니 괴로운 줄 알지 못 할러이다."

제 형제 다 웃고, 공자의 기량(器量)을 칭찬하여 스스로 미치지 못함을 깨닫더라.

차년 동(冬)에 공자 왕모의 명(命)으로 과장에 나아가 의의(依依)히 장원에 뽑히니, 풍신용화(風神容華)는 이두(李杜)630)를 압두(壓頭)하고 문장재화(文章才華)는 태사 천(太史遷)631)을 묘시(藐視)하니, 상총이 융융하시어 한림학사를 시키시고, 만조가 금평후의 높은 복을 아니 부러워할 이 없더라.

장원이 방하(榜下)를 거느려 천문에 사은하고, 계지청삼(桂枝靑衫)632)으로 부중에 돌아와 부모께 배현하니, 태부인의 황홀히 두굿김은 이르지도 말고, 금평후 부부 성만함을 두려워하는 가운데, 필자의 과경(科慶)이라 자연 두굿김이 다른 아들의 등과(登科)하였을 때보다 더함을 면치 못하되, 그 배항(配行)의 부적함이 절박한 근심이 되어, 아자 옥당명사(玉堂名士)가 되나 대객(對客)에 주찬도 능히 받들지 못할 바를

---

630) 이두(李杜) : 당나라 때 시인 이백(李白: 701-762)과 두보(杜甫: 712~ 770).

631) 태사천(太史遷) : 사마천(司馬遷). BC.145-86. 중국 전한(前漢)의 역사가. 태사(太史)는 태사령(太史令)을 지낸 그의 관직명. 자는 자장(子長). 기원전 104년에 공손경(公孫卿)과 함께 태초력(太初曆)을 제정하여 후세 역법의 기초를 세웠으며, 역사책 ≪사기≫를 완성하였다.

632) 계지청삼(桂枝靑衫) : 조선시대 과거급제자의 차림. 종이로 만든 계수나무 꽃가지 곧 계지(桂枝)를 복두(幞頭)의 뒤에 꽂고 청색 도포를 입은 차림을 하였다. *복두(幞頭); 조선 시대에, 과거에 급제한 사람이 홍패를 받을 때 쓰던 관(冠). 사모같이 두 단(段)으로 되어 있으며, 위가 모지고 뒤쪽의 좌우에 날개가 달려 있다.

애달라 하더니, 밖에 하객이 분분하여 신래(新來)633)를 부르니, 금평후 아자를 앞세워 밖에 나와 빈객을 접응할 새, 추밀사 화무가 장원의 풍채 기상을 사랑하여, 이미 두씨 그 배항이 되나 위인이 장원으로 천만 불사(不似)함을 자연 들었는 고로, 문득 장원으로써 동상(東床)을 삼고자 의사 있어, 흔연이 웃고 혼인을 구하니, 금평후 미급답에 두 참정이 좌를 떠나 가로되,

"소제 여혼을 지낸 지 수삭이 지나되 이곳에 능히 오지 못함은 실로 낯을 들어 인형(姻兄)634)을 봄이 참괴한 연고러니, 금일은 우백의 과경을 당하여 한 번 칭하를 않지 못할 고로 귀부에 이르나, 소녀의 박용누질이 실로 군자의 호귀(好逑) 아님을 모르지 않되, 아녀의 불민용질(不敏庸質)이 존부 같은 구가를 얻지 못하면 용납하기 어려운 고로, 인형(姻兄)으로부터 귀부 제인이 다 관자화홍(寬慈和弘)으로 위주하심을 익히 아는 고로, 천만 불사(不似)함을 알되 외람이 영윤을 구하여 사위를 삼았으나, 소녀 같은 것은 식충(食蟲)으로 한 구석에 들이치고, 영랑으로 하여금 마땅한 배우를 가리시는 것이 실로 영랑의 풍채를 저버리지 않음이니, 원컨대 인형은 화추밀의 청혼하시는 바를 쾌허하여 우백의 호구를 정하시면, 소제의 마음이 편할까 하나이다."

금평후 흔연이 두공의 손을 잡고 위로 왈,

"여자의 용색(容色)은 신상에 해를 이루기 쉽고, 소부의 위인이 어질고 유순한 여자니, 우리 정히 복록을 누릴 사람이라 칭찬하거늘, 형이 어찌 괴이한 말을 하느뇨? 식부의 유복함이 출가하여 미급삼삭(未及三朔)에 가부 청운에 고등하니, 그 팔자 기특한 바를 보지 않아 알 것이거

---

633) 신래(新來) : 과거에 급제한 사람. 늑신은(新恩)
634) 인형(姻兄) : 사위의 아버지를 이르는 말.

늘, 형이 영녀를 병인같이 치는 것은 어찌오? 돈아가 십삼 소아로 만사 과람하거늘 어찌 신취(新娶)하는 거조 있으리오."

이어 화추밀을 향하여 낮이 구혼함을 사사할 뿐이요, 허혼할 뜻이 없으니, 위국공이 자기 처제로 화소저의 아름다움을 자세히 아는 바요, 낙양후 또한 주부인으로 하여 화소저의 성화를 듣고, 매양 필흥의 등과하기를 기다려 천거코자 하다가, 이 날 일시에 힘써 권하고 두공이 간절히 허혼함을 청하니, 금평후 전일 여아의 전언으로 좇아 화씨의 출인함을 또한 얼핏 들었던 고로, 다시 생각건대 필흥 같은 위인이 두씨와 독노(獨老)치 못할지라. 이에 내루에 들어와 모친께 고하고, 화공을 향하여 가로되,

"소제 실로 어린 자식의 재취를 허할 뜻이 없더니, 진형 등과 서랑의 역권함을 박절치 못하고, 형이 불초 여식으써 남자로 알아 동상(東床)을 허하여 삼년 후휼한 은혜 감격한 고로, 영녀를 우리 슬하를 삼아 현형의 덕음을 갚고자 함이니, 형은 불초 돈아를 구하여 동상을 삼았다가 타일 뉘우치지 말라."

화공이 대열환희 하여 웃으며 가로되,

"소제 정오랑(鄭五郎)635)을 갈구하여 동상(東床)을 삼으나, 감히 언두(言頭)에 들놓지 못할 바로되, 금일 진정이 발하매 능히 참지 못하나니, 정오랑이 아무리 기특하여도, 실로 소제의 삼년 동상을 삼아 서랑으로 대접하던 숙렬비에게 견즐진대, 불급(不及)함이 많을까 하나니, 이 좌중(座中)에 처궁이 갖추 유복한 자는 사원 같은 자가 없을까 하나이다."

금후 잠소왈,

"소녀가 용렬(庸劣)키는 겨우 면하나, 형의 과장(誇張)은 당치 못할까

---

635) 정오랑(鄭五郎) : 정씨의 다섯째 아들.

하나이다. 원래 남녀를 모르고, 음양을 변체한 소녀로써 매양 칭찬하는 바 되었다 하니, 어찌 가소롭지 않으리오.”

낙양후 소왈,

“화형은 꿈같이 얻은 사위를 생각지 말고, 그 동기로 여서를 삼으리니, 어서 앉은 자리에서 길기를 택하라.”

금후 왈,

“화형이 착급하여 하니 즉시 택일하라.”

낙양후 본디 택일을 잘하는지라. 즉석에서 길기를 택하니, 현훈(玄纁)636)은 사오일이 격하고, 혼례는 명년 추 팔월이라. 금후 깃거 명년 가을로 지냄을 취한대, 화공이 바빠하고 좌중이 사귀신속(事貴迅速)637)을 이르니, 금후 마지 못하여 현훈 날 지내려 혼수(婚需)를 차릴 새, 어시에 주부인이 장녀로 윤부에 출가하여 창후의 제사 부실 줌을 애달아 하고, 차녀로 정 한림 재실 주물 즐겨 않되, 이미 정혼한 혼인을 거절치 못할 것이므로 허락하고, 길일을 택하매 훌훌이 사오일이 지나니, 정한림이 육례(六禮)를 갖추어 화소저를 맞으매, 부부 중청(中廳)에서 교배(交拜)를 파하고, 신부 폐백을 받들어 존당 구고께 비현하매, 이 진정 군자의 백년호구(百年好逑)라.

풍완호질(豊婉好質)이 풍영수려(豊盈秀麗)하여 금분(金盆)의 화왕(花王)이 동풍에 웃으며, 연화(蓮花)가 청엽(靑葉)에 솟은 듯, 시년(時年) 십이(十二)에 만사 숙성하여 신장이 표연하고, 허리는 촉깁638)으로 묶

---

636) 현훈(玄纁) : 장사지낼 때, 산신에게 드리는 폐백. 검은빛과 붉은빛의 두 조각 헝겊으로 나중에 무덤 속에 묻는다. 여기서는 신랑 집에서 신부 집으로 폐백을 보내는 납폐(納幣)를 말한다. 보통 납폐는 푸른 비단과 붉은 비단을 혼서와 함께 함에 넣어 보낸다.
637) 사귀신속(事貴迅速) : 일은 빠르게 하는 것이 좋음을 이르는 말.

은 듯 하되, 요양(搖楊)하여 부칠 듯하지 않고, 미목(眉目)에 덕성이 어른거리며 면모에 화기 무르녹아, 고운 가운데도 완윤(婉潤)하고, 좋은 품격이나 신중하며, 어위차고639) 침엄(沈嚴)하되 화순(和順)하고 유열(愉悅)하여, 초준강악(峭峻强惡)한 기운이 없고, 훤칠하고 상냥하며, 예배(禮拜) 진퇴지제(進退之際)에 백사(百事) 인류(人類)에 특이하여 현인(賢人) 군자(君子)의 틀이 있으며, 유법(有法) 단일(端壹)하고, 성장정숙(盛裝貞淑)하니, 멀리 보매 보름 찬 달 같고, 가까이 대하매 옥이 다사한 듯하니, 존당 구고 대열쾌락(大悅快樂)하되 두씨를 위하여 현연이 즐기는 빛을 여지 않고, 다만 화우함을 당부하니, 두씨는 투기도 할 줄 모를 뿐 아니라, 천성이 흐리눅고640) 거동이 점직하여641) 세상 사람의 꾀 많음을 당할 길이 없고, 만사 등한하여 죽을 일이 있어도 음식이 앞에 당하면 포복(飽腹)기를 그음하고, 베개에 머리를 던지면 사람이 동여642) 지고가도 모르는지라.

두씨 역량(力量)이 침원(沈遠)643)하고 성정이 상활(爽闊)하여 백만 근심을 물리쳐 그런 것이 아니라, 그 위인이 질둔(質鈍)하고 용렬하여 경중완급(輕重緩急)을 모르고 사람의 눈치를 또한 알지 못하여, 남이 자기를 웃어도 부끄러운 줄을 알지 못하고, 남이 자기를 꾸짖고 욕하여도 겨뤄 보고자 하는 의사 없으며, 동용행지(動容行止)에 우둔하고 불미함이 나타나되, 일단 사족 부녀의 청한한 뜻이 있어, 가부의 은애를 영구(令

---

638) 촉깁 : 촉나라에서 짠 비단.
639) 어위차다 : 넓고 크다. 너그럽다. 크고 우렁차다.
640) 점직하다 : 겸연쩍다. 멋쩍다. *점직하다; 부끄럽고 미안하다.
641) 흐리눅다 : 흐리게 눅다. 흐리고 무르다.
642) 동이다 : 끈이나 실 따위로 감거나 둘러 묶다.
643) 침원(沈遠) : 깊고 원대함.

求)644)할 뜻이 없고, 욕심이 없어 자장패산지뉴(資粧貝珊之類)645)라도 남이 다 앗아가도 아끼는 마음이 없으니, 정한림은 이런 일을 도리어 무던히 여기는지라. 이 날도 두씨 화씨를 보되 구태여 불평지색(不平之色)이 없고, 그 옥용화모(玉容花貌)를 경앙하는 뜻도 없어, 본동만동646) 무심무려(無心無慮)하니, 낙양후 부인 주씨 두씨의 옷을 다래여 곁에 앉히고, 소회를 물어 왈,

"이제 질녀로써 필질(-姪)의 재실을 삼으나, 그대 젊은 나이에 적인 봄을 자닝히 여기나니, 그대 마음이 어찌 편하리오. 모름지기 소회를 한 번 이르라."

두씨 천연 대왈,

"적인의 해를 간간이 입는 이 있거니와, 첩은 다만 생각하니, 저도 사람이요, 첩도 사람이라, 시호사갈(豺虎蛇蝎)의 유(類) 아니니, 미운 뜻과 해할 마음이 어찌 있으리까? 아직 지내어 보지 않은 연고로 서로 보되 반가운 일이 없고, 정이 있을 리 없으니, 자연 무심하도소이다."

두씨 정가에 속현한 지 삼삭에 금일 말씀이 가장 긴지라. 진부인이 그 내외지심(內外之心)이 없어 말씀이 정대함을 크게 아름다이 여겨 사랑함을 극진히 하더라.

정한림이 뜻에 찬 숙녀를 만나되 애증이 편벽치 않아, 두·화 양인을 공경중대 함이 한결같되, 다만 대객주찬(待客酒饌)과 의복한서(衣服寒暑)를 가음알기는 다 화씨로 소임케 하니, 자연 중궤(中饋)647)는 화씨에게

---

644) 영구(令求) : 남의 비위를 맞추거나 아첨하여 어떤 것을 구함.
645) 자장패산지류(資粧貝珊之類) : 여자들이 화장하는데 쓰는 물건들과 몸치장을 하는 데 쓰는 조개껍질이나 산호(珊瑚) 귀금속(貴金屬) 등의 장신구(裝身具)들.
646) 본동만동 : 본체만체. 본척만척. 보았는지 말았는지. 보고도 아니 본 듯이.
647) 중궤(中饋) : 늑주궤(主饋). 안살림 가운데 음식에 관한 일을 책임 맡은 여자.

돌아가되, 두씨는 애다는 줄도 알지 못하고 그럴수록 몸이 더 편하여 반점 근심이 없어, 잠자기로 으뜸을 삼되, 정생이 아는 듯 모르는 듯, 그 허물을 이르지 아니하니, 제형과 일가가 크게 아름답게 여기더라.

평제왕이 조선(祖先)을 추증하시는 은영을 당하여, 누대(累代) 목묘(木廟)에 다 왕작(王爵)을 쓰고, 다시 능침(陵寢)의 비석을 고칠지라. 월후를 데리고 태주 선산에 내려가게 되니, 태부인과 금평후 그 사이라도 결연하여 쉬이 돌아옴을 당부하니, 왕과 월후 배사하직(拜辭下直) 하고 빨리 선산에 내려 가, 누대 능침을 수리하고 묘전의 비석을 고칠 새, 천승국왕의 부귀를 기울이매 향선지영(香先祗塋)648)에 고즉하649)므로써 못할 일이 어이 있으리오. 드대여 번국 왕의 능침과 같이 한 후, 수호군(守護軍)을 각별이 정하고, 역사(役事)를 완필(完畢)하매 즉시 돌아 올 새, 왕래에 자연 일삭이 되는지라.

차시 일기(日氣) 엄한(嚴寒)하여 대설이 쌓이고 한풍이 사람의 골절(骨節)을 부는지라. 평제왕과 동월후 경사(京師)를 임하여 날이 저물고 설한(雪寒)의 극엄(極嚴)함이 괴로워, 잠깐 인가(人家)를 얻어 밤을 지내려 할 새, 하리(下吏) 650)추종(騶從)이 고 왈,

"여러 인가를 얻어 밤을 지내려 한즉, 비록 여러 집을 얻어도 하리 추종까지 머물 곳이 없사오니, 뫼 뒤에 추월암이란 암자가 정결하고 외실이 광활하니, 그 곳에서 일야를 지내시미 마땅할까 하나이다."

제왕이 취월암 가운데서 윤부인을 만낫던 바를 생각하매 반가오미 없

---

648) 향선지영(香先祗塋) : 선영(先塋)에 공경을 다해 제사함.
649) 고즉하다 : 곧다. 반듯하다.
650) 추종(騶從) : 윗사람을 따라다니는 종. ≒추복06(騶僕).

지 않되, 왕자의 행차 여승의 머무는 곳에 이름이 괴이하여 다른 집을 잡으라 하니, 월후 연소지심에 암자를 한 번 보고자 하여 왕께 고하되,

"형장이 석년에 취월암에서 윤수를 만나 계시니, 비록 미혼 전이나 취월암이 형장을 위함 같거늘, 어찌 그 곳에서 하룻밤 지냄을 피하리까? 소제는 결단하여 암자 정쇄(精灑)한 곳에서 자려 하나이다."

왕이 웃고 마지못하여 취월암에 나아가 밤을 지낼 새, 암중 제승이 황황하여 객당을 치우고 좋은 자리를 깔며, 시목(柴木)을 가져 와 방을 데이며 분분하니, 제왕과 월후 승니 등을 다 돌아가라 하고, 하리 노자 등으로 하여금 불을 때라 하더니, 이 날 마침 명성대사가 은화촌 활인사에서 취암에 다니러 왔다가, 그윽이 생각하되,

"내 제자를 시켜 양주 한효렴의 일녀를 부상(父喪) 삼년도 마치지 못하여서 이리 데려옴은, 기모(其母) 곽씨의 인사(人士)651)를 믿지 못하여, 천정연분(天定緣分)을 이뤄 가게 함이라. 오늘날 동월후 밖에 온 때를 타 유인하여, 한소저를 뵈고 인연을 맺게 하리라."

의사 이에 미처 개연이 외실에 나와, 평제왕과 동월후를 만나 합장배례 하고 만복을 축하니, 제왕의 밝은 안광으로 어찌 혜원을 알지 못하리오. 본디 승니를 괴려(乖戾)이 여기나, 명성대사는 예사 범범한 이고와 달라 도행(道行)이 청고(淸高)하고, 윤·양 이부인을 구활하여 분산(分産)을 시키고, 신묘랑 요정을 잡아 정·진 양문의 흉화(凶禍)를 돌이켜 영복(榮福)을 삼게 한 공이 큰지라. 이에 소리를 화히 하여 칭사 왈,

"괴(孤)652) 한 번 법사를 낯으로 보아 큰 공을 사례코자 한 지 오래되,

---

651) 인사(人士) : ①사회적 지위가 높거나 사회적 활동이 많은 사람. ② (예스러운 표현으로) '사람'을 낮잡아 이르는 말.
652) 고(孤) : 예전에, 왕이나 제후가 자기를 낮추어 이르던 일인칭 대명사.

화란지후(禍亂之後)에 종용이 집에 든 때 없을 뿐 아니라, 산문(山門)에 발을 디딜 일이 없어 능히 법사를 상접(相接)지 못하였더니, 금일은 선산에 소분하고 돌아오다가 인마(人馬)가 마땅히 머물 곳이 없어 암자를 찾아 이르렀더니, 법사 찾으니 정히 보고자 하던 바를 위로하리로다.”

인하여 신묘랑을 잡아 정·진 양문의 급화를 늦추게 함과, 윤·양 등을 구하여 그 복아(腹兒)를 무사히 낳게 한 공을 일컫은데, 혜원이 불감당임을 일컬어 재삼 사사하거늘, 월후 또한 그 공을 못내 일컫고 묻되,

“여승 있는 암자에는 유학하는 선비 머물지 않으려니와, 연이나 혹 과객(科客)이 있느냐?”

혜원이 대왈,

“혹 유람하는 선비 간간이 왕래하는 고로, 즉금도 한공자라 하는 이 이곳에 있어 학공(學工)을 부런히 하시나이다.”

월후, 한씨가 여자인 줄은 알지 못하고 한 번 보고자 하더라.

명주보월빙 권지팔십팔

　화설 동월후 이고(尼姑)의 말을 듣고 한씨 여자인 줄은 알지 못하고, 남자로서 여승의 무리 있는 암자에서 유학(留學)함을 가장 괴망(怪妄)이 여겨 그 위인이 어떠한가 보고자 하여, 웃고 이르되,

　"그 한 공자 어데 있느뇨? 내 잠깐 들어 가 보리라."

　이고 쾌히 한씨 있는 곳을 가르치고, 이르되,

　"그 공자 하 울적하게 학공만 부지런히 하시니, 빈승(貧僧)653)의 무리 답답하여 이따금 벗이나 사귀시기를 청하되, 듣지 않으시더이다."

　월후 몸이 일어나는 줄 깨닫지 못하여, 즉시 한 공자를 보러 가거늘, 왕이 이르대,

　"여암(女庵)에 유학하는 선비 있지 않을 것이거늘, 현제 그 근본을 모르고 가보는 것이 불가한가 하노라."

　월후 대왈,

　"한 번 잠깐 봄이 해롭지 아니하니, 남자일진대 차처에 있음이 가장 괴망하니 어떤가 보사이다."

---

653) 빈승(貧僧) : 승려가 덕(德)이 적다는 뜻으로, 자기를 낮추어 이르는 일인칭 대명사. 늑빈승(貧僧)

언파에 나는 듯이 한씨 침각(寢閣)에 이르니, 원간 한씨 부상(父喪) 삼년을 외딴 곳에 떨어져 지내고 남다른 지통(至痛)이 골절(骨節)의 사무치는 가운데, 자기 사생존망(死生存亡)을 모친이 알지 못하여 주야통 상하실 바를 더욱 설워 불효를 탄하되, 암중 이고(尼姑) 등의 받드는 정성이 관음(觀音)654) 버금이라. 소저 혹자 암중에 유람하는 무리 왕래할까 두려 남복을 개착하고, 깊이 있으나 여러 일월에 외인을 본 일이 없고, 혹자 외실에 남자 이르면, 이고 등이 외객이 왔는 줄을 고하여 미리 몸을 피하게 하더니, 이 날은 명성 대사가 정후를 청하여 한소저를 보도록 하는 고로, 한씨에게 먼저 고치 않았더라.

월후 부지불각(不知不覺)에 문을 열고 들어가니, 한씨 바야흐로 성경현전(聖經賢傳)655)을 대하여 스스로 회포를 위로하다가, 지게656)를 여는 바의 일위 남자 언연(偃然)히657) 들어오는지라. 한소저 대경대황(大驚大惶)하되 불변안색(不變顔色)하고 천연이 일어 맞아 예필 좌정에, 월후의 양안이 한씨 신상에 온전히 비추여 자세히 보매, 이 문득 빙설(氷雪)의 기부(肌膚)요, 화월(花月)의 색태(色態)라. 봉황미(鳳凰眉)에 팔채(八彩) 영영(煥煥)하고, 효성쌍안(曉星雙眼)에 정기 동인(動人)하거늘, 연화(蓮花) 같은 쌍협(雙頰)과 앵두 같은 단순(丹脣)이며, 교옥(皎玉) 같은 면모 양춘의 화기를 겸하며, 추월(秋月)의 정화(精華)를 아울러, 백

---

654) 관음(觀音) : 관세음보살(觀世音菩薩). 『불교』아미타불의 왼편에서 교화를 돕는 보살. 4보살의 하나이다. 세상의 소리를 들어 알 수 있는 보살이므로 중생이 고통 가운데 열심히 이 이름을 외면 도움을 받게 된다.

655) 성경현전(聖經賢傳) : 유학의 성현(聖賢)이 남긴 글. 성인(聖人)의 글을 '경(經)'이라고 하고, 현인(賢人)의 글을 '전(傳)'이라고 한다. ≒경전(經傳)

656) 지게 : 지게문. 옛날식 가옥에서, 마루와 방 사이의 문이나 부엌의 바깥문. 흔히 돌쩌귀를 달아 여닫는 문으로 안팎을 두꺼운 종이로 싸서 바른다.

657) 언연(偃然)히 : 거드름을 피우며 거만하게. ≒언건(偃蹇)히.

태(百態) 조요(照耀)하고 천광(千光)이 찬란하니, 남복 가운데 더욱 기이한지라.

월후의 고산 같은 안목과 일세를 압두하는 기운으로도, 차인을 대하매 아름답고 기이함을 이기지 못하여, 이에 말을 펴 가로되,

"생은 경사 사람으로 마침 선릉(先陵)에 소분하고 돌아오더니, 설한(雪寒)이 극엄(極嚴)함을 인하여 잠깐 이 곳의 들어 쉬고자 하였더니, 수자(竪子)658) 이곳에서 유학하심을 듣고, 석에 사마의(司馬懿)659) 이르되, '온 세상 모든 사람들이 다 형제라' 하니, 생이 전자(前者)에 수자로 더불어 사귄 일이 없으나, 새로 교도를 이으매 향자(向者)660)의 친절함과 다르지 않으리니 존성대명(尊姓大名)661)과 거주(居住)를 얻어들으리까?"

한소저 자기 성명을 바뀌 이르고, 본디 대인상접(對人相接)을 못하는 병이 있음을 칭하여, 어서 나가게 하려 함으로 이의 양주인 한희백이로라 하니, 월후 또 물어 가로되,

"연즉 형이 양주 한효렴 시자(侍子)662) 희린을 아느냐?"

한 소저 차언을 들으매 반갑고 놀라오며 슬프고 황홀함을 이기지 못하여, 이에 대왈,

"한희린은 소생의 종제(從弟)니 상공이 아시나이까?"

월후 가로되,

---

658) 수재(竪子) : 더벅머리. 총각.
659) 사마의(司馬懿) : 중국 삼국 시대 위(魏)나라의 명장·정치가(179~251). 자는 중달(仲達). 촉한(蜀漢)의 제갈공명의 도전에 잘 대처하는 등 큰 공을 세워, 그의 손자 사마염이 위(魏)에 이어 진(晉)을 세우는 데에 기초를 세웠다.
660) 향자(向者) : 접때. 이전. 지난 날.
661) 존성대명(尊姓大名) : 높은 성씨와 큰 이름. 성명(姓名).
662) 시자(侍子) : 모시어 받드는 아들. 아들.

"한희린이 편모(偏母) 곽부인을 모셔 이부총재 윤효문 부중(府中)에 의지하였는 고로 자주 보았나니, 한효렴이 한안공의 일자니 다른 동기 없음을 아나니, 수자가 한희린으로 더불어 종형제(從兄弟)라 함을 의아하노라."

한씨 자기 집 근본을 자세히 앎을 보매 반가우미 무궁하여, 소소(小小) 부끄러움을 덜고, 윤이부 가사를 알고자 하여 이에 대왈,

"소생이 어려서 부모를 실리(失離)하였으므로, 한희린과 동향(同鄕) 동곡(同谷)에서 형제로 칭하고 살았으므로 종형제 되던가 여기나, 인새(人士)663) 미거(未擧)하664)였을 때 집을 떠났으니, 촌수(寸數)는 자세히 알지 못하는지라. 희린의 있는 곳을 알면, 소생이 희린으로 서로 본즉 집을 찾음이 있을까 하나이다."

월후 본디 잔 호의(狐疑) 없는 성품이라. 그 여자임을 알지 못하고 정리(情理)를 불상이 여겨, 자기와 한가지로 성내의 들어 가 옥누항 윤부로 가자 하니, 한씨 사사하여 가로되,

"상공의 후덕은 감격하나, 소생이 풍한(風寒)의 상하여 아직은 방 밖을 나지 못하게 되었으니, 수삼일 조리하여 성내에 들어 가 희린을 찾으려 하나이다."

월후 그 용모기질(容貌氣質)을 심애(甚愛)하여 자연 집수연슬(執手連膝)함을 면치 못하니, 한소저 대경하여 늠연(凜然)이 손을 빼고 신색(身色)이 변함을 깨닫지 못하니, 즉시 좌를 멀리 하는 바에 옷소매 너르고 팔이 이상히 약한 고로 주점(朱點)665)이 드러나니, 월후 비로소 연자인

---

663) 인사(人士) : 사람. '사람'을 낮잡아 이르는 말.
664) 미거(未擧)하다 : 철이 없고 사리에 어둡다.
665) 주점(朱點) : '앵혈'의 다른 용어. 개용단·회면단·도봉잠 등과 함께 한국고소설 특유의 서사도구의 하나. 앵혈은 어려서 이것으로 여자의 팔에 점을 찍어

줄 깨달아 놀라움을 이기지 못하여, 연망(連忙)이 일어나 절하고 밖으로 나가며 이르대,

"소생이 불명하여 소저의 근본을 알지 못하여 설만(褻慢)함이 많으나 이 만만무정지사(萬萬無情之事)666)라. 소저는 괴이히 여기지 마소서. 소생이 한희린을 보고 소저의 찾고자 하는 바를 전하리이다."

언파에 일시도 머물지 않고 나가니, 명성대사 들어와 한씨를 위로 왈,

"소저는 외인을 보고 놀라지 마소서. 이제야 길운(吉運)이 다다랐으니, 소저 친당을 찾아 돌아가시고, 백년기연(百年奇緣)을 마땅히 이루리이다."

한씨 평생 처음으로 일면지분(一面之分)667)도 없는 남자를 만나 자기 주표를 뵈고, 그 말이 처음 아득히 모르고 들어 왔던 바를 들으매, 참괴하고 놀라움이 욕사무지(欲死無地)거늘, 대사(大師) 이렇듯 이르니, 사사(事事)에 자기 팔자 괴이하여 규문(閨門)의 지극한 예를 잡지 못하고, 산사에 유락(流落)함을 슬퍼 눈물이 연락(連落)함을 깨닫지 못하니, 오래도록 말이 없더니, 날호여 가로되,

"내 산사에 머무른 지 세월이 포668) 되었으되, 암중(庵中) 이고(尼姑) 등이 행여 외인의 자취 이르면, 날더러 먼저 일러 알게 함이 있더니, 금일은 외인이 들어 오되 영영(永永)이 이르지 않아, 날로 하여금 이 부끄

두거나 출생신분을 기록해 두면, 남성과의 성적 결합을 갖기 전에는 지워지지 않는 효능을 갖고 있기 때문에, 주로 남녀의 동정(童貞) 여부를 감별하거나 부부의 성적 결합여부를 판별하는 징표로 사용되지만, 이에 못지않게 신분표지나 신원확인의 수단으로도 많이 활용되고 있다.

666) 만만무정지사(萬萬無情之事) : 전혀 고의(故意)로 한 일이 아님. 혐의(嫌疑)를 둘 만한 일이 없음.

667) 일면지분(一面之分) : 한 번 만나 본 정도의 친분.

668) 포 : 거듭. 어떤 일이 되풀이 됨.

러움을 끼치게 함은 어찌된 일이뇨?"

이고 흔연 소왈,

"이 부끄러운 것은 대사(大事) 아니요, 백수동낙(白首同樂)의 천정연
분(天定緣分)을 찾음이 옳으니, 소저는 슬퍼 마소서."

한씨 묵연부답(黙然不答)이러라.

월후, 한씨 여자임을 알고 경동(驚動)하여 즉시 나와 형장(兄丈)을 대
하여, 여자 남복(男服)하고 있던 바를 전하고, 처음 들어 가 본 줄을 뉘
우치니, 제왕이 미우를 찡기고, 가로되,

"그러므로 내 처음에 들어가지 말라 하였더니, 네 부디 우겨 들어갔다
가 남의 집 규수를 봄이 되니, 무엇이 좋으리오."

월후 소왈,

"모르고 들어갔다가 규수임을 알고 즉시 나왔으니, 소제의 행실에 해
로움이 없나이다."

제왕이 미소 왈,

"비록 그러하나 이곳에 와 규수를 만나니 우연한 일이 아니라. 혹자
우형의 윤씨 만남 같으면, 어찌 괴롭지 않으리오."

월후 미미히 웃으나 뜻인즉, 기울어 소저로써 부디 자기 기물(奇物)을
삼고자 하는지라. 명일 암자를 떠나 집으로 돌아 올새, 길이 옥누항을
지나는 고로, 총총히 윤부에 들어가니, 마침 윤태부(太傅) 소서헌에서
한희린과 학문을 의논하는지라. 월후 미처 당의 오로지 못하고, 다만 한
공자를 보아 왈,

"남문 밖 취월암에 유우(留寓)하는 수재(秀才)의 얼굴과 성음이 많이
수재로 방불하고, 부디 수재로 서로 보고자 하는 뜻이 있어 종형제 간이
되노라 하니, 내 지금 선산으로서 돌아오는 길이라. 총급(怱急)669)하여
종용히 말을 못하나니, 수재는 바삐 가 찾아보라."

언파의 즉시 걸음을 돌려 말에 오르니, 희린이 차언을 들으매 심신이
황홀하여 혹자 그 누인가 하여 태부께 고 왈,

"소생이 편모께 이 소유를 고하고, 거교를 차려 취월암에 가 보고자
하옵나니 선인이 본디 독신이라. 소생에게 종제 있을 묘리(妙理) 없으니
짐작컨대 잃은 누인가 하나이다."

태부 왈,

"과연 그러할 듯하니 일시를 더디지 말고 바삐 취월암의 나아가, 진정
잃은 소저이실진대 데려와, 영당(令堂) 태부인 노년의 상회(傷懷)하시는
회포를 위로하라."

희린이 사례하고 곽부인께 고코자 하거늘 태부 왈,

"네 본디 종일 서헌의 있으니 고(告)치 말고 취월암의 나아가, 진정
영매면 모르고 계시다가 모녀 상봉하시매 더 기쁠 것이요, 혹자 아니라
도 그 사이의 경동하여 악연(愕然)하실 리 없으리라."

희린이 과연 그 말과 같이 여겨, 태부에게 거교(車轎)를 얻어 가지고
일필 청녀(靑驢)를 채쳐 빨리 취월암에 이르매, 명성대사가 정히 기다
리다가 즉시 나와 한 공자를 객당(客堂)에 앉히고 이에 온 연고를 물으
니, 희린이 지필(紙筆)을 구하여 자기 성명 거주를 써 주며 이르되,

"이 곳에 유학하는 공자 있거든 이 쓴 것을 전하라."

대사가 들어가 한씨를 보고 밖에 온 공자의 의형면목(儀形面目)을 자
세히 옮겨 이르며, 그 성명 적은 것을 드리니, 한소저 귀로 이고의 말을
들으며 눈으로 그 글을 보니, 분명이 제남(弟男) 희린이라. 한씨 심신이
황홀하여 즉시 청하여 들어와 남매 상견하매, 피차 일장을 통곡하여 정
신을 차리지 못하다가 겨우 진정하여 ,한 공자 눈물을 거두고 윤태부를

---

669) 총급(悤急) : 몹시 급함.

따라 모자 경사에 왔음을 전하니, 소저 한 일이나 위로할 일이 있음을
영행하며, 자기 오래 산문의 유우(留寓)하다가, 구태여 외인을 만나 신
상의 누얼670)을 면하기 어려움을 슬퍼하니, 공자 위로하고 대사와 월청
이 함께 나와 소저의 연분이 정가의 있음을 공자에게 고하고, 동월후의
예를 잡음이 소저 여자인 줄 안 후는 경동(驚動)하여 즉시 나가던 바를
전하니, 공자 탄 왈,

"만사 천의(天意)니 인력으로 할 바 아니라."

하고, 인하여 매저를 구하여 오래 산문에 머물던 은혜를 천만 칭사하
여, 생전에 잊지 못할 은혜를 일컬으니, 이고 등이 불감함을 사양하더라.

공자 저저(姐姐)의 도라 감을 청하니, 소저 이고 등을 작별하매 집수
(執手) 척연(慼然)하여 눈물 흘림을 깨닫지 못하며, 여러 일월에 가득
히671) 대접하던 은혜를 차생에 갚지 못할까 슬퍼하니, 이고 등이 다 체
읍(涕泣) 배별(拜別)하더라.

한씨 이고 등을 이별하고 즉시 거교에 오르매, 한 공자 호행하여 옥누
항에 돌아와 바로 모친 침소에 다다르매, 곽씨 천상(天喪)672) 삼년을
훌훌이 지내고, 윤부 은덕과 희린의 성효를 의지하여 일월을 보내나, 여
아의 생존을 알지 못하여 촌장을 사르다가, 오늘날 천만 기약치 않아서
잃은 여아 살아 돌아오니, 환행희열(歡幸喜悅)함이 극하매 도리어 슬픔
이 무궁하니, 황망이 여아의 손을 잡고 낯을 대고 실성통곡 왈,

"이것이 꿈이냐, 상시냐. 도시(都是)673) 내 무상(無狀)하여 최가 몹

---

670) 누얼 : 누얼(陋−). 사실이 아닌 일로 뒤집어쓴 더러운 허물. 얼; 겉에 들어난
    흠이나 허물. 탈.
671) 가득히 : 후(厚)하게. 많거나 넘치게
672) 천상(天喪) : 남편의 상(喪). 남편을 '하늘(天)'이라 한 데서 유래한 말.

쓸 놈에게 돌아 보내려 하다가 영영(永永)이 잃어, 세월이 오래도록 사생존망을 알지 못하니, 주야에 간장이 녹고 사위어674), 지하의 선군을 볼 면목이 없어 더욱 설워하더니, 오늘날 네 살아 돌아 올 줄 어찌 알았으리요."

소저 슬프고 애달음이 가득하나, 모친의 비회를 돕지 못하여 나직이 위로하고, 인하여 월청을 만나 산사에 머물던 바를 종용이 고하고, 부친 사묘에 배알하매 눈물이 비 같고 기운이 막힐 듯하되, 지통을 억제하여 모녀 윤태부 은혜를 감골하나, 희린이 태부의 은혜를 일컬음을 깃거 않는 성정과 위인을 아는 고로 은덕을 일컫지 못하나, 생당운수(生當運數)675)하고 사당결초(死當結草)676)할 뜻이 있고, 태부 희린이 형매(兄妹)677)를 찾아 돌아옴을 행열하여, 부디 옥인군자(玉人君子)를 가려 희린의 저부(姐夫)678)를 삼고자 하되, 동월후의 한씨의 생존을 알아다가 희린에게 전한 뜻이 심상치 않음을 생각하고, 아직 혼사를 일컫지 아니하더라.

시시(是時)에 제왕과 월후 본부의 돌아와 존당 부모께 배현하매, 태부인과 금평후 부부 그 사이나 반김이 극하여, 도로의 설한(雪寒)을 당하여 발섭(跋涉)이 괴롭던 바를 묻고, 차야의 금후 예부와 월후를 데리고 청죽헌에서 취침하였더니, 사몽비몽간(似夢非夢間)의 일위 현사(賢士)가 광의대대(廣衣大帶)679)로 손에 백옥주미(白玉麈尾)680)를 들고 채

---

673) 도시(都是) : 도무지. 아무리 해도.
674) 사위다 : 다 타버리다. 불이 사그라져서 재가 되다.
675) 생당운수(生當運數) : 살아서는 마땅히 운명의 정해진 바를 따를 뿐임.
676) 사당결초(死當結草) : 죽어서는 마땅히 결초보은(結草報恩)할 것임.
677) 형매(兄妹) : 손윗누이.
678) 저부(姐夫) : 누이의 남편.
679) 광의대대(廣衣大帶) : 품이 넉넉한 도포(道袍)를 입고 넓은 띠를 두른 차림.

운(彩雲)을 멍에 하여 죽헌에 이르러, 금평후를 향하여 읍하고 가로되,

"생은 명공으로 더불어 일면(一面)의 분(分)681)이 없고 척촌(尺寸)의 은혜 끼친 일이 없으니, 어찌 생의 자식을 거두어 슬하의 자식을 삼으라 하리요마는, 태창성이 아녀로 더불어 천연(天緣)이 중하고, 취월암 산사에서 서로 보고 비록 아녀를 남자로 알았으나, 집수년슬(執手連膝)하여 이미 주표(朱標)가지 보았으니, 사문규수(士門閨秀)가 외간남자로 더불어 대면친접(對面親接)하고 어찌 타문(他門)을 생각하리오. 명공은 천연이 매인 바의 인력으로 미칠 바 아님을 헤아려, 아녀를 거두어 무휼(撫恤)하시면 생이 당당이 결초보은(結草報恩)하리이다. 금후 기인의 승형학골(勝形鶴骨)682)이 속세 범인과 다르고, 언어(言語) 여차함을 보고, 이에 흠신(欠身)683) 답 왈,

"선생의 이른 바 태창성은 누구를 이름이뇨?"

그 사람이 왈,

"태창성은 이 곳 동월후니 아녀와 세연(世緣)이 지중하니 명공은 천의를 순수(順受)하소서."

언흘(言訖)에 부지거처(不知去處)684)라.

차시 월후 또 일몽을 얻으니, 일위 장자가 들어와 월후를 향하여 왈,

"군이 아녀와 천연이 중하니 길이 화락함을 바라노라."

---

680) 백옥주미(白玉塵尾) : 백옥으로 장식한 총채. *총채; 말총이나 헝겊 따위로 만든 먼지떨이.

681) 분(分) : 친분(親分).

682) 승형학골(勝形鶴骨) : 아름다운 외모와 학처럼 늘씬한 골격.

683) 흠신(欠身) : 공경하는 뜻을 나타내기 위하여 몸을 굽힘.

684) 부지거처(不知去處) : 간 곳을 알 수 없음.

월후 정신을 진정치 못할 즈음에, 기인이 월후의 등을 두드리며 쾌서라 하여 애중함을 마지않다가, 날호여 형적(形迹)을 감출 새 월후의 손을 쥐었다가 놓고, 길이 유신(有信)함을 당부하고 나가니, 월후 하당(下堂) 송지(送之)하려 몸이 내리다가 중계(中階)에 거꾸러지니, 월후 인하여 몽압(夢魘)685)하니, 금후 월후의 소리의 깨어 즉시 월후를 흔들어 깨오고 몽압한 연고를 물으니, 월후 야야(爺爺) 몽사(夢事)와 다름이 없으나 오히려 부친의 꿈 얻으심을 알지 못하고, 허탄한 몽사를 성언함이 가치 않아 다만 대왈,

"도로에 몸을 피로케 한 고로 우연이 몽압(夢魘)함인가 하나이다. 금평후 구태여 자기 몽사를 이르지 않되, 중심에 괴이히 여기더니 명일 제왕더러 묻되,

"너희 태주로서 올라올 때의 취월암이란 곳에 들어감이 있더냐?"

제왕이 대왈,

"다른 인가가 마땅치 않아 암중에서 일야를 지내고 왔나이다."

금평후 들을 만하였더니, 월후 몽사를 얻고 한씨의 기화명월(奇花明月) 같은 용채(容彩)를 그윽이 사상(思想)하여 일일은 파조(罷朝) 후 부중으로 돌아오는 길에 옥누항에 이르매, 창후 곤계 밖은 다른 사람이 없는지라. 월후 가장 다행하여 수일 보지 못함을 일컫고 날호여 물어 가로되,

"한희린이 그 누이를 찾아오니까?"

동평후 답소왈,

"취암의 가 데려 왔거니와 예백이 알아 무엇 하려 하느뇨?"

월후 가로되,

"소제 불명하여 한씨의 남복을 보고 여자인 줄을 알지 못하여, 평생

---

685) 몽압(夢魘) : 자다가 가위에 눌림. *魘(가위눌릴 염); 음이 '염'임.

교도를 맺고자 하여 집수연슬(執手連膝)함이 있더니, 주표를 보매 놀라움이 극한지라. 저 여자 만일 절행이 있을진대 타처의 돌아가지 않으려 할 것이니, 소제 버려두면 사람의 일생을 희지은 적앙(積殃)이 있을까 두려하나이다."

동평후 미미히 웃으며 가로되,

"예백이 적불선(積不善)을 염려하여 이렇듯 이르나, 석(昔)에 하혜(下惠)[686]와 미자(微子)[687]가 한 수레에 부인을 품어 구하였으되 행실에 유해함이 없었으니, 예백이 한씨의 손을 잡음으로써 일생을 희지음이 될까 근심하거든, 쾌히 한씨로 결약남매(結約男妹)하여 혐의로움이 없게 하는 것이 옳으니, 죽청 형으로부터 결약남매 하는 버릇이 있으니, 예백이 죽청 형의 하씨로 결약남매 함을 본받음이 어떠하뇨?

월후 청필에 주순(朱脣)에 호치(皓齒) 현출하여 가로되,

"형의 의논이 자못 마땅하시되, 소제 남매 수를 혜면 하 저저(姐姐) 아울러 팔 인이니, 동기 수가 부족하여 양매(養妹) 얻도록 하리까?"

동평후 소왈,

---

686) 하혜(下惠) : 유하혜(柳下惠). 중국 춘추시대 노(魯)나라의 현자(賢者). 성은 전(展), 이름은 획(獲), 자는 금(禽) 또는 계(季). 유하(柳下)에서 살았으므로 이것이 호가 되었으며, 문인(門人)들이 혜(惠)라는 시호를 올렸으므로 '유하혜(柳下惠)'로 불렸다. 겨울밤에 추위에 떠는 여인을 자기 침상에 뉘어 몸을 녹여주었으나 그의 평소 행동이 단정하였기 때문에, 그의 결백을 의심하는 사람이 없었다고 한다.

687) 미자(微子) : 미자계(微子啓). 중국 은나라 말기의 현인(賢人). 기자(箕子), 비간(比干)과 함께 은말 삼인(三仁; 세 어진 사람)으로 꼽힌다. 이름은 계(啓)이고 은나라 마지막 왕인 주(紂)의 이복형이다. 주를 간(諫)했지만 받아들이지 않자 조상을 제사 지내는 제기들을 갖고 산서성 노성(潞城) 동북쪽에 있던 미(微) 땅으로 갔다. 주나라 무왕이 주(紂)를 정벌하자 항복했는데, 무왕은 그를 미(微) 땅의 제후로 봉했다. 그래서 미자(微子)라고 한다.

"동기는 백이라도 번화코 귀한 것이요, 처실은 많은 것이 마침내 기쁘지 않으니, 예백이 이로써 걸려[688] 할진대, 금일이라도 악장께 뵈옵고 한씨를 양녀로 정하시게 하리라."

월후 다시 말을 못하여서 위국공이 웃고 가로되,

"현제는 어찌 사람의 마음을 알지 못하고 말치[689]를 못 알아들어 대답을 그리 뻑뻑하게[690] 하느뇨? 예백이 한소저의 일생을 진정으로 근심하고 염려하여 적불선지화(積不善之禍) 있을까 두려워하는 것이 아니라, 짐짓 혼인을 청코자 이렇듯 핑계하여 한소저의 종신대사(終身大事)[691]를 저에게 지내게 하고자 함이라. 어찌 뜻 밖에 결의남매(結義男妹)를 이르리오."

태부 함소 대왈,

"소제 우미하여 예백이 개과수행(改過修行)하다 하여 이름이로되, 이제도 정도에 나아감이 멀었도소이다."

월후 소왈,

"소제의 경박함은 양위 존형의 밝히 아시는 바라. 어찌 정도의 돌아갔다 하리까? 문왕(文王)은 성인(聖人)이시되 태사(太姒) 같은 숙녀를 두시고도 삼천후비(三千后妃)를 유정(有情)하시니, 하물며 소제 같은 취색경덕(取色輕德)하는 무리를 이르리까? 양형이 한씨로써 소제의 기물(奇物)을 삼지 않은즉, 소제 실성발광(失性發狂)이 다시 나리로소이다."

위공이 소왈,

"내 당당이 월로를 자임하리니 성친 후 네 호주성찬으로 나의 주량을

---

688) 걸리다 : 마음 따위에 만족스럽지 않고 언짢다.
689) 말치 : 말뜻. 말이 가지는 뜻이나 속내.
690) 뻑뻑하다 : ①융통성이 없고 고지식하다. ②꽉 끼거나 맞아서 헐겁지 아니하다.
691) 종신대사(終身大事) : 평생에 관계되는 큰일이라는 뜻으로, '결혼'을 이르는 말.

채우고 백배 고두하여 은덕을 생전사후에 잊지 않으려 하는다?"

월후 화연이 웃고 왈,

"소제 비록 피폐하나 오히려 식읍 삼천 석 봉록(俸祿)이 있으니, 형의 주량을 싫도록 채우리니 형이 월로(月老)692)를 자임(自任)하시나, 효문 형이 가친께 차혼을 청하신 즉 허락하심이 더욱 손바닥 뒤집음 같으리이다."

동평후 미소왈,

"중매(中媒) 되기를 어려이 여기는 것이 아니라, 예백의 성정이 발호한 것을 채 잡지 못하였음을 염려하나니, 내 본디 사람을 과도히 책망치 못하여, 기기소단(棄其所短)693)하고 취기소장(取其所長)694)하는 바거늘, 예백의 태강(太强)한 수단이 노(怒)를 발하면, 양수 같은 어진 부인이라도 물에 동여 넣기를 아주 쉬운 일로 앎을 실로 무섭게 여기나니, 저 한씨 과모(寡母)의 일녀로 호화히 자라지 못한 여자니, 출가한 후나 그 일신이 영화롭기를 곽부인이 절박히 바란다 하니, 예백이 스스로 헤아려 광증이 다시 나지 않을 것 같으면, 내 금일이라도 영존께 청혼하리라."

월후 웃으며 사례 왈,

"소제의 전 행사는 실로 사람을 들림 즉 하지 않은 일이 있거니와, 엄훈을 받들어 전과(前過)를 뉘우치고 새로 화홍관자(和弘寬慈)하기를 주하나니, 어찌 한씨를 취하여 양씨같이 대접하리까? 하물며 가내에 성녀 같은 요인(妖人)이 없으니 소제 실성할 묘맥이 없으리이다."

---

692) 월노(月老) : 월하노인(月下老人). 부부의 인연을 맺어 준다는 전설상의 늙은 이. 중국 당나라의 위고(韋固)가 달밤에 어떤 노인을 만나 장래의 아내에 대한 예언을 들었다는 데서 유래한다.
693) 기기소단(棄其所短) : 단점을 버림.
694) 취기소장(取其所長) : 장점을 취함.

동평후 소왈,

"장부일언(丈夫一言)이 천년불개(千年不改)[695]라. 예백이 이렇듯 정녕(丁寧)이 이르고 어찌 말과 일을 달리 하리오. 내 명일 형장을 모셔 운산의 나아가, 영존께 뵈옵고 차혼(此婚)을 의논하리라."

월후 대열하여 재삼 칭사(稱謝)하고, 말씀을 부디 좋도록 하여 가친의 허락을 얻도록 하라 당부하니, 동평후 잠소(潛笑) 왈,

"비록 언단이 서어(齟齬)하나 악장의 허락은 손에 춤 뱉고 기약하리니 예백은 하 초조치 말라."

월후 웃고 날이 늦음으로써 하직하고 돌아간 후, 금평후 마침 순참정을 보라 왔다가 윤부에 와 호람후 부자 숙질을 서로 볼새, 주객(酒客)이 다 배작을 날리며 종용이 담화하다가, 위공이 웃고 먼저 가로되,

"사제(舍弟)는 한희린의 매저를 위하여 바야흐로 민울(悶鬱)한 근심이 있어, 악장께 고코자 하되 청납치 않으실까 염려하는 바로소이다."

금평후 소왈,

"사빈의 이름 곧 있으면 내 본디 아니 들은 일이 없거늘, 무슨 일이관데 그리 염려하느뇨?"

창후 대왈,

"다른 일이 아니라, 취월암이 죽청 형의 곤계를 위한 산사(山寺)요, 존부 복경이 높으심이 점점 더한 때라. 옥녀철부(玉女哲婦) 자연한 가운데 갖추 모여, 가내에 화기를 이루며 자손이 흥성함을 돕는지라. 모일에 죽청 형이 예백으로 더불어 태주 능침에 다녀오다가, 취월암에 들어가 쉴 제, 한씨 남복으로 여차여차 있음을 듣고 예백이 남자로 알아 교도를

---

695) 장부일언(丈夫一言) 천년불개(千年不改) : 장부가 한 번 한 말은 아무리 많은 세월이 지난 뒤라도 변해서는 안 된다.

맺고자 하다가, 비홍(臂紅)을 보고 경동(驚動)하여 즉시 나오다 하되, 한희린이 그 누의를 찾아 돌아와 타처의 성친코자 한즉, 한씨 스스로 폐륜함을 결단하여, 규수의 몸으로 외간남자와 집수 연습함을 큰 누얼같이 여긴다 하니, 곽부인이 다만 희린 남매뿐이라. 그 여아 폐륜할 바를 망극하여 소생의 형제에게 말을 전하여, 그 일녀로써 남의 여러 째 부실로 돌아 보냄이 난처하나, 폐륜하느니보다는 나을 것이니, 존부에 혼인을 청하여 달라 하거늘, 소생의 형제 예백을 보고 이 뜻을 비추니, 제 이르대,

"성씨를 만나 가내를 어지럽히고, 허다 망측지사(罔測之事)를 행하니, 생각할수록 여관(女款)이 꿈같다 하여, 소씨는 사세 마지못하여 취하였으나, 다시 타념이 있지 않다 하고, 한씨 저로 인하여 폐륜할진대 실로 적불선이 두려우니, 차라리 악장께 고하고 결약남매(結約男妹)하여 한 조각 혐의로옴을 없애고자 하노라 하여, 신취할 의사 몽리에도 없으니, 그 고집이 과인(過人)한지라. 소생 등으로서는 예백의 뜻을 돌이키지 못하오리니, 악장이 차혼을 쾌허하시어 숙녀현부를 사양치 마심이 마땅하니, '천여불취(天與不取)면 반수기앙(反受其殃)이라', 하늘이 예백을 위하여 숙녀철부를 내었거늘, 예백이 사양하고 악장이 불허하시면 덕이 되지 않으리니, 악장은 소생의 말씀이 해롭지 않음을 생각하소서."

태부 말씀을 이어 가로되,

"소생이 저 한가로 일면지분(一面之分)이 없사오나, 당차시 하여 희린으로 사제(師弟)의 의를 맺어, 정의 골육에 감치 않고, 희린의 편당(偏黨)의 정사 참담한지라. 일단 어린 뜻이 희린의 남매를 영화로운 곳에 혼인을 이뤄, 그 전정을 즐겁게 해주고자 바람이 있더니, 팔자를 임의치 못하여 한가에서 여자를 실산(失散)함이 되어, 여러 일월을 찾지 못하였더니, 예백의 전언으로 좇아 취월암의 가 데려 오니, 한씨 뜻을 결하여

폐륜하기를 정하고, 혼사붙이696)를 의논치 말라 한다 하니, 진실로 청한정결(淸閑貞潔)한 여자라. 소생에게 당치 않은 일이로되, 기특한 여자 공연이 인륜에 참예치 않으려 함이 심히 측은하여, 대인께 고하고 혼사를 성전(成典)코자 하나, 예백의 뜻이 내도하니 정히 좋은 모책을 얻지 못하여 우민(憂悶)하더니이다."

금평후 청차(聽此)에 자기 몽사 헛되지 않음을 깨달아, 구태여 물리칠 뜻이 없는지라. 다만 웃고 이르대,

"내 마음은 이르지 않아도 사원 형제 모르지 않으려니와, 불초한 아해들이 일찍이 섬궁(蟾宮)697)의 월계(月桂)698)를 꺾고, 다시 여러 처실을 모아 번화함을 구하니 실로 기쁘지 않되, 차혼을 사빈이 이렇듯 권하고, 세흥이 남의 규수로 좌를 가까이 하고 손을 연함이, 비록 모르는 가운데나 실로 그 위인이 불명(不明)한 연고라. 여러 사람을 구(求)하여 탕자의 마음을 마치는 것이 가치 않으나, 제 팔자에 매였으니, 위로 양·소 등이 극진한 숙녀라, 타인을 모음이 조물(造物)699)의 미움을 받을 듯하나, 내 집을 위하여 폐륜(廢倫)코자 하는 여자를 어찌 거두지 않으리오. 현서 등은 한수재(秀才)를 보고 차언을 전하여 종용이 길일을 택하여 성례할 줄을 이르라."

창후 등이 월후의 소원이 일게 됨을 깃거, 흔연 사사하고 즉시 한 공

---

696) -붙이 : -붙이. ① 같은 겨레라는 뜻을 더하는 접미사. ②어떤 물건에 딸린 같은 종류라는 뜻을 더하는 접미사.

697) 섬궁(蟾宮) : 월궁(月宮). 섬(蟾)은 달 또는 달빛을 말한다. 여기서 '월궁'은 황제의 궁궐을 뜻함.

698) 월계(月桂) : 전설에서, 달 속에 있다고 하는 계수나무. 조선시대에 임금이 과거 급제자에게 종이로 만든 계수나무 꽃을 하시어하였는데, 여기서는 이 어사화(御賜花)를 이르는 말로 쓰임.

699) 조물(造物) : 조물주(造物主). 우주의 만물을 만들고 다스리는 신.

자를 불러 금평후의 앞에서 허혼한 연유를 이르고, 택일하여 쉬이 성례
케 하라 하니, 한 공자 행열(幸悅)함을 이기지 못하여 순순(順順) 배사
하고, 인하여 종용이 말씀할 새, 그 상모와 위인이 비범특이(非凡特異)
하여 용린(龍鱗)의 품격이라. 당당한 언론이 늠름출발(凜凜出拔)[700]하
여 영준호걸의 풍이 있으니, 금평후 한 공자를 보니, 그 누의 용속(庸
俗)지 않을 바를 짐작하고 사랑함을 마지않으니, 희린이 금평후의 활연
청고(豁然淸高)한 기상과 예모 덕행이 빈빈(彬彬)함을 흠앙경복 하더라.

날이 늦으매 금평후 운산에 돌아와 태부인께 뵈옵고, 한가에 또 월후
의 삼취할 바를 품하여 형세 마지못할 바임을 고하니, 태부인이 가로되,

"양·소 등이 일무소흠(一無所欠)[701]이요, 세홍이 전일 같지 아니하
니 가내 화평할까 믿는 바이더니, 또 신취하게 되니 번오(煩懊)[702]하기
심하도다."

금평후 한 공자의 기특함을 고하여 그 누이 용이치 않을 바를 일컬으
니, 태부인이 깃거 한씨의 현숙함을 바라더라.

명일 한부에서 택일을 보하니, 길기(吉期) 겨우 일삭이 격하여 명년
맹춘(孟春) 회간(晦間)이라. 월후 한씨를 쉬이 취케 됨을 만만 행열하
되, 사색(辭色)이 늠연하여 기쁜 빛을 나타내지 않더라.

평제궁을 상부(上府) 곁에 지을새, 왕이 검소하기로 위주 하여, 사치
하게 꾸미며 기묘히 아로새기지 않고, 예사 왕궁으로 반감(半減)하여
짓게 하되, 천승 군왕의 궁실이라, 삼사 삭 내에 필역(畢役)하되 광활

---

700) 늠름출발(凜凜出拔) : 생김새나 태도가 의젓하고 당당하며 특출하게 빼어남.
701) 일무소흠(一無所欠) : 한 가지도 흠잡을 것이 없음.
702) 번오(煩懊) : 번거롭고 시끄러움.

(廣闊)하고 장녀(壯麗)하여 채색(彩色)으로 공교히 꾸민 것이 없으나,
고루장각(高樓壯閣)이 반공(半空)에 임리(淋漓)하니703), 표연(飄然)이
옥청선간(玉淸仙間)704) 같은지라. 왕이 제제(諸弟)로 더불어 궁실을
와 보고, 문득 기뻐 않아 미우를 찡기고, 가로되,

"당요(唐堯)705) 부유사해(富有四海)706)하시고 귀위천자(貴爲天子)707)
시로되, 토계삼등(土階三等)708)에 모자(茅茨)를 부전(不剪)709)하시고,
성탕(成湯)710)이 '뉵사(六事)로 책(責)하시되'711), '궁실(宮室)이 숭여
(崇歟)아?712), 여알(女謁)이 성여(盛歟)아?713)' 하시니, 내 무슨 사람이
관데 화당(華堂) 천여간(千餘間)에 외람히 천승 왕위를 안과(安過)하리

---

703) 임리(淋漓)하다 : 즐비(櫛比)하다. 줄지어 **빽빽**하게 늘어서 있다.
704) 옥청선간(玉淸仙間) : 옥황상제가 산다는 옥청궁이 있는 선계(仙界).
705) 당요(唐堯) : 중국의 요임금을 달리 이르는 말. 당(唐)이라는 곳에서 봉(封)함
     을 받은 데서 유래한다.
706) 부유사해(富有四海) : 천하의 부(富)를 수중(手中)에 둠.
707) 귀위천자(貴爲天子) : 천자가 되어 그 귀(貴)를 누림.
708) 토계삼등(土階三等) : 중국의 요임금이 검소한 생활을 하여, 궁전을 높고 화려
     하게 짓지 않고 궁전의 계단을 '흙으로 세 계단만 쌓은 것'을 말함.
709) 모자(茅茨) 부전(不剪) : 중국 요임금이 궁전을 검소하게 지어, 지붕을 띠(茅)로
     이고 그 띠지붕도 끝을 가지런히 깎지 않고 들쑥날쑥하게 두었던 것을 말함.
710) 성탕(成湯) : 탕(湯)임금의 다른 이름. 중국 은나라의 초대 왕. 원래 이름은 이
     (履) 또는 대을(大乙). 박(亳)에 도읍을 정하고 국호를 상(商)이라 칭하였으며,
     제도와 전례(典禮)를 정비하였다. 13년간 재위하였다.
711) '육사(六事)로 책(責)하시대' : 중국 은나라 탕임금이 나라에 가뭄이 들자 여섯
     가지 일로 자신을 책망하며 근신한 일. 곧 "정치를 절도 있게 하지 않았는가?
     백성이 직분을 잃었는가? 궁실은 숭엄한가? 여자의 청(請)이 치성한가? 뇌물
     이 행하는가? 참소하는 자가 성한가?"의 육책(六責)을 말함. 《呂氏春秋 順
     民》에 나온다.
712) 궁실(宮室)이 숭여(崇歟)아 : '궁실이 너무 높아 사치한 것은 아닌가?' 하는 말.
713) 녀알(女謁)이 성여(盛歟)아? : '정사(政事)를 어지럽히는 여자들이 많은 것은
     아닌가?' 하는 말.

오. 다른 왕궁으로 반감(半減)하여 지으라 하였더니, 어찌 이렇듯 장녀(壯麗)하뇨?"

제제 위로하여 이르되,

"사치와 부귀를 깃거할 것이 아니로되, 하늘이 형장으로 하여금 각별이 복록을 빌리시니, 천여불취(天與不取)면 반수기앙(反受其殃)이라. 자연이 오는 복을 어찌 하리까? 형장은 안심물려(安心勿慮)하소서."

왕이 진정으로 깃거 아니하더라.

이미 궁실을 필역(畢役)하고, 해를 바꾸어 명년 신정(新正)이 되니, 제국에서 궁비 삼백 명과 궁노 삼백 명을 뽑아 올리니, 대장군 복삼철과 승상 오달심이 표를 올려 국정을 고하였으니, 왕이 궁노 궁비의 수 많음을 더욱 깃거 않아, 이에 제궁에 와 잠깐 앉아 궁노와 궁비를 다 불러, 앞에 서서 이르되,

"궁비란 것은 일생 폐륜(廢倫)하여 머리털 있는 중이니, 그 신세 슬픔을 묻지 않아 알 것이오. 궁노 등으로 일러도 만리애각(萬里涯角)에 부모 친척을 아득히 이별하고 궁중에 속현(屬縣)714)한 바 되어, 생살지권(生殺之權)이 남에게 매였으니, 그 평생이 또한 편치 못할지라. 하물며 여등이 각각 어버이 독자녀(獨子女)로 믿을 동생이 없고, 차마 떠나지 못할 형세로 만리에 올라와 궁중에 사환함을 절박히 여기는 자가 있거든, 일시에 다 돌아가고 하나도 머무는 자 없어도 죄 삼지 않으리라."

궁노 궁비 등이 왕의 덕택이 제국에 덮여, 병난지시(兵亂之時)에 각각 목숨이 살아남도 왕의 덕화인 줄 아는 고로, 자원하여 그 노복이 되기를 바라는지라. 왕이 처음에 복삼철과 우달심에게 교(敎)를 나리와, 궁노 궁비 등을 자모(自募)받아715) 반감(半減)하여 보내라 하였는 고로, 궁

714) 속현(屬縣) : 소속(所屬). 일정한 단체나 기관에 딸림.

녀 등이 일생을 폐륜할 줄 모르지 않되, 저희 등이 왕의 덕화를 감격하여 제국으로 돌아 갈 뜻이 없는지라. 일시에 응성(應聲)하여 가로되,

"소비 소복 등이 우승상과 복장군의 자모(自募)받는 때를 당하여, 각각 원하여 이에 올라 왔사오니, 부모의 독자 독녀 아니라. 일찍 부모를 여읜 이도 있고, 어버이의 여럿 째 자식으로 유무불관(有無不關)하니, 본향에 돌아가도 즐거운 일이 없으니, 궁중에서 사후(伺候)하기를 원하나이다."

왕이 그 소원이 이 같음을 보매 능히 돌아 보내지 못하여 다 머물되, 사람의 폐륜하는 것을 자닝히 여기는 고로, 새로 규구(規矩)를 정하여, 일생을 폐륜하는 일이 없게 궁녀 등이 나이 이십만 되면, 행각(行閣)716)에 나와 인륜을 차려 살게 하고, 올라 온 유의 이십 된 궁녀는 아예 내궁(內宮)에 들이지 않아, 바로 행각에서 지아비를 얻어 살라 하고, 궁관(宮官)을 명하여 삼백 명 궁노로써 각각 소임을 차리게 한 후, 즉시 상부에 돌아와 다시 궁에 가지 않고, 윤·양·이·경 사비와 십희를 또한 궁실로 옮기지 아니하니, 금평후 이르되,

"비록 궁실의 장한 것이 즐겁지 않으나, 어찌 필역한 후 옮지 않으리오."

제왕이 대왈,

"소자의 평생 소원이 부모 슬하를 일시도 떠나지 말고자 하옵나니, 어찌 닷717) 궁에 혼자 옮으리까?"

금평후 침음 양구에 왈,

---

715) 자모(自募)받다 : 초모(招募)하다. 의병이나 군대에 자원하여 입대할 사람을 모집하다.
716) 행각(行閣) : 궁궐, 절 따위의 정당(正堂) 앞이나 좌우에 지은 줄행랑(-行廊). *줄행랑(-行廊); 대문의 좌우로 죽 벌여 있는 종의 방.
717) 닷 : 달리. 따로. 홀로. 혼자.

"네 뜻이 비록 그러하나, 합가(闔家)가 일시에 궁으로 옮을 형세 되지 못하니, 무고히 궁을 비우지 못할지라. 속히 옮게 하라."

제왕이 실로 즐겨 않으나, 사세 마지 못하여 사비와 십희를 궁으로 옮게 할 새, 홍운전은 윤비 정침을 삼고, 영운전에 양비 숙소를 삼고, 벽운전에 이비 들고, 경운전에 경비 처소를 정하고, 제희를 각각 처소를 정하고, 외헌 백화전에 왕의 처소를 정하니, 왕은 매양 상부(上府)에 있고, 궁중의 자주 오는 일이 없으며, 봉수각에 제자를 머물러 학공(學工)을 힘쓰게 하는지라.

윤비 궁에 옮으나 사시문안(四時問安)718)을 협문으로 좇아 왕래하여 때를 어기지 않을 뿐 아니라, 존당 구고를 받드는 정성이 갈수록 동촉하여, 스스로 몸이 수고로움을 돌아보지 않고, 궁중 번화번극(繁華煩劇)719)한 내사(內事)를 총찰(總察)하는 가운데, 구고 존당의 감지(甘旨)와 대객지절(待客之節)이며, 의복 한서(寒暑)를 맞추어 진부인의 수고를 대(代)하여 받듦이 날로 새로우니, 진부인이 봉사 접객의 대절묵(大節目)을 가음알 뿐이요, 그 밖은 의열비의 다스림이 되니, 다사(多事)함이 일시 한가함을 얻지 못하나, 총명한 정신은 추수(秋水)를 헤치며, 비상한 재주는 귀신이 돕는 듯하니, 여공침선지사(女工針線之事)720)는 실로 비(妃)의 행사(行事)의 일컬을 일이 아니거니와, 한 번 실을 꿰며 바늘을 놀리매 범인의 십일 근로하는 바를, 윤비는 일일지내(一日之內)의 쓰리치며721), 제작(製作)이 섬롱영형(纖瓏靈形)722)하니, 상광(祥光)이 어

---

718) 사시문안(四時問安) : 하루 네 때, 곧 단(旦; 아침)·주(晝; 낮)·모(暮; 저녁)·야(夜; 밤)에 드리는 문안.

719) 번화번극(繁華煩劇) : 지나치게 번화하여 몹시 번거롭고 바쁘다.

720) 여공침선지사(女工針線之事) : 부녀자들이 하는 길쌈 바느질 등의 일.

721) 쓰리치다 : 쓸어버리다. 해치우다. 어떤 일을 빠르고 시원스럽게 끝내다.

린 듯하고, 범물(凡物) 찬선(饌膳)에 다다라도 비의 손이 가는 곳은 구
태여 치성(致誠)723)하는 바 아니로되, 정결하고 유미(有味)함이 선미(仙
味)라도 이에서 더하지 못할 것이요, 양안(兩眼)을 낮추고 무심무려(無
心無慮)히 저수단좌(低首端坐)하였어도 한 번 일쌍혜안(一雙慧眼)을 둘
러본즉, 사람의 오장육부(五臟六腑)를 사무쳐, 발간적복(發奸摘伏)724)
이 신명(神明) 같되 매몰치 않아, 낯 위에 춘양화기(春陽和氣)와 동일지
애(冬日之愛)725)를 머물러, 상부 대소(大小) 비복으로부터 궁중 소속이
저마다 송덕(頌德)하여 바라는 앙성(仰誠)이 적자(赤子)가 자모(慈母)를
얻음 같되, 유열(愉悅)한 가운데도 씩씩한 위의(威儀)는 추천(秋天)의
높음이 있어, 상·현희(姬) 등으로부터 비자 등을 대한 때도 흔연(欣然)
이 다설(多說)을 못하는 고로, 비복 등과 제희(諸姬)의 두려워함이 왕과
일반이라.

윤비 금장숙매(襟丈叔妹)로 화우함이 한갓 의복을 나누며, 좋은 낯으
로 돈목할 뿐 아니라, 소이씨로부터 양·소·주·화 등이 혹 허물이 있
으면, 가만히 일러 고치게 하고 사랑함을 일신같이 하여, 친척을 후휼
(厚恤)함은 이르도 말고, 범연한 남이라도 그 정사 참연함을 들으면, 자
기 몸에 당한 일 같아서, 부디 구활함이 왕의 의기를 따르되, 스스로 어
질고 덕 있는 체를 않고, 친척의 절박한 형세와 사람의 궁박한 신세를
살펴, 평생 성명도 알지 못하던 자라도 자뢰(資賴)726)하여 구급(救急)
한 것이 이루 혜지 못할 것이로되, 왕도 알지 못하는 일이 많고, 비복과

---

722) 섬롱영형(纖瓏靈形) : 곱고 빛나며 신령스러운 모습을 들어냄.
723) 치성(致誠) : 있는 정성을 다함. 또는 그 정성.
724) 발간적복(發奸摘伏) : 정당하지 못한 일들과 숨겨져 있는 일들을 밝혀냄.
725) 동일지애(冬日之愛) : 겨울 햇살처럼 따뜻한 사랑.
726) 자뢰(資賴)하다 : 자뢰(資賴)하다. 도모하다. 밑천 삼다.

제희라도 무고히 상사를 더하는 일이 없고, 사치를 원수같이 피하여 자기로부터 제희 비복이라도, 의복이 때를 차려 겨우 한서를 면할 뿐이요, 먹는 것이 주림을 면할 만하여, 왕궁의 부귀 없음이 아니로되, 제희와 비복이 의열비의 명령을 준행하며, 덕의(德義)를 감격하여 절차하는 바를 괴로이 여기지 않는지라. 자연 인심이 물이 동으로 흐름 같아서, 의열비의 덕화를 감은골수(感恩骨髓)치 않을 이 없으니, 그 덕택이 흡흡(洽洽)하여 주국성모(周國聖母)727)로 방불하니, 존당 구고 기허애중(己許愛重)728)함이 비할 곳이 없고, 일가 친척의 송성(頌聲)이 양양(揚揚)하여 의열문의 높음이 헛되지 않음을 일컫고, 아름다운 이름이 만성(滿城)에 풍등(豊騰)729)하여, 시절 사람이 남자를 일컫는 이는 정죽청 윤청문・효문공과 하학사요, 여자로는 윤의열과 정숙렬이라 하더라.

궁에 올믄 후, 문양궁 장원(牆垣)730)이 격(隔)하였음을 알고, 왕이 자주 왕래치 않는 고로 방심하여 협문을 통한 후, 윤・양・이・경 사비 의논하고 공주를 상견(相見)하려 한가지로 문양궁으로 나아가니, 공주의 처변(處變)731)이 하여오.

선시에 문양공주 적적(寂寂)한 심궁(深宮)에 무지(無知)한 궁녀 등만 대하여 심화 성하거늘, 자기 신세를 생각하니 한 곳 위로할 일이 없는지라. 악악(惡惡)한 심정에 원한이 자연 윤・양・이・경 사비에게 돌아가 욕언이 끊이지 않더니, 천만 의외에 윤비의 지성(至誠) 화우(和友)코자

---

727) 주국성모(周國聖母) : 중국 주나라 문왕의 어머니 태임(太姙)을 말함.
728) 기허애중(己許愛重) : 몸과 마음을 다해 사랑하고 중히 여김.
729) 풍등(豊騰) : 떠들썩하게 널리 퍼져나감.
730) 장원(牆垣) : 담장.
731) 처변(處變) : 실정에 따라 융통성 있게 잘 처리하여 감.

하는 정으로 고문(叩門)하니, 도리어 감격하여 악악한 욕설을 그치고,
세월이 여류한즉 왕의 마음을 돌이킬까 희망하나, 왕이 천은을 띠여 천
승국군이 되고, 그 처첩이 다 이수(異數)732)를 띠여 운영까지 직첩을
내리시되, 자기는 종시 죄명을 사(赦)치 않으시니, 성상의 천륜지정이
박하심을 원하더니, 문득 윤·양·이·경 등 사부인이 어깨를 연하여
친문(親問)하여 위곡(委曲)한733) 말씀으로 위로함을 당하매, 도리어 참
수불승(慙羞不勝)하여 눈을 들어 보매, 윤비 품복(品服)734)과 의결(衣
一)735)이 정제(整齊)하여 왕후의 체체(棣棣)736)하고 존엄한 위의를 알
것이거늘, 연기(年紀) 적이 차매 그 천향이질(天香異質)이 더욱 완염(婉
艶)하고 풍영(豊盈)하여, 일륜명월(一輪明月)이 중천에 한가한 듯, 쇄락
한 용광이 이목에 현황하고, 양비의 수려한 용화는 부용(芙蓉)이 향수
(香水)에 솟으매 목난(木蘭)이 조로(朝露)737)를 띠었는 듯, 숙연한 덕행
이 외모에 현출하며, 경비의 맑은 격조와 좋은 품질이 형산백벽(荊山白
璧)738)을 다듬은 듯하거늘, 이비는 외모 비록 염미(艶美)치 못하여 박
용(薄容)이 다시 이를 바 없으나, 엄연하고 수려 상쾌하여 예복이 정제
하여 체위 당당하거늘, 돌아 자기 몸을 굽어보매, 이 본디 만승(萬乘)의
교아(嬌兒)로 천승(千乘)의 존(尊)과 왕희(王姬)의 귀(貴)함으로서, 한
번 정문에 하가하매, 비록 천승 위를 굴하여 위에 윤비 있고, 또 여러

---

732) 이수(異數) : 특별한 예우. 또는 보통과 구별되는 특별한 것.
733) 위곡(委曲)하다 : 자상(仔詳)하다.
734) 품복(品服) : 예전에, 품계에 따라 입던 옷.
735) 의결(衣-) : 옷의 때깔. *결; 성깔. 때깔.
736) 체체(棣棣)하다 : 행동이나 몸가짐이 너절하지 않고 깨끗하며 트인 맛이 있다.
737) 조로(朝露) ; 아침 이슬.
738) 형산백벽(荊山白璧) : 중국 호남성(湖南省) 형산현(荊山縣) 북쪽에 있는 형산에
서 나는 백옥(白玉).

적국(敵國)이 있으나, 알기를 초개(草芥)같이 여기되, 다만 얻기 어려운 바는 구고의 자애와 금장(襟丈)의 뜻과 백년군자(百年君子)의 관관(關關)739)한 은정(恩情)이라.

제왕이 자기 백악(百惡)이 구비한 줄 모름이 아니로되, 군은을 경시치 못하여 강인하여 윤기(倫紀)를 폐치 않아 여아를 생하였으나, 자기에게는 과의(過矣)라. 일생을 고요히 안과할 것이거늘, 스스로 과악을 가득히 쌓아 국가의 죄수 되어, 황상이 천륜자애(天倫慈愛)를 끊으시고, 구가에 용납치 못할 자부요, 제왕의 염박함이 여시행로(如視行路)740)하며, 한낱 여아를 실리하고 머리를 궁문 밖에 내왇지 못하니, 홍루(紅淚) 유미(柳眉)를 잠갔거늘, 오늘날 차 사인 등을 보매, 이 어찌 자기 수중에 저의 사생(死生)을 마련하던 자임을 알리오. 부끄러움과 애다오며 슬픈 한이 구곡(九曲)741)이 촌단(寸斷)하니, 하염없이742) 실성오열(失性嗚咽)하여 비루(悲淚) 좌석에 괴이니, 안색이 초췌(憔悴)하고 혈기 돈감(頓減)하여 한 조각 촉루(髑髏)743) 되었으니, 윤비 추연 탄식하고 위로 왈,

"귀주 천황지가(天皇之家)에 생장(生長)하시어 비환(悲患)을 모르시다가, 시운이 불리하여 간인(奸人)의 그릇 인도함을 만나, 성상의 책교(責

---

739) 관관(關關) : 『시경(詩經)』〈국풍(國風)/주남(周南)〉의 '관저(關雎)'편 "관관저구(關關雎鳩; 까악 까악 우는 저구 새)"에서 따온 말로, 암수가 서로 서로 정답게 지저귀는 저구 새의 울음소리를 흉내 낸 의성어. 여기서는 '서로 화락하는' 정도의 의미로 쓰였다.
740) 여시행로(如視行路) : 길 가는 사람 보듯 함.
741) 구곡(九曲) : 구곡간장(九曲肝腸). 굽이굽이 서린 창자라는 뜻으로, 깊은 마음속 또는 시름이 쌓인 마음속을 비유적으로 이르는 말.
742) 하염없이 : 시름에 싸여 멍하니 이렇다 할 만 한 아무 생각이 없이.
743) 촉루(髑髏) : 해골. 살이 다 썩어 뼈만 남은 죽은 사람의 머리뼈.

敎)를 받으시고 유아를 실리함이 참연하나, 이 또 명야(命也)요, 유아가 목전에 요사(夭死)함이 아니라 실리(失離)하였으니, 혹자 생환하여 중봉(重峯)하는 경사 있을까 바람이요, 옥주의 청춘이 멀었으니 수미(愁眉)를 떨칠 때 있을지라. 심회를 널리 하여 타일을 기다리소서."

문양이 청파의 담을 크게 하고, 감은함을 이기지 못하여, 이에 타루(墮淚) 왈,

"첩의 무상혼암(無狀昏暗)함이 흉인 최녀의 그릇 인도함을 취신(取信)하고, 신묘랑 요인의 농술(弄術)의 빠져 여산지죄(如山之罪)가 창해수(蒼海水)를 거울러도 씻지 못할지라. 부인네를 참해(慘害)하고 여러 자녀를 모살(謀殺)하던 죄악이 관영(貫盈)한지라. 차고로 성상이 천륜자애를 끊으시고, 제왕의 박정(薄情) 매야함이744) 미사지전(未死之前)에 고렴(顧念)치 않으실 듯하니, 차는 다 첩의 죄로되, 여자의 편협지심(偏狹之心)으로 신세를 느끼매, 일야(日夜)745)에 합연(溘然)746)치 못함을 한하거늘, 부인이 첩의 전과(前過)를 개회(介懷)치 않으시고, 글을 끼쳐 위문하시며 애자(睚眦)의 원(怨)을 두지 않으시니, 감은각골(感恩刻骨)하는 바이더니, 이제 친림하시어 폐인(廢人)을 물으심이 이렇듯 관곡(款曲)하시니 감사한 밖, 첩의 낯이 비록 두꺼우나 황괴(惶愧)함이 욕사무지(欲死無地)로소이다."

의열이 귀로 저 말을 들으며 눈으로 행지(行止)를 보매, 총명혜식(聰明慧識)으로 그 회선기악(回善棄惡)747)함은 쾌치 못하나, 전일 교기(驕氣) 줄어지고 악심이 적이 없어졌으니, 크게 깃거 더욱 화성유어(和

---

744) 매야하다 : 매정하다. 얄미울 정도로 쌀쌀맞고 인정이 없다.
745) 일야(日夜) : 밤낮. 주야(晝夜).
746) 합연(溘然) : 갑작스럽게 죽음.
747) 회선기악(回善棄惡) : 악을 버리고 선으로 돌아옴.

聲柔語)로 위로 칭사, 왈,

"석일 옥주 세정(世情)을 미처 경력치 못하시고, 좌우에 돕는 자가 어질지 못하여 일시 그릇하심이 괴이치 않고, 지어(至於) 첩등 하여는 운액(運厄)의 기구(崎嶇)함을 인하여, 일시 화액(禍厄)을 겪음이라. 어찌 사람을 탓하리까? 허물이 있으나 고침이 귀하다 하니, 이제 석사를 들놓아 과념(過念)하심은 첩 등의 원(願)이 아니라. 오직 예전의 그름을 피차 제기치 말고, 새로이 화기를 일으켜 군자의 가도(家道) 옹목(邕穆)함을 바라나이다."

삼비(三妃) 또한 말씀을 이어 해위(解慰)하여 석한(昔恨)을 두지 아니하니, 한상궁이 감격하고 송덕(頌德)함을 이기지 못하여, 눈물을 머금고 사비의 덕화를 복복(服服)748) 감은(感恩)하고, 공주의 신세를 고렴하심을 송은(頌恩) 칭예(稱譽) 함이 혀가 닳을 듯한지라. 사비(四妃) 한상궁의 인현충직(仁賢忠直)함을 기특히 여겨 흔연(欣然) 화답(和答)하고, 윤비 시아를 명하여 진수미찬(珍羞美饌)을 가져오라 하니, 수유(須臾)749)에 금반옥기(金盤玉器)에 화미진찬(華味珍饌)을 가득히 벌여 일준(一遵) 향온(香醞)을 나오니, 윤비 친히 잔을 부어 공주께 보내고 상을 드려 하저(下箸)하며, 낭랑한 담소로 공주를 위로(慰勞) 권면(勸勉)하여 이윽히 담화하다가, 석양에 후회를 기약하고 돌아가니, 공주 사인(四人)을 보매 새로이 미운 듯, 기특한 듯, 부러운 듯, 측량치 못하여 주견(主見)이 없으니, 한상궁이 고 왈,

"금일 사비 이에 이르사 화우하시는 덕의를 보오매, 석사(昔事)가 더욱 한심하온지라. 복원 옥주는 옛 허물을 버리시고 새로이 덕을 닦아 신

---

748) 복복(服服) : 마음속으로 깊이 항복하여 따름.
749) 수유(須臾) : 잠깐 사이.

세(身勢)를 회복하시고, 윤·양 경 사비의 후의(厚誼)를 저버리지 마소서."

공주 체읍 탄 왈,

"사부는 이리 이르지 말라. 내 전자로부터 차인 등을 미워하나, 독해(毒害)하여 전제(剪除)할 줄은 모르거늘, 최녀 흉인의 간언에 대악을 쌓아 신세 그릇 되어, 대왕의 박대 행로(行路) 같아서 면목도 대할 길이 없으니, 차인 등이 비록 화우코자 하나, 내 신세에야 무슨 셈750)이 있으리오."

한상궁이 청파에 공주 마침내 일공(一空)이 막혔음을 애달아하더라.

차시 윤비 궁에 돌아와 상부에 나아가 혼정한 후, 정침에 돌아와 운기를 불러 종용이 경계 왈,

"문양공주 천노(天怒0를 만나 황상이 부녀지정을 끊으시고, 너희 대인의 구박함을 만나 궁중에 침폐(沈廢)한 지 여러 일월이라. 여자의 협액(狹額)한 심정에 전전초삭(輾轉焦削)751)하여 질병이 침면(沈綿)하여752) 상요(床褥)를 떠나지 못하거늘, 여등이 위인자(爲人子)753)하여 의연(依然)이754) 괄시(恝視)치 못하리니, 날로 문후함을 게을리 말고 구호함을 지성으로 하여 자도(子道)를 다하라."

운기 등이 계수(稽首) 고 왈,

---

750) 셈 : 손익. 주고받을 돈이나 물건 따위를 서로 따져 밝히는 일.
751) 전전초삭(輾轉焦削) : 괴로움으로 몸을 뒤척이며 잠을 못 이루고 애를 태우고 끓음.
752) 침면(沈綿)하다 : 병이 오래 낫지 않다.
753) 위인자(爲人子) : 사람의 아들이 되어서.
754) 의연(依然)이 : 전과 다름없이.

"소자 등이 연기 유충(幼沖)하와 여러 자모께 인자지도(人子之道)를 이루지 못하옵는 중, 문양 자위 심궁에 곤액하심을 염려하오나, 부왕이 일찍 왕래치 못할 줄로 상(常)해755) 엄칙(嚴飭)하시어 사죄를 마련하시므로, 감히 엄노를 범치 못하와 환후를 알지 못하옴이 되오니, 소자 등의 죄가 여산(如山)하온지라. 자교(慈敎)를 봉행하와 태만치 않으리이다."

인하여 운기, 현기로 더불어 병익(竝翼)하여 문양궁에 나아가 문후하고, 사왈(謝曰),

"유충불민 하와 자도(子道)를 폐하온 죄 만사유경이로소이다."

하니, 공주 경아하여 바삐 눈을 들어보매, 양아의 장성수미(長成秀美)함과 쇄락청월(灑落淸越)하고 앙장표일(昂壯飄逸)함이 단산(丹山)756)의 한 쌍 채봉(彩鳳)이요, 두 낱 미옥(美玉)이라. 문양공주 견파(見罷)에 윤·양 등의 복록을 흠선(欽羨)하며, 자기 무용(無用) 여아나, 표풍착영(飄風捉影)757)같이 실리(失離)하고, 자기 슬하(膝下) 적막함을 슬퍼, 하염없이 양아의 손을 잡고 청루(淸淚) 환란(汍亂)하여 여윈 귀밑을 적시니, 양아가 비록 연유하나 공주의 초췌한 안색과 체루비읍(涕淚悲泣)함을 보매, 척연(慽然) 감상(感傷)하여 화성유어로 위로하며, 승안(承顔)하는 절차 동용(動容)이 대군자의 틀이라. 문양이 심리에 기특히 여기나 석사를 생각하여 구연(懼然)함을 머금더라.

---

755) 상(常)해 : 늘, 항상.

756) 단산(丹山) : 중국 복건성(福建省) 북부(北部) 무이산(武夷山) 안에 있는 산 이름. 벽수단산(碧水丹山)의 수려한 경치로 유명하다.

757) 표풍착영(飄風捉影) : 회오리바람이 그림자를 채간다는 말로, 허망하게 잃은 것을 비유적으로 표현한 말. *포풍착영(捕風捉影); 바람을 잡고 그림자를 붙든다는 말로, 허망한 일을 이르는 말.

　차후 양 공자 아소저 자염으로 일일 왕래하여 공주의 심회를 소견(消遣) 위로(慰勞)할 새, 학낭소어(謔浪笑語)와 박혁(博奕)으로 단란(團欒)하여 열친지효(悅親之孝)로 인자(人子)의 도를 다하는지라. 공주 심하에 도리어 괴이히 여기더라.

　일일은 왕이 혼정을 파하고 궁에 이르러 공자 등의 없음을 괴이히 여겨, 좌우로 내전에 가 부르라 하니, 궁노가 부복 고 왈,
　"냥 공자 아자(俄者)758)에 문양궁에 가 계시니이다."
　왕이 대경 문 왈,
　"공자 등이 언제부터 문양궁 왕래를 하며 어디로 다니더뇨?"
　궁관이 황공 대왈,
　"내화원으로 협문(夾門)을 통하시고 왕래하신 지 일삭이 거의로소이다. 왕이 십분 경해하여 양자의 오기를 기다리더니, 이윽고 양 공자 이르러 '대인이 아시는가.' 놀라되, 안색을 화(和)히 하여 시좌(侍坐)하니, 왕이 그 거동을 보려 하여 아른 체 않고, 정색 왈,
　"여등이 글 읽음을 전일(專一)이 않고 한유(閒遊)함을 일삼으니, 어찌 한심치 않으리오. 어데를 갔더뇨?"
　양 공자 황공하여 넌지시 내루(內樓)에 있던 바를 고한데, 왕이 묵연이러니, 명일 존당의 낮 문안을 파하고 또 궁의 이르니, 양 공자며 자염이 다 없고 홍운전이 황연(荒然)하였는지라. 왕이 몸을 일어 내화원에 올라 문양궁 통한 문을 보매, 어이없고 대로하여 궁관을 명하여 문양궁의 가 양 공자를 잡아 오라 하니, 수유(須臾)의 양 공자 당하(堂下)에 부복하여 청죄하니, 왕이 양자를 보매 미우의 설풍(雪風)이 소소(瀟瀟)하

---

758) 아자(俄者) : 아까. 조금 전. 지난 번. 갑자기.

고759) 참엄(斬嚴)한 노기(怒氣) 북풍한상(北風寒霜)760)같아서 정성(霆
聲)761) 수죄(數罪) 왈,

"내 문양궁을 무고히 박대함이 아니라, 그 과악이 호대하여 죽기를 면
치 못할 것이로되, 성상이 호생지덕(好生之德)을 내리오사 심궁에 폐치
(廢置)하시며, 존당이 지금 사명을 내리지 않으시고, 내 또 그 곳 왕래
를 그쳤거늘, 여등 소자 십 세도 차지 못한 것이 부명을 홍모(鴻毛)같이
여겨, 협문을 통하고 자행자지(自行自止)하여 불인(不人)의 곳에 왕래하
다가, 석년 독수를 다시 입어 요인의 수중에 죽고자 하니, 차라리 다스
려 아비 업신여기는 죄를 속(贖)게 하리라."

공자 평생 처음으로 부왕의 노를 만나매 한한(寒汗)이 옷에 사무쳐
능히 대할 바를 알지 못하되, 스스로 죄를 제 몸에 당하고 모비께 미루
지 않으려 하여, 현기 먼저 재배 청죄 왈,

"초의 궁실을 지을 때 소자 대인께 아뢰여 문양궁 협문을 내기를 청하
오대, 대인이 엄히 막자르시니, 해애 감히 사정을 누누이 고치 못하오
나, 모자대륜(母子大倫)이 그 어떻게 중(重)하관데, 장원(牆垣)을 격하
여 여러 해를 배견(拜見)치 못하고, 인자지도(人子之道)를 폐하리까? 아
해 엄전에 고치 못하고, 동산 담을 뚫어 통신(通信)할 길을 내고, 문양
궁 왕래한 지 겨우 일순(一旬)이 되었삽더니, 자후(慈候) 불평하여 질환
(疾患)이 근위비경(近爲非輕)762)하신 고로, 감히 엄전(嚴前)에 사정(事
情)을 고치 못하옵고, 자모를 청하여 문양궁에 이르게 하여 병후를 살펴
의약을 알아 쓰고자 하옴이러니, 대인이 아신 바 되어 엄교 여차하시니

---

759) 소소(瀟瀟)하다 : 바람이나 빗소리 따위가 쓸쓸하다.
760) 북풍한상(北風寒霜) : 북쪽에서 부는 차가운 바람과 찬 서리.
761) 정성(霆聲) : 천둥소리. 천둥소리처럼 큰소리.
762) 근위비경(近爲非輕) : 요사이 가볍지 않은 상태에 있음.

아해 죄 만사무석(萬死無惜)이라. 사죄를 받자올지언정 모자윤기(母子倫紀)를 폐치 못하리로소이다."

운기 청죄 왈,

"소자 형으로 더불어 문양궁에 왕래하와 모자의 윤의를 밝힌 지 겨우 일순이라. 자식이 되어 어미를 보고자 하기는 인지상정(人之常情)이라. 대인께 고치 못하고 자행한 죄를 청하나이다."

왕이 귀로 말을 들으며 눈으로 그 거동을 보니, 춘풍이 화란(和暖)한데 일천양류(一千楊柳) 흔들리는 듯, 동일지애(冬日之愛)와 경운지화(慶雲之和)를 아울렀거늘, 축척송늠(蹙蹐悚懍)하여 황황(惶惶)이 청죄하는 모양이 자연 엄부(嚴父)의 노를 풀어지게 하는지라. 또 운기의 용봉자질(龍鳳資質)과 천일지표(天日之表)를 겸하여, 늠름발호(凜凜勃豪)한 기상이 태산을 넘뛰며, 강하를 건널 듯, 신기로운 품격이 만고(萬古)에 희한한 영준이 될지라. 그윽이 연애하는 정과 두굿기는 마음이 가득하니, 노기 춘설 같으나, 이렇듯 귀중한 만큼 아자(兒子)로 하여금 흉인의 곳의 왕래하여 다시 독해(毒害)를 받을까 염려하매, 기색을 더욱 엄렬히 하여 정성(霆聲) 수죄(數罪) 왈,

"저 문양의 전후 투악대죄(妬惡大罪) 여산(如山)하여, 적국과 가부와 가부의 골육을 다 섬멸코자 하던 악부(惡婦)거늘, 여등이 내 명 없이 아비를 기이고763) 저 곳의 왕래하여, 다시 흉인의 독수(毒手)를 입고, 여부의 가내를 다시 어지럽힐 길을 열고자 하니, 어찌 통해치 않으리오."

설파의 사예(司隸)를 명하여 매를 나오라 하여, 개개 고찰(考察)하여 치기를 재촉하더라.

---

763) 기이다 : 어떤 일을 숨기고 바른대로 말하지 않다.

명주보월빙 권지팔십구

차설 제왕이 사예를 명하여 매를 나오라 하여 개개히 고찰하여 치기를 재촉하니, 양 애 비록 신장이 석대하나 팔세 치몽(稚蒙)[764]이라. 불의에 엄노(嚴怒)를 만나매 경황송률(驚惶悚慄)[765]하나, 안색을 온화히 하고 매를 받을 새, 윤비 문양의 숙질(宿疾)[766]이 첨가하여 병세 위름(危懍)[767]함을 들으매 참연하여, 몸소 문양궁에 이르러 의약을 기걸하더니[768], 왕의 명으로 양 공자를 잡아 감을 보매 왕의 준열한 성정으로 아자 등이 중죄를 입을 줄 알고, 좌우로 공주를 시호하라 하고 자염을 당부하여 미죽(糜粥)을 자주 나오라 하고, 협문으로 좇아 후창을 말미암아 정전에 이르니, 왕이 노기 참엄 하여 양자를 중타(重打)하는지라. 비록 짐작한 일이나 유충한 소아가 혈흔이 낭자함을 보매, 대경차악(大驚且愕)하여 자기 아니면 노를 돌이키지 못할지라. 이에 잠이(簪珥)를 빼고 하당 청죄 왈,

---

764) 치몽(稚蒙) : 어린아이.
765) 경황송률(驚惶悚慄) : 몹시 놀라고 두려워 함.
766) 숙질(宿疾) : 오래전부터 앓고 있는 병. =숙병(宿病).
767) 위름(危懍) : 몹시 위태로움.
768) 기걸하다 : 당부하다. 시키다. 신칙(申飭)하다. 명명하다. 분부하다.

"이제 군자 성노(盛怒) 진첩(震疊)하시거늘 촉범(觸犯)함이 당돌하오
나, 양아의 수장함은 다 첩의 죄라. 양아의 죄 아님을 짐작하시어 관서
(寬恕)하시고, 첩의 자전한 죄를 다스리심을 청하나이다."

언필에 성음이 온유화열(溫柔和悅)하여 일만 불평함을 다 살라버리는
지라. 집장 궁노가 황망이 퇴출하고, 왕이 비록 아자를 장책하나 옥설기
부(玉雪肌膚)의 혈흔이 낭자함을 보매 자기 살이 아픈지라. 그만 하라
함이 너무 해타(懈惰)하므로 정히 민민(憫憫)하더니, 비의 온순한 낯빛
으로 하당(下堂) 청죄(請罪)함을 보매, 이에 거수(擧手)하여 승당함을
청하고 양자를 사하니, 양 공자 아픔을 참고 의대를 수렴(收斂)하나, 안
색이 찬 옥 같아서 당하에서 고두(叩頭) 청죄(請罪)하니, 왕이 명하여
오르라 하고, 실중에 들어와 양자를 경계하여,

"후일 또 방자(放恣)이 자행(自行) 함이 있으면 다시 중치하리라."

양 공자 재배 수명하고 안서(安舒)히 시좌하니, 왕이 비를 향하여 정
색 왈,

"복이 비(妃)로 더불어 초발부액(髫髮扶腋)769)에 정약(定約)하여 결
발지정(結髮之情)770)을 맺으니, 타인의 부부와 다름을 고렴할 뿐 아니
라, 비상화고(非常禍苦)를 경력하고 단취(團聚)하니 그 정사를 가의(加
意)771)하여 가제(家齊)의 엄함이 없으니, 부인이 너무 기탄(忌憚)치 않
아 복(僕)772)을 기이고 자행자지(自行自止)하여, 불인(不人)을 다시 상

---

769) 초발부액(髫髮扶腋) : 다박머리를 하고 겨드랑이를 껴 걸음걸이를 익히던 때를
　　뜻하는 말로, 어린 나이 또는 그러한 때를 이르는 말.
770) 결발지정(結髮之情) : 혼인의 정. *결발(結髮); ①상투를 틀거나 쪽을 찌는 일.
　　또는 그렇게 한 머리. ②'혼인(婚姻)'을 달리 이르는 말.
771) 가의(加意) : 특별히 마음을 씀.
772) 복(僕) : 1인칭대명사 '저'를 문어적으로 이르는 말.

통하며 자녀를 호구(虎口)의 왕래케 하여, 또 작해를 입을지라. 이 어찌
복의 심화를 돋움이 아니리오. 이는 비(妃) 적국을 화우하는 뜻도 아니
요, 다시 취화(取禍)할 장본(張本)이라. 복이 현비 앎을 상해 경순지도
(敬順之道)가 진선진미(盡善盡美)한가 하였더니, 금일사(今日事)는 가장
(家長)을 너무 경만(輕慢)함이 심치 않으리까?"

비 듣기를 다하매 염임정금(斂衽整襟)[773] 대왈,

"첩이 저를 감화하여 덕을 자랑코자 함이 아니라, 공주의 본성이 총오
민달(聰悟敏達)함은 군왕의 아시는 바라. 그 좌우의 돕는 자가 불인무상
(不仁無狀)하여, 아녀자의 옅은 심장을 병들게 하여 실체과악(失體過惡)
을 범하였으나, 이제 성상의 책교(責敎)를 받잡고 존당과 대왕의 중책
(重責)을 입어, 심궁에 폐치하여 머리를 내완지 못하고, 약장(弱腸)[774]
을 사르며 우분초사(憂憤焦思)[775]하여 회한(悔恨)함이 깊으나, 황상이
자애를 내리시지 않으시고, 존당 구고 사(赦)치 않으시며, 대왕이 박정
하시니, 여자의 심사 어찌 안안(晏晏)하리오. 또 유녀(幼女)를 실리(失
離)하여 슬하 적막하니, 처량비고(凄凉悲苦)한 심사(心思) 비할 곳이 없
으매, 날로 초삭(焦削)하여 병세 위름(危懍)하니, 만일 생도를 얻으면
행이요, 얻지 못한즉 이는 '백인(伯仁)이 유아이사(由我而死)요'[776], 황
은(皇恩)을 저버린 허물이 대왕께 미칠 바요, 현기 등은 더욱 자식의 도

---

773) 염임정금(斂衽整襟) : 공경하는 뜻으로 옷깃을 가지런히 여미어 몸가짐을 단정
히 함.
774) 약장(弱腸) : 약한 마음.
775) 우분초사(憂憤焦思) : 근심과 분노로 애를 태우며 생각함.
776) 백인(伯仁)이 유아이새(由我而死)라 : 백인(伯仁; 중국 동진 때 사람)은 나로
인해 죽었다'는 뜻으로, 직접적으로 사람을 죽이지는 않았지만 죽은 사람에 대
해 자신이 적극적으로 구하지 않은 책임이 있음을 안타까워하거나, 어떤 사건
에 간접적으로 연관되어 있는 것을 비유적으로 나타낸 말.

리로 자모(子母)의 환후(患候)이니 괄시(恝視)함이 인자(人子)의 하올 바 아니라.

이러함으로, 미처 대왕께 품(稟)치 못하고 협문을 통하여, 제아(諸兒) 로 하여금 신혼(晨昏)777)의 예(禮)를 차리게 함이니이다. 첩 등의 석년 화액을 공주의 허물이라 하시나, 첩 등의 운수 불리(不利)함이요, 구태 여 살명지화(殺命之禍)를 입은 자가 없고, 미첩(微妾)이 비록 식안(識眼) 이 불명하나, 이제 공주의 회과하였음을 알지 못하리까? 첩이 당돌하 나, 구몽숙의 암험요특(暗險妖慝)한 죄악이 천지에 관영(貫盈)하거늘, 대왕이 덕화를 드리우사 생도를 얻게 하여, 구활하심을 못 미칠 듯이 하 시는 성덕혜화를 다른 데도 더러 베푸시어, 문양공주의 허물을 관사(寬 赦)하신즉, 차는 군자의 관홍지덕(寬弘之德)이 되리이다."

왕이 비의 절직정대(切直正大)한 설화를 들으매, 노분(怒憤)이 춘설 같은지라. 광미풍협(廣眉豊頰)778)에 웃음이 미미(微微)하여 답왈,

"금일 현비 모자의 작용을 통해(痛駭)하여 제아를 중치(重治)하여, 협문(夾門)을 굳게 막아 다시 통노(通路)함을 끊으려 하였더니, 비의 말이 구몽숙의 죄를 사하던 후의를 옮기라 하시나, 몽숙은 회과책선(悔 過責善)하였으니 전일을 유심(留心)할 것이 아닌 고로 관사(寬赦)함이 어니와, 문양은 결연(決然)이 개심수덕(改心修德)할 자가 아니니, 비는 다만 알아차리고 화란을 다시 이루지 마소서. 협문은 아니 막으리니 만 일 화(禍) 미처도 현비 담당하고, 복의 심우를 끼치지 마소서."

인하여 번연출외(翻然出外)하니, 차는 왕이 비의 총명혜식(聰明慧識)

---

777) 신혼(晨昏) : 신성(晨省)과 혼정(昏定). 곧 밤에는 부모의 잠자리를 보아 드리
고 이른 아침에는 부모의 밤새 안부를 묻는 일. 또는 그러한 예절.
778) 광미풍협(廣眉豊頰) : 너른 눈썹과 풍만한 뺨.

이 공주 다시 작해 않을 줄 앎이 밝음을 취신(取信)함이니, 비를 기허
(己許)함이 여차하더라.

시시(是時)의 왕이 외당의 나와 아자 등 태벌(笞罰)함을 자닝히 여기나,
사색치 않고 그윽이 생각건대, 그 행사 자기 아시 적과 다름이 없어 척촌
무이(尺寸無異)779)하니, 자기 만일 그 부친의 단엄함 곳 아니면 군자 되
지 못하여, 발호지심(勃豪之心)을 걷잡지 못할 듯한 고로, 운기를 엄제(嚴
制)치 못하면 삼가지 못할 일이 많음을 염려하여, 십 세 전부터 잡칠 주의
를 정하매, 씩씩하여 연애지심(憐愛之心)을 발뵈지 아니하더라.

왕이 차일 혼정(昏定)에 들어가매, 태부인과 금후 부부 운기 등의 전
언으로 좇아, 윤·양·이·경 등이 문양궁의 왕래함과 협문을 두어 궁
비 등이 왕래함을 듣고, 윤비의 성덕혜화(聖德惠化)를 기특히 여기고,
왕이 협문을 막고자 함과 현기 등을 중타(重打)하여 엄절(嚴絶)한 빛을
뵈려 함도 괴이치 않은지라. 태부인이 운기를 나오게 하여 손을 잡고 자
세한 곡절을 물으매, 공자 육세 해아(孩兒)로되 영호명쾌(英豪明快)하여
언어 자세한 고로, 전언(傳言)이 분명한지라. 왕이 윤비의 말을 듣고 노
기를 두로혀 흔연 담화하던 일을 자세히 알고, 금평후 부부는 미미히 웃
으며 말을 않고, 태부인은 어진 마음에 공주의 전과를 잊고 신세의 자
닝함을 가긍(可矜)하여 하며, 윤비를 새로이 흠애(欽愛) 귀중(貴重)함이
비길 곳 없더니, 왕이 들어 오매, 차석(次席)에 윤비 존당에 합회(合會)
하였더니, 운기 전언으로 좇아 문양의 병이 비경함과, 협문으로 사인(四
人)이 왕래하여 문병 구호함을 자세히 알고, 존당 이하(以下)가 윤비의
성덕혜화를 새로이 흠애귀중 함을 비길 곳이 없더니, 태부인이 이르되,

"개과천선은 성인의 허하신 바니, 공주 전과를 부끄러워하매 질을 이

---

779) 척촌무이(尺寸無異) : 조금도 다름이 없음.

루다 하니, 손아는 관홍한 도량으로 아녀자를 과책(過責)하여 유심(愈
甚)780) 집미(執迷)781)치 말고 자닝한782) 정사를 관렴(寬念)하여 천은을
저버리지 말라."

왕이 청교(聽敎)의 복수(伏首) 고 왈,

"소손이 불초(不肖)하오나 왕모의 하교를 받들지 않으리까마는, 문양
의 위인이 암용조협(暗庸躁狹)하고 초강편액(超强偏阨)783)하여 졸연(猝
然)이 회과수덕(悔過修德)할 자가 아니오니, 내두(來頭)를 보아 다시 과
악을 창수(唱酬)치 않은즉, 어찌 여자의 비상지원(飛霜之怨)784)을 염
(念)치 않으리까?"

금후 아자의 도량을 두긋겨 장염(長髥)을 어루만져 희미(稀微)히 열
색(悅色)으로 의열을 나아오라 하여, 왈,

"현부의 성덕이 자연한 가운데 공주의 악악한 투심(妬心)을 감화하니,
어찌 기특치 않으리오. 현부 노부를 대하여 은닉(隱匿)지 않으리니, 문
양의 개과함이 진적(眞的)하더냐?"

의열이 천연(天然)이 재배하여 성언(聖言)을 불감사사(不堪謝辭)하고,
문양의 회과(悔過)함이 현현(顯現)함을 고하니, 금후 환열하여 자전(慈
殿)에 고왈,

"여자의 덕이 호호(浩浩)한즉 나라를 흥(興)하고 집을 창(唱)하여 자
손의 여경(餘慶)이 미치는지라. 천흥이 무슨 복으로 이 같은 숙녀를 두

---

780) 유심(愈甚) : 더욱 심히.
781) 집미(執迷) : 고집을 부려 잘못에 빠짐.
782) 자닝하다 : 애처롭고 불쌍하여 차마 보기 어렵다.
783) 초강편액(超强偏阨) : 고집이 세고 편벽됨.
784) 비상지원(飛霜之怨) : '오월비상지원(五月飛霜之苑)을 줄인 말' 곧 여자가 원한
     을 품으면 5월(여름)에도 서리가 내린다는 말. 한 여인이 왕에게 깊은 원한을
     품었더니 오월인데도 서리가 내렸다는 데에서 유래한다.

었나이까? 태사(太姒)[785] 삼천후비(三千后妃)를 거느리시나, 윤현부같이 악인을 감화함을 듣지 못하였사오니, 현부의 자연(自然)한 덕이 여중요순(女中堯舜)이라. 차는 자위(慈闈)의 적덕여음(積德餘蔭)이 흘러 문호(門戶) 창성할 징조(徵兆)요, 공주 개과책선(改過責善)하였을진데 소자의 부자 군상의 은혜를 돌아보아, 부부 윤의(倫義)를 온전히 함이 마땅하니이다."

태부인이 희불자승(喜不自勝)[786] 왈,

"하늘이 정문을 도와 천흥의 오형제를 내고, 윤현부로부터 모든 손부 다 숙뇨현철(淑窈賢哲)하니, 기중 현부는 더욱 특이하거니와, 천흥이 문왕(文王)의 덕이 있으니 태사(太姒) 같은 현비 제게 외람함이 없을까 하노라."

진부인이 또한 두굿김을 이기지 못하여, 자기 전일 공주의 사나움을 배척(排斥)하여 서신도 않으려 하던 바를 뉘우침이 없지 않고, 제왕이 묻자오대,

"윤씨 문양궁에 왕래함을 스스로 대모께 주(奏)하여 덕이 있음을 자랑하더이까?"

태부인이 대소왈,

"윤 현부 이런 말을 하소[787]할진대, 어이 칭찬할 것이 있으리오. 부부지간(夫婦之間)은 일일 사이도 그 마음을 안다 하거늘, 어찌 십년 넘은 부부로써 그 위인을 알지 못함이 이 같으뇨? 운기 여차 이르기로 들었노라."

---

785) 태사(太姒) : 중국 주(周)나라 문왕의 비. 현모양처(賢母良妻)로 추앙되는 인물.
786) 희불자승(喜不自勝) : 어찌할 바를 모를 만큼 매우 기쁨.
787) 하소 : 하소연. 억울한 일이나 잘못된 일, 딱한 사정 따위를 간곡히 호소함.

왕이 대왈,

"윤씨 스스로 공주를 감화하여 유덕함을 자랑하니 천연한 도리 아니오. 여러 해애 어미 가르침을 좇아, 소손을 아비로 알지 않고 홍모(鴻毛)같이 여기오니, 운아로 일러도 육세 해자(孩子)가 무슨 때를 아노라, 분분한 말을 존당에 아뢰었으니, 이런 일을 고하여 소손의 배척하는 마음을 꺾고자 의사를 내었으니, 어린 것들이 어미 가르침을 받아 이러하니 어찌 괘씸치 않으리까?"

태부인 왈,

"운기 차언을 전함이 아해(兒孩) 들은 바를 옮김이거늘 꺾고자 함이리오. 괴이한 말을 말라."

왕이 웃음을 띠어 다시 말을 않고 운기 등을 돌아보매, 현기 등과 한 가지로 앉아 부친의 말을 듣고, 옥면이 연화(蓮花)를 취하여 능히 고개를 들지 못하니, 근심하는 모양과 두려워하는 거동이 육세 해애(孩兒)같지 않아, 노성군자(老成君子)의 틀이 있고, 왕이 운기와 윤비·경비를 애중함이 제자와 제비 중에 특별하니, 대개 경비를 불고이취(不告而娶)하여 신혼 초에 마음을 펴 화락치 못하였고, 부모 아신 후도 경비 환난을 즉시 만남이 되어, 무궁한 정의를 만에 일도 펴지 못하였는지라. 환난 후 즐거이 모였으나, 사비(四妃) 십희(十姬)를 거느리매 애증(愛憎)을 않으려 하는 고로 다 같이 후대(厚待)하나, 윤비에게 무궁한 정과 경비에게 각별한 정의는 백년(百年)을 즐기나 느꺼운 뜻이 있더라.

왕이 명일 조참하고 인하여 황상이 윤태부 조현창과 왕을 편전에 머무르시어 민간 질고(疾苦)와 치정(治政)의 현불초(賢不肖)며 물정(物情)을 물으시며, 군신의 어수지합(魚水之合)[788]이 한가(閑暇)하시더니, 상

---

788) 어수지합(魚水之合) : 물고기와 물이 서로 뜻이 맞는다는 말로 신하와 임금이

이 홀연 탄하시어 왈,

"짐이 문양으로써 경에게 하가하매, 경의 용호 같은 기질이 초방(椒房)789)의 가서(佳壻)를 빛내고 동량지신(棟樑之臣)이거늘, 문양의 과악이 호대(浩大)하여 황가(皇家)를 첨욕(添辱)하고 제 신세를 판단(判斷)하니790), 그 죄는 비록 아깝지 아니하나 천륜지정을 생각하매 어찌 참연치 않으리오."

왕이 부복 주왈,

"신이 불능누질(不能陋質)로 그릇 초방에 모첨(冒添)하와, 공주의 평생을 저버릴까 하였삽더니, 공주의 악행이 호대하와 용종인지(龍種麟支)791)를 오예(汚穢)하니 성상이 자애를 베이시고, 신이 부부지륜(夫婦之倫)을 끊은 지 사년에 미쳤사옵더니, 근래는 신의 궁으로 격장(隔墻)이온 고로, 협문을 내어 신의 천한 자식들이 조왕모래(朝往暮來)하옵고, 축일(逐日)792) 상화(相話)함이 일택(一宅) 같사오니, 만일 공주 개과수덕(改過修德)하여 악심을 버리온즉, 개즉선지(改卽善之)793)는 성교(聖敎)에 허하신 바이오니, 신이 어찌 윤의(倫義)를 박히 하오며, 황은(皇恩)을 경시(輕視)하리까? 복원(伏願) 성상은 여차(如此) 미세지사(微細之事)를 성려(聖慮)에 번득이지794) 마심을 바라나이다."

서로 뜻을 합하 선정을 베풂을 이르는 말. 늑어수지교(魚水之交).
789) 초방(椒房) : 산초나무 열매의 가루를 바른 방이라는 뜻으로, 왕비가 거처하는 방이나 궁전, 또는 왕실 등을 이르는 말. 후추나무는 온기가 있고 열매가 많은 식물로서, 자손이 많이 퍼지라는 뜻에서 왕비의 방 벽에 발랐다.
790) 판단(判斷)하다 : 결판(決判)내다.
791) 용종인지(龍種麟支) : 용(龍)과 기린(麒麟)은 상서로운 동물로 왕을 상징한다. 여기서 용종(龍種)·인지(麟支)는 왕손(王孫)을 달리 표현한 말이다.
792) 축일(逐日) : 하루도 거르지 않고 날마다.
793) 개즉선지(改卽善之) : (허물을) 고치는 것이 곧 착한 것이다.
794) 번득이다. 빛이 잠깐씩 나타나다. 어떤 생각이 문득 문득 떠올라 마음에 거리

상이 청미(聽未)에 환연(歡然) 경희(慶喜) 하시어, 공주의 일생을 위하여 만승지주(萬乘之主)와 천자(天子)의 위엄으로도, 천륜자애(天倫慈愛)로 딸 둔 구구(區區)함을 면치 못하시니, 하물며 여염(閭閻) 신민(臣民)[795]의 딸을 위하여 사위를 받들고자 함을 더욱 이를 바 있으리오.

이날 왕이 사주(賜酒)하시는 향온(香醞)을 연하여 거우르고 잠깐 취하였거늘, 퇴하여 집에 돌아오다가 길에서 순상서를 만나, 상서 억지로 이끌어 부중에 들어 가 술을 권하니, 왕이 미란이 취하여 겨우 수레에 올라 취운산으로 돌아오매, 감히 존당에 들어오지 못하여, 한림으로 하여금 존당 부모께 궐정의 가 사주하심을 인하여, 낯 위에 취색(醉色)이 있음으로 혼정(昏定)에 참예치 못함을 고하고 홍운전에 이르매, 윤비 혼정에 들어가고 없는지라. 궁비를 명하여 침금을 포설하라 하고 바삐 상요의 나아가매, 인사를 알지 못하고 쓰러지니, 현기 등이 좌우의 모셔 떠나지 아니하더라.

한림이 존당에 들어와 백형이 취하여 혼정에 불참하는 소유를 고한데, 금평후 부부와 태부인이 사실에 가 편히 쉬게 하라 하니, 윤비 왕의 취하여 홍운전에 감을 알고, 가만히 아주 소저의 나상(羅裳)을 다래여 장 밖에 나와 이르되,

"영형이 대취하여 홍운전으로 들어갔다 하니, 필연 취혼(醉昏)하여 아무란 상(相)을 모르는가 싶으니, 이런 때의 공주로 하여금 홍운전의 가 밤을 지내게 하시면, 인하여 화기를 이룸이 되리니, 소저는 동기(同氣)의 부부간이 화평할 바를 생각하여, 이 말씀을 존당의 고함이 어떠하뇨?"

끼다.
795) 신민(臣民) : 군주국에서 관원과 백성을 아울러 이르는 말.

아주 소저 윤부인 의앙(依仰)하는 정이 각별하여 자별(自別)히 따르는 지라. 웃고 즉시 들어가 고 왈,

"백형(伯兄) 취하여 홍운전으로 들어가 계시다 하니, 태모는 공주를 청하여 홍운전으로 보내소서."

금평후 소왈,

"뉘서 너더러 이 말을 하라 하더뇨?"

소제 함소 대왈,

"소녀 의열 저저의 기색을 보매 이 뜻이 있는가 싶대, 감히 발설치 못하는 거동이니, 소녀는 의열 저저를 위하여 이를 고함이로소이다."

공이 소왈,

"윤 현부의 어진 뜻을 좇지 않으리오. 네 모친이 이르기 전에 내 쾌히 공주에게 전어하여, 홍운전으로 가게 하리라."

하고, 시녀로 하여금 공주에게 보내어 말씀을 전하되,

"장원(牆垣)을 격하여 여러 해 성식(聲息)796)을 통치 못하더니, 이제 곡절이 여차하니 홍운전으로 돌아가 취후(醉後)를 위로함이 어떠하니까?"

공주 이때 여러 날 만신(滿身)을 고통하더니, 윤비와 공자 등의 지성으로 구호함을 힘입어 금일은 퍽 나음이 있더니, 천만 의외에 엄구의 전어(傳語) 여차하시니, 만일 염치(廉恥) 있을진대, 하면목(何面目)으로 윤비 침전에 나아가 왕을 보고자 하리요마는, 부부지정(夫婦之情)을 여러 해 그쳐 격절(隔絕)하매 보고자 뜻이 간절하더니, 엄구의 하교 여차하니, 실로 고소원(固所願)이라. 소교(小嬌)를 타고 홍운전으로 들어가니, 윤비 장 밖에 나와 공주를 맞아 차복(差復)함을 하례하고, 궁노 등

---

796) 성식(聲息) : 소식. 편지.

을 다 보낸 후 공주의 손을 잡고, 가만히 탄왈,

"첩이 감히 귀주의 처변(處變)을 지휘하여 가르치고자 함이 아니라, 제왕의 심정이 남다름은 귀주 또한 아시는 바라. 취중이나 옥주를 몰라보지 않을 것이니, 귀주 전과(前過)를 회한(悔恨)하는 말씀을 하실지라도, 스스로 몸 위에 허물을 시름같이 하시어 최녀의 죄를 삼지 마시고, 귀주 죄악을 지은 듯이 하시면, 왕이 총명하니 옥주의 애매함을 모르지 아니하리이다."

공주 청파에 감은함을 이기지 못하여, 체루를 드리워 사왈(謝曰),

"첩이 토목(土木) 같으나 현비의 여차하심을 감격치 아니하리까? 가르침을 삼가 받들리이다."

비(妃) 불감당(不堪當)임을 일컫고, 공주를 방중으로 보낸 후, 자기는 양비 침전에 와 밤을 지내니라.

공주 들어와 왕을 보매, 사년지내(四年之內)에 왕의 일월 같은 풍광이 더욱 수려동탕(秀麗動蕩)하여, 엄연(儼然)한 체위(體位)는 왕자(王者)의 품복(品服)이 요요(嫋嫋)797)한 신장(身長)에 참치(參差)798)하거늘, 어온을 과취하였으니 헌앙(軒昂)한 풍채 더욱 화려하거늘, 아름다운 용화 풍화(豊華)하며 쇄락(灑落)하니, 문양이 새로이 반가운 듯, 노(怒)한 듯, 지향(指向)치 못하며, 일변 윤씨의 복록을 부러워하매, 하염없이 누수(淚水) 종횡(縱橫)하여 돌아 갈 줄을 잊어 바라보니, 궁아(宮兒) 금리(衾裏)를 포설하고, 제자(諸子)가 붙들어 침상에 나아가 안휴(安休)하여 잠들되, 윤비 정당(正堂)에 갔음을 알고 청치 않고 취몽(就夢)이 혼혼하였더라.

---

797) 요요(嫋嫋) : 맵시 있고 날씬함.
798) 참치(參差) : 참치부제(參差不齊). 길고 짧고 들쭉날쭉하여 가지런하지 아니함.

이윽고 의열이 이르러 공주 돌아가지 않고 협실에 그저 있음을 알고, 함소(含笑)하고, 연보(蓮步)799)를 움직여 정당에 이르러 소고(小姑) 아주의 침소에 나아가, 소저더러 이르되,

"현매 왕모께 영형(令兄)이 금일 상전(上前)에서 사주를 과취하고 홍운전에서 취침하시는데, 맞추어 공주를 청하여 담화하다가 대왕을 만나 협실의 있음을 고하고, 현매 왕모 명을 청하여 문양공주를 머물러 영형의 취후를 살피게 하여 화우를 이루게 함이 어떠하뇨?"

아주 웃고 태부인께 나아가 소유를 고하고 사(赦)하심을 청하니, 태부인이 청파에 실소하나 노인지심이라, 소시아(小侍兒)를 명하여 전어(傳語) 왈,

"귀주 '칠거(七去)의 득죄(得罪)'800)함이 적지 않은 고로, 심궁에서 수졸(守卒)함을 명하였더니, 들으니, 윤·양 등이 화우하여 일택(一宅)의 상종(相從)한다 하니, 기쁨을 이기지 못하는 중, 금일 마침 손아가 사주(賜酒)에 과취(過醉)하고 궁에서 머문다 하니, 귀주는 적은덧801) 일야(一夜)를 머물러 손아의 취후를 살피고, 명일 이르러 새로 화기를 이루소서."

하니, 시아(侍兒)가 궁에 이르러 공주께 태부인 명을 전하니, 이 때 공주 돌아가지 않고 협실에서 새로이 넋을 사르더니, 이 명을 드르매 저기 염치 있을진대 어찌 구차히 윤비의 몸을 비러 망측한 광경을 당하리

---

799) 연보(蓮步) : 금련보(金蓮步). 미인의 정숙하고 아름다운 걸음걸이를 비유적으로 이르는 말.
800) 칠거(七去)의 죄(罪) : 칠거지악(七去之惡). 예전에, 아내를 내쫓을 수 있는 이유가 되었던 일곱 가지 허물. 시부모에게 불손함(不順舅姑), 자식이 없음(無子), 행실이 음탕함(淫行), 투기함(嫉妬), 몹쓸 병을 지님(惡疾), 말이 지나치게 많음(多言), 도둑질을 함(竊盜) 따위이다.
801) 적은덧 : 잠시. 잠깐.

오마는, 사년을 공규(空閨)에 단장(斷腸)하여 그리는 정이 오매(寤寐)에 맺혀 질(疾)이 일게 되었던 바로, 금일 저의 용화(容華)를 엿보매, 차마 떠날 뜻이 없더니, 태부인 명이 의외에 여차하시니, 차는 고목(枯木)이 생화(生花)함이라. 감은각골하여 수명하고 정침의 나아가, 촉을 등 두어 비스듬히 앉아 천만 사례(思慮) 백출(百出)하여, 행여 왕이 알아보고 무류(無聊)히 꾸짖어 구축(驅逐)할까, 경각(頃刻)에 만념(萬念)이 요동(搖動)하여 안색이 자주 변하더니, 야심한 후 왕이 번신(翻身)하여 차를 구하니, 현기 등이 오히려 장외(場外)에 대후(待候)하였더니, 왕이 먹기를 다하고 '물러 가 자라' 하고, 취안이 몽롱하여 좌우를 살피니, 일위 부인이 의열로 품복이 같고, 금병하(錦屛下)에 단좌하였으되, 촉화(燭火) 희미하여 자세히 보지 못하나, 윤비 아니고 뉘리오 하여, 이에 이끌어 상요에 나아가니 은애 취중(醉重)하는지라.

문양이 숨을 낮추어 대희과망(大喜過望)하나 근심하더니, 왕이 비록 취중(醉中)이나 윤비의 정정단일(貞靜端壹)한 거조와 청고결백(淸高潔白)함으로 차인의 발양탕일(發揚蕩逸)한 정태 크게 괴이한지라. 대경의혹(大驚疑惑)하여 낭중의 야명주를 내어 비추매, 이 다른 이 아니라 평생에 증념통한(憎念痛恨)하던 문양이라. 실색(失色)하여 문 왈,

"이 곳이 윤비 숙소거늘 공주 어찌 이르러 취객(醉客)의 뜻을 엿보니, 이 어찌 부녀의 도(道)리오?"

공주 참안수괴(慙顔羞愧)하여 그 깐에도 만면(滿面)이 통홍(通紅)하여 유유(儒儒) 대왈,

"첩이 천지의 관영한 죄를 짓고 천일 봄이 부끄러워 죽음을 바야더니, 윤비의 관사화우(寬赦和友)함이 지극하시니, 첩이 비록 토목심장(土木心腸)이나 감동함이 없으리까. 금일 윤비의 청함으로 이르렀더니, 의외 존당 명이 대왕의 취후를 살피라 하시므로 이곳에 잇더니이다."

왕이 자기 일을 실소(失笑)[802]하고, 저의 염치 갈수록 상진(喪盡)함을 통해하나, 대장부 관홍대도(寬弘大道)로 여자를 책망함이 도리어 우습고, 석상(夕上)에 천어(天語)를 듣자왔음으로 차마 각박케 하지 못하여, 다만 엄연(儼然) 정색 왈,

"석사를 생각한즉 심골이 경한(驚寒)하니 아예 일컫지 말고, 차후나 과악을 짓지 말아 황가(皇家)를 다시 첨욕(添辱)치 말며, 성상 치화(治化)를 상해오지 않음을 생각하소서."

공주 참수(慙羞) 부답(不答) 하니, 왕이 효명(曉明)을 괴로이 기다려, 일어나 태원전에 문침(問寢)하니, 태부인이 소왈,

"손아, 작야의 고인을 만나 이회(離懷)를 얼마나 편다?"

왕이 함소 대왈,

"소손이 작일 사주를 과취하고 돌아와 존당에 현알(見謁)치 못하고, 홍운전에 이르오니, 당(堂) 임자가 소(所)[803]를 비운 탓으로, 평생 증념지인(憎厭之人)을 만나와 절(節)을 무너뜨려버림을 통한하여 하나이다."

태부인이 미미히 웃으며 왈,

"실절(失節)하다 음행지죄(淫行之罪) 아니요, 이미 정심(貞心)을 잃었으니, 차후 새로이 금슬지화(琴瑟之和)를 열어 규내(閨內)를 화평이 하여 군은(君恩)을 저버리지 말라."

왕이 수명(受命)이러니, 아주소저가 문양의 청죄(請罪)함을 고하니, 태부인이 금후 부부를 돌아보아 작일 사명(赦命) 내림을 이르고, 들어오라 하니, 공주 천만 행희(幸喜)하여, 태원전 당하의 이르러 감히 오르지 못하고 청죄하니, 태부인과 금평후 부부 문양공주 당하(堂下)에서 청죄

---

802) 실소(失笑) : 어처구니가 없어 저도 모르게 웃음이 툭 터져 나옴. 또는 그 웃음.
803) 소(所) : 거처. 처소.

함을 보고, 몸을 일어 공주의 오로기를 청하여 왈,

"지난 바는 엎친 물이라, 새로이 일컬어 무익하니, 귀주는 괴이(怪異)한 거조를 마시고 당에 올라, 우리 마음을 편케 하시고, 성덕(聖德)을 빛내어 전일 과실(過失)을 씻으시면, 처음 어진 이에서 아름답지 않으리까?"

공주 시러금804) 마지못하여 당에 올라 존당 구고께 예를 마치고, 이어 금장숙매(襟丈叔妹)로 예필(禮畢)에 보니, 그 사이 신인(新人)이 가득하여, 소·주·두·화 등은 초면이라. 저마다 봉관화리(鳳冠花履)805)로 명부(命婦)806)의 복색(服色)이 현명하고, 두씨는 비록 용모 평상하나 그 밖은 다 옥모(玉貌) 월광(月光)이 찬연수려하여 윤·양 등의 뒤를 이을 것이거늘, 아주 소저 십일 세 초춘(初春)을 당하여 체형이 다 자라고 천태만광(天態萬光)이 기이하여 일월의 정화를 가졌으니, 그 비상코 가려(佳麗)함이 실로 숙렬의 아우 됨이 마땅할지라.

공주 좌우를 고면(顧眄)하여 자기 형용처럼 초췌(憔悴)하고 초고(楚苦)한 이 없음을 보매, 더욱 부러운 마음이 측량없어 눈물이 비 오 듯하여, 전일 과악을 뉘우치는 말이 지공(至公)하고 비절(悲絶)한지라. 태부인의 관인후덕(寬仁厚德)함으로 위로함을 지극히 하고, 금후 부부 말씀을 이어 흔연이 위로하매, 조금도 전일사(前日事)를 사색치 않으니, 공주 감은황공하여 능히 낯을 들지 못하고, 태부인이 현기 등을 좌우로 앉혀 자란 이를 애중하며 어린이를 유희하여, 두긋기는 웃음이 만면에 넘

---

804) 시러금 : 능히. 하여금. 이에.

805) 봉관화리(鳳冠花履) : 봉황(鳳凰)을 장식한 예관(禮冠)과 아름다운 꽃신을 이르는 말로 옛 사대부가 부여자들의 옷차림을 말함.

806) 명부(命婦) : 봉작(封爵)을 받은 부인을 통틀어 이르는 말. 내명부와 외명부의 구별이 있었다.

침을 보건대, 자기 유녀(幼女)라도 최형의 더러운 자식과 바꾸는 일이
없었던들, 벌써 오세 되어 구고의 사랑하시는 구슬이 되었을지라. 고고
(苦苦)히 행사를 뉘우치고 애달아 탄성오열(歎聲嗚咽)함을 마지않으니,
소·이·양 등이 나직이 위로하되, 저마다 냉설(冷褻)807)한 빛이 없어
공경 존대함을 전일과 달리 않으니, 이는 군상(君上)의 딸임을 돌아봄이
러라.

금후 이날 하리 노복 등을 명하여 문양궁으로 통한 협문을 열게 할
새, 형극(荊棘) 쌓은 것을 다 앗고 길을 평탄이 하여, 부인네 상(常)
해808) 왕래케 하니, 공주 감희(感喜)함을 이기지 못하더라.

어시에 동월후 한씨 취할 길기(吉期) 다다르니, 공이 연석을 베풀어
일가친척을 청하여 배작을 날리며, 신랑을 보내고 신부를 맞아 올새, 날
이 늦으매 동월후 내루에 들어와 길복을 찾으매, 양·소 등이 한가지로
길의(吉衣)를 이뤘다가 찾음을 응하여 내어 오니, 태부인이 소씨로 하여
금 입혀 보내라 하매, 소제 수명하여 나직이 길의를 섬기고 물러 좌에
들어, 사기 안정하고 동지 온중하며 예모 빈빈하고 체지 한아(閒雅)하
니, 존당 구고 두굿기고 중객이 칭찬함을 마지않더라.

신랑이 허다 위의를 거느려 옥누항에 다다라 옥상(玉床)에 홍안을 전
하고 천지께 배례를 마치매, 남창후 미미히 웃으며 팔 밀어 왈,

"내 차혼에 팔밀이809) 할 이 없으되, 아우가 기구(器具)를 베풀어 너
를 주배(酒杯)로 대접고자 하니, 마지못하여 좌의 들기를 청하노라."

---

807) 냉설(冷褻) : 냉랭하게 대하고 더럽게 여김.
808) 상(常)해 : 늘, 항상.
809) 팔밀이 : 팔을 잡아 손님을 어떤 장소로 인도하는 사람.

월후 역소하고 좌에 들어가매, 허다 빈객이 호람후와 위공 형제를 향하여 왈,

"존부에서 한소저를 위하여 설연하여 신랑을 맞으시니, 아등이 제제히 이르렀거니와 신랑자를 보니, 심히 완증노창(頑憎老蒼)810)하여 종요롭기에 벗어나도소이다."

호람후 소왈,

"한소저 내 집으로 친척이 아니로되, 돈애 부디 저의 전정을 즐겁게 하고자 하여 후백 재열에게 돌아 보내거늘, 열위 신랑을 칭찬치 않고 완증(頑憎)타 나무람은 어찌오?"

소년 명류의 희롱 즐기는 자는 월후를 꾸짖고, 동후를 향하여 왈,

"사빈 형제 의기로 한소저의 친사를 이뤄주려 할진대, 어찌 정여백 같은 광망흉패지인(狂妄凶悖之人)을 가려, 한소저에게 물에 동여 넣는 화를 보게 하랴 하느뇨?"

동평후 소왈,

"열위는 어찌 연석을 당하여 신랑의 아름답지 않은 행사를 들추느뇨? 소제 벌써 여백과 맞춘 말이 있어, 한소저는 물에 동여 넣지 않겠노라고 다짐을 받았나니, 장부일언(丈夫一言)은 천년불개(千年不改)라. 종내에 한소저 신세 편함은 묻지 않아 알리라."

정 예부 촉현(促絃)811)이 소왈,

"사람이 허물이 없으면 성인이 되나니, 사제(舍弟) 연소(年少) 과격(過激)하여 삼가지 못한 일이 있으나, 이에 신랑으로 이르렀거늘, 제객

---

810) 완증노창(頑憎老蒼) : 성질이 고집스럽고 밉살맞은데다가 늙어 참신하지 못함.
811) 촉현(促絃) : '거문고 줄을 팽팽히 죈다'는 뜻으로, 다른 사람의 말에 동조하여 논쟁에 끼어듦을 말함.

이 어찌 사람의 단처(短處)를 그대도록 들놓아, 한갓 곽부인이 사제 소행을 들으시면 놀라시리니, 소제 그 형이 되어, 동기 흔극(釁隙)을 들추니, 듣기 싫소이다. 남의 허물 이르는 자가 자기 단처는 알지 못하나, 아등은 다 들어 아나니, 그대 등은 그리 군자더냐?"

주객(主客)이 다 대소 왈,

"후백이 자기 아우를 위하여 남의 없는 허물을 있는 듯이 치우니, 어찌 우습지 않으리오. 아무려나 아등의 허물 봄이 있거든 이르라."

예부 미미히 웃고 제인의 단처를 잠깐 이르매, 진적한지라. 제인이 꾸짖더라.

"이날 곽부인이 혼구 범사를 다 윤부에서 극진히 차려 주는 고로, 여아의 단장을 빛내어 청중(廳中)에서 대례를 습(習)할 새, 정·진·남·화 사부인과 하·장 등이 한소저를 보고 애모함을 마지않아, 곽부인게 소저의 아름다움을 칭하(稱賀)하니, 곽부인이 제 부인네가 여아를 칭찬함을 듣고 쾌함을 이기지 못하여, 부인 등을 향해 왈,

"부인네는 여아의 소고(小姑) 되리니, 여아의 기질이 부인 고안의 합당할진대, 존부 성의에 불합함을 면할까 바라는 바로소이다. 심산궁향(深山窮鄕)에서 향암(鄕闇)되이 자란 바로, 다시 실리(失離)하여 산문(山門)의 유우(留寓)함이 되었던 것이니, 행신예모(行身禮貌)에 배운 것이 없는지라, 존문(尊門)에 나아가 혹자 실례할까, 자모(慈母)의 구구한 정리로써 근심됨을 이기지 못하나이다."

정숙렬과 하부인이 가로되,

"소저 옥모 기질을 사랑치 않을 이 없을지라. 첩 등의 친당이 보시면 한갓 기특히 여기실 뿐이요, 허물 잡을 곳이 없을 뿐 아니라, 인인(人人)이 인자화홍(仁慈和弘)키를 주하니, 여행과 부도에 정숙치 못한 여자라도 비밀한 허물을 아른 양하는 일이 없으니, 하물며 영아 소저의 아름

다움이니까? 부인은 부질없는 염려 마소서."

곽씨 더욱 깃거 흔연히 사례하고 종용이 담화하더니, 정예부 매제에게 전어하여 신부를 바삐 장속하여 덩에 올리고 한가지로 행함을 이르니, 정·하 양부인이 한소저를 덩에 올리고, 곽씨 여아를 붙들고 체읍하여 구가에 가 좋이 있기를 당부하니, 한씨 또한 주루(珠淚)를 드리워 하직하더라.

정숙렬과 하부인이 존당·숙당·구고께 하직하고, 신부의 뒤를 좇아 취운산으로 향할 새, 신랑이 덩 문을 잠그고 상마하여 운산으로 돌아올 새, 생소고악(笙簫鼓樂)은 하늘의 사무치고, 허다 위의는 일로(一路)에 휘황하여 후백의 신취하는 기구를 가히 알리러라. 월후의 풍류신광(風流身光)은 이날 더욱 새로우니, 관광자(觀光者) 책책(嘖嘖) 칭선하더라.

행하여 운산에 돌아와, 청중(廳中)의 포진(鋪陳)이 장녀(壯麗)하고 기린촉(麒麟燭)이 휘황한데, 부부 양인이 독좌(獨坐)[812]하고, 예필(禮畢)에 월후 밖으로 나가고, 신부 폐백을 받들어 존당 구고께 헌(獻)하고 팔배대례(八拜大禮)[813]를 행할 새, 존당 구고가 기쁜 눈을 들어보매, 신부의 백태만광(百態萬光)이 조요(照耀)하여 구추상월(九秋霜月)[814]이 중천(中天)의 밝았으며, 춘하조일(春夏照日)이 옥누(玉樓)에 다사한 듯, 녹파향련(綠波香蓮)[815]이 추수(秋水)에 잠겼는 듯, 팔채봉미(八彩鳳眉)는 천지에 수출한 기운을 모아 복록이 완전하며, 쌍성추파(雙星秋波)[816]는

---

812) 독좌(獨坐) : 독좌례(獨坐禮). 혼인례에서 대례(大禮)를 달리 이른 말. 즉 신랑과 신부가 대례를 행할 때 각각의 앞에 음식을 차려 놓은 독좌상(獨坐床)을 놓고 교배(交拜)·합근(合巹) 등의 의례를 행하는 것을 비유하여 쓴 말이다.

813) 팔배대례(八拜大禮) : 혼례(婚禮)에서 신부가 신랑의 부모께 처음 뵙는 예(禮)인 현구고례(見舅姑禮)를 행할 때 여덟 번 큰절을 올렸다.

814) 구추상월(九秋霜月) : 9월의 서리 내리는 늦가을 밤에 뜬 하얀 달.

815) 녹파향련(綠波香蓮) : 맑고 푸른 물결 위에 피어난 향기롭고 아름다운 연꽃.

맑은 정기와 숙덕현행(淑德賢行)이 출어안채(出於眼彩)하니, 월액화시
(月額花顋)817)와 운환무빈(雲鬟霧鬢)818)의 천연수려(天然秀麗)함과, 봉
익초요(鳳翼楚腰)819)와 육척향신(六尺香身)의 진중(鎭重)한 체도(體度)
와 단엄한 위의(威儀)가, 소소(小小) 아녀자의 품질이 아니라. 유(柔)하
되 풀어지지 않으며, 강(剛)하되 모지지 않으며, 진선진미(盡善盡美)하
여 중도(中道)를 얻어, 진퇴절차(進退節次)가 주선응목(周旋應穆)820)하
고 예모(禮貌) 유한(幽閑)하여 성녀(聖女)의 풍(豊)이 가득하니, 존당 구
고 대열환희(大悅歡喜)하여 손을 잡고 운환을 어루만져, 연애(憐愛)하여
가로되,

"신부는 예의지문(禮義之門)의 요조현녀(窈窕賢女)라. 불행하여 영선
대인(令先大人)이 조세(早世)하시나, 조선여풍(祖先餘風)에 작인(作人)
의 기특함이 이 같으니, 어찌 아름답지 않으리오. 돈아의 조강(糟糠) 양
씨와 재실 소씨 다 어진 여자니, 금일 서로 보는 예를 폐치 말고 화우하
여, '황영의 자매'821) 같음을 바라노라."

신부 배사수명(拜謝受命)하고, 이어 양·소 등을 향하여 재배하니, 양
부인이 규구(規矩)를 버려 좌(座)에 나와 답례하고, 소씨 더욱 선후를 생
각지 않고 천연 답배하니, 태부인이 아름다움을 이기지 못하여 윤·양·이

---

816) 쌍성추파(雙星秋波) : 별처럼 빛나고 가을 물결처럼 맑은 미인의 두 눈길.
817) 월액화시(月額花顋) : 달처럼 둥근 이마와 꽃처럼 아름다운 두 뺨.
818) 운환무빈(雲鬟霧鬢) : 여자의 탐스러운 쪽 찐 머리와 안개 같은 살쩍(귀밑털)
    이란 뜻으로, 여자의 잘 단장한 아름다운 머리를 이르는 말.
819) 봉익초요(鳳翼楚腰) : 봉황의 날개처럼 아름다운 어깨(선)와 초나라 미인의 가
    느다란 허리. *초요(楚腰); 미인의 가느다란 허리를 이르는 말. 중국 초나라의
    영왕이 허리가 가는 미인을 좋아하였다는 데서 유래한다.
820) 주선응목(周旋應穆) : 여러 가지로 하는 일들이 두루 잘 조화를 이룸.
821) 황영(皇英)의 자매 : 중국 요(堯)임금의 두 딸인 아황(娥皇)과 여영(女英). 자매
    가 함께 순(舜)임금에게 시집 가, 서로 화목하며 순임금을 잘 섬겼다.

·경과 소이씨 두씨 등과 양·소·한 등과 주·화 양인을 차례로 병익
(並翼)하여 좌하게 하고, 문양공주는 황녀의 존함으로써 비록 그 과악이
무궁하였으나, 제왕의 제 오비로 대접치 못하여, 경비의 아래 앉지 않고
또 방석을 놓아 윤·양 등과 마조 안게 하고, 숙렬과 하부인은 문양의 아
래 좌를 이루게 한 후, 태부인이 웃음을 먹음고 좌(座)의 고하여 가로되,
 "첩의 열두 손부와 손녀 등이 녈위 제객의 고안에 어떠하니까? 공주
는 최녀의 사나움으로써 초년에 허물을 지었으나 당차지시(當此之時)하
여는 개과자책(改過自責)하여 어진 부인이 되었으니, 또한 손아의 복인
가 하나이다."
 만좌중빈이 신부의 특이함을 칭선하여, 월후의 처궁이 유복함을 하례
하고, 숙렬의 명모상광(明眸祥光)과 팔채선태(八彩仙態)가 항아(姮
娥)822)를 구경한 듯, 진실로 혈육지신(血肉之身)임을 깨닫지 못하여, 한가
지로 화식지인(火食之人)823)임을 알지 못하는지라. 하부인과 양(兩) 양씨,
경·화·소이씨·소씨 등과 신부의 천향월태(天香月態) 서로 바애여 청
중에 찬란이 밝은 가운데도, 의열비와 숙렬은 각별이 빼어나, 윤씨는 가
을 하늘에 한조각 구름이 없는 가운데 백일(白日)이 한가함 같고, 정씨
는 삼춘난일(三春暖日)이 채운을 멍에 하여 부상(扶桑)824)에 솟으매, 혜
풍(蕙風)은 백물(百物)을 부쳐내고 향기는 만방에 조요(窕窈)하여, 훈화
(薰和)한 기운이 사람으로 하여금 심기를 화열케 함 같으니, 윤씨를 대
하매 사람의 정신과 기운이 상연(爽然)하여, 스스로 혼탁한 수회(羞悔)
를 다 벗어 버린 듯싶고, 정씨는 비록 투한협천(妬悍狹淺)825)한 인물이

---

822) 항아(姮娥) : 늑상아(嫦娥). 달 속에 있다는 전설 속의 선녀.
823) 화식지인(火食之人) : 불에 익힌 음식을 먹는 사람. '보통사람'을 이르는 말.
824) 부상(扶桑) : 해가 뜨는 동쪽 바다.
825) 투한협천(妬悍狹淺) : 시샘하고, 사납고, 속이 좁고 얕음.

라도, 마음이 활연청고(豁然淸高)하여 진세(塵世)의 요요(擾擾)한 잡념
을 끊어 일신이 혼화(渾和)826)하여 반점 불현(不賢)한 의사 머물지 않으
니, 인품을 의논할진대 정숙렬과 윤의열이 막상막하(莫上莫下)하되, 진
정 대두(對頭)할 성녀숙완(聖女淑婉)이라. 신명하고 기이하여 천만고(千
萬古)를 기울여도 둘 없는 재덕으로 일분호리(一分毫釐) 숙렬이 윤씨께
잠깐 더한 듯하되, 그 사이 멀지 않아, 숙렬은 공자 같고 의열은 맹자
같으니, 사좌(四座)의 수풀 같은 홍장분대(紅粧粉黛)827), 뉘 채를 잡아
윤·정 양인으로 병구(竝驅)하리오. 저마다 주찬에 맛을 잊고 윤의열 정
숙렬에게 눈을 쏘았으니, 성행덕택(聖行德澤)이 금수(錦繡) 위에 꽃을
더하는 빛남이 있는지라. 의열문과 숙렬문의 금자어필(金字御筆)이 헛
되지 않음을 일컫더라.

　종일 진환(盡歡)하고 낙극단란(樂極團欒) 하매, 내외 빈객이 각산(各
散)하니, 신부 숙소를 선희정에 정하여 보내고, 촉을 이어 금평후 부부
태부인을 모셔 자부(子婦)와 여아(女兒)를 거느려 종용이 말씀할 새, 문
양공주 오히려 물러나지 않고 좌에 있는지라. 정·하 양부인이 동기의
정을 펴매, 구태여 전의 사오납던 바를 허물치 않고 우공(友恭)함을 지
극히 하니, 공주 자기 천흉만악을 구가 일문이 용납하여 슬하에 무애함
이 전과를 개회치 않으니, 당차시 하여는 공주의 행지(行止) 전후 두 사
람이 되었는지라. 각골감은 하여 전과를 자책함을 마지않더라.

　태부인이 금후를 대하여 왈,

　"오늘 신부를 보매 윤·양·경 등의 유에 섞일 만하니, 차후는 세아

---

826) 혼화(渾和) : 두루 원만하여 따뜻하고 부드러움.
827) 홍장분대(紅粧粉黛) : '붉게 연지를 찍고 분을 바른 얼굴과 먹으로 그린 눈썹'
　　이란 뜻으로, 화장한 아름다운 여자를 비유적으로 이르는 말.

의 가사 화평하며, 양소부의 교화로 인하여 저의 부부 사인이 흠 없이 화락하리니, 노모의 마음이 평생 처음 경사를 본 듯하도다."

금후 대왈,

"세아의 가사 진정하니 행열(幸悅)하옴이 범연치 아니하오니, 자녀를 위하여 각별 근심이 없사오되, 아주 점점 장성하오니 용화기질이 출류 (出類)하여 제 형에서 많이 나리지 아니하오나, 또 '어떤 배우를 만나 초년이 어떠할꼬?' 근심이 없지 아니하온지라, 소자 아주에 다다라는 친옹의 내외를 다 살피고, 택서함을 윤사빈 같은 이를 구하여, 영준호걸 (英俊豪傑)과 명성군자(明聖君子)를 갖추 두고자 하나이다."

태부인이 소왈,

"아주의 용색(容色)이 기이하나, 화기(和氣) 움킴직하고, 복덕(福德)이 어리었으니 홍안(紅顏)의 해를 보지 않을지라, 어찌 부질없는 염려를 하리오."

금후 왈,

"자교(慈敎) 마땅하시나 아주라고 초년 액경을 면하리까? 낯 위에 오채팔광(五彩八光)828)이 현란(絢爛)하니, 초년 재앙은 그 고운 것이 넘침이요, 미우(眉宇)에 복록영귀(福祿榮貴) 비추고, 안광(眼光)에 어진 기운이 나타나니, 마침내 재앙을 진정하고 팔자 존귀하리이다."

동월후 고 왈,

"하부의 원상 등 삼아가 다 연기(年紀) 상적(相適)하니, 그 중 일인을 가려 미리 정혼하심이 마땅할까 하나이다."

---

828) 오채팔광(五彩八光) : 오채(五彩)와 팔광(八光)을 아울러 이르는 말. *오채(五彩); 파랑, 노랑, 빨강, 하양, 검정의 다섯 가지 색. *팔광(八光); 불교에서 말하는 여덟 가지 광명. 염(念)·의(意)·유(遊)·법(法)·지(智)·정(精)·신(神)·행(行)의 광명.

금평후 가로되,

"외모풍신과 문장재화를 이를진대, 하원상 삼아를 어찌 나무랄 것이 있으랴마는, 원상은 벌써 정혼(定婚)하다 하니 요개(搖改)치 못할 것이요, 원삼은 더욱 특출하되 오히려 나이 아직 아주만 하니, 아직 두고 보아 타처의 옥인가랑(玉人佳郞)을 택하리라."

제왕이 복수 대왈,

"엄교 마땅하시나 혼인이란 것은 초솔(草率)이 정할 것이 아니오니, 매제 혼사는 천연(天緣)이니 능히 인력으로 못하올지라. 두루 구하면 현마 소매와 같은 배우를 만나지 못하리까?"

금평후 점두하나 진실로 택서의 근심이 일시를 방하(放下)치 못하더라.

야심하매 태부인이 취침 후, 제왕 등을 데리고 청죽헌에 나올 새, 월후를 명하여 신방으로 보내니, 월후 선희정에 들어와 한씨를 대하매 촉하에 일만 광염(光艷)이 더욱 찬란하여, 양목(兩目)이 현요(眩耀)하고 어리로운829) 거동과 화열한 거지(擧止)가 자기 평생 이 같은 숙녀를 바라던 바라. 소원과 같음을 대희(大喜) 쾌열(快悅)하여 흔연히 웃고 말씀하매, 신부 수용정금(修容整襟)830) 하여 대답지 않을지언정 냉담초준(冷淡峭峻)한 빛이 없으니, 월후 아름다움을 이기지 못하여, 즉시 촉을 멸하고 한가지로 금리(衾裏)에 나아가니, 은애 여산약해(如山若海)하여 교칠(膠漆) 같더라.

명조에 신부 단장을 이뤄 존당 구고께 신성하고, 왕의 오곤계 어깨를 연하여 들어와 존당 부모께 문후할 새, 태원전 너른 당의 남좌녀우(男左女右)를 분(分)하여 차례로 좌를 정하매, 남자는 개개히 신선 같고 여자

---

829) 어리롭다 : 아리땁다. 귀엽다.
830) 수용정금(修容整襟) : 얼굴빛을 고치고 옷깃을 여밈.

는 저마다 선아(仙娥) 같아서, 대이씨(大李氏)의 박색과 두씨의 용상(庸常)함 곳 아니면, 태원전이 낭원(閬苑)831)의 승회(勝會)832) 아님을 알지 못할지라.

태부인과 금후 부부 좌우를 고면(顧眄)하여 두굿기는 입이 열림을 면치 못할지라. 차시를 당하여 진부인의 즐거움이 반점 근심도 머물지 아니하니, 석년 윤·양·이·경 등을 잃고 현기 등을 실리하였을 때 어찌 오늘날이 있을 줄 알았으리오. 이로써 보건대 어진 이 복(福)을 누리고 악한 이 망(亡)함을 알지라.

문양공주 신세 명도 윤·양·경·이 사비(四妃)를 우러러나 보리오. 한낱 유녀(幼女)도 세월이 오래되 찾을 기약이 없어, 존망을 점복(占卜)지 못하고 심장이 끊어짐을 면치 못하니, 윤·양 등이 위하여 슬피 여겨 공주의 태후(胎候)나 쉬이 있기를 바라더라.

한소저 인하여 구가에 머물러 효봉구고(孝奉舅姑)와 승순군자(承順君子)함과 숙매금장(叔妹襟丈)을 화우(和友)하며, 만사 인류(人類)에 특이할 뿐 아니라, 춘양화기(春陽和氣)와 동일지애(冬日之愛)를 겸하여 대인접물(對人接物)에 옥(玉)을 때리는 담소(談笑)가 아스라이 쇄연(灑然)하되, 한 자 불법의 말이 없고, 행신에 반점 고집을 두지 않아, 품도(品度)가 활연상랑(豁然爽朗)하나, 위의(威儀) 씩씩하고 체도(體度) 한아(閒雅)하여 사군자(士君子)의 풍이 있는지라. 존당 구고 칭찬 애경(愛慶)하며 일가제족(一家諸族)이 경복(慶福)하여 예성(譽聲)이 가득함은 이르지도

---

831) 낭원(閬苑) : 곤륜산(崑崙山)의 꼭대기에 있다는 신선이 산다고 하는 선계(仙界). =낭풍요지(閬風瑤池).
832) 승회(勝會) : 성대한 모임.

말고, 월후는 평생 뜻에 찬 숙완(淑婉)을 만나니, 금슬우지(琴瑟友之)833)에 종고낙지(鐘鼓樂之)834)하여 백년동주(百年同住)835)를 나삐 여기는 뜻이 있으되, 양·소 두 부인 향한 뜻은 또한 옮지 않아, 세부인 대접하는 도리 애증(愛憎)이 없으되, 양부인의 단엄맹렬(端嚴猛烈)함이 세월이 갈수록 더하니, 동월후 이로써 심우(心憂) 되어 분한함을 이기지 못하되, 그 백사(百事) 행동을 보매는 허물할 곳이 없으니, 한갓 사실(私室)의 냉박(冷薄)함으로 대수로이 허물을 삼지 못하여, 종용이 책함을 마지않되, 양부인이 조금도 월후의 정을 가납(嘉納)할 의사 없어, 선삼정 가운데 서로 대한즉 설풍한일(雪風寒日) 같으니, 월후 만일 구습(舊習)이 있으면 어찌 참으리오마는, 심화(心火) 될지언정, 요란이 질욕(叱辱)하기를 않고, 양부인이 비록 가부에게 맹렬하나 적인(敵人)을 화우함은 '주아(周雅)836)의 남은 풍(風)'837)이 있어, 소씨와 한씨로 더불어 정의(情誼) 골육이 아님을 깨닫지 못하여, 피차에 사랑하며 귀중함이 일신 같으니, 월후의 가내 화(和)함이 춘풍 같고, 맑음이 추수 같아서 반

---

833) 금슬우지(琴瑟友之) : '거문고와 비파를 타며 서로 사귄다'는 뜻으로 『시경』 〈국풍〉 '관저(關雎)'편에 나오는 시구.

834) 종고낙지(鐘鼓樂之) : 종과 북을 치며 서로 즐긴다는 뜻으로 『시경』 〈국풍〉 '관저(關雎)'편에 나오는 시구.

835) 백년동주(百年同住) : 백년을 같이 산다는 뜻으로, 부부가 결혼하여 수(壽)를 누리며 일생을 같이 살아가는 것을 말함.

836) 주아(周雅) : 『시경(詩經)』의 〈소아(小雅)〉편과 〈대아(大雅)〉편을 합하여 이르는 말. 소아와 대아는 주나라의 궁중음악 곧 아악(雅樂)을 정리해 놓은 것으로 주나라 왕실의 덕을 찬미한 것이 많다.

837) '주아(周雅)의 남은 풍(豊)' : 중국 주(周)나라 문왕의 비(妃)인 태사(太姒)의 부덕(婦德)과 같은 덕이 있다는 말. 곧 태사는 현모양처(賢母良妻)로 문왕을 잘 내조하여 성군(聖君)이 되게 하였는데, 특히 남편의 많은 후궁들을 덕으로 잘 거느려 화목한 가정을 이룬 일로, 후대의 무수한 글들에 그녀의 부덕이 칭송되고 있다.

점 질투의 더러운 뜻이 없어, 양씨 소·한으로 야심하여 물러가 잠자는 때 밖에는 서로 떠나기를 아끼니, 존당 구고 아름다이 여기더라.

정·오 이왕이 문양궁에 자주 왕래하는 고로, 윤의열의 성덕혜화가 공주의 악악한 심정을 감화하고, 제왕이 부부 윤의를 폐절치 않으며, 정공 부부 예사 자부와 같이 대접함을 알고, 즉시 천자께 고하니, 상이 크게 기뻐하시어 금후 부자를 명초하시니, 금평후 제왕을 데리고 입궐하매, 수돈(繡墩)을 밀어 가인부자지례(家人父子之禮)로 좌를 주시되, 공의 부자가 황공하여 감히 수돈 위에 좌를 이루지 못하니, 상이 재삼 권하여 용상 곁에 앉음을 명하시고, 천안이 화열하시며 옥음이 부드러우시어 희연(喜然)이 이르시되,

"문양의 죄악은 천지에 관영하여 그 한 목숨을 이었음이 경의 구한 은덕이거늘, 이제 경의 부자 문양의 참잔(慘殘)한 신세를 측은이 여김이 있어, 구식지정(舅媳之情)과 부부윤의(夫婦倫義)를 유념(留念)함이 있다 하니, 문양이 만금을 두고 구하여 얻지 못할 경사(慶事)일 뿐 아니라, 짐이 문양을 아주 죽임과 같지 못하여 매양 제 신세를 생각하면 불평한 의사 있더니, 경의 부자의 관인화홍(寬仁和弘)함이 속류(俗類)의 바라지 못할 기량(器量)이니, 짐이 다시 문양의 신세를 근심치 아니하노라."

금평후 돈수(頓首) 사왈,

"공주 처음 실덕함이 계시나, 신의 부자가 성은을 감격하옴이 골절에 사무치오니, 어찌 공주의 적막한 신세를 고념(顧念)치 않으리까? 하물며 개과천선은 성교에 허하신 바라. 당차지시(當此之時)하여는 전과(前過)를 많이 뉘우치시는 고로, 천흥이 문양궁의 왕래하여도 '다시 변괴 없을까' 잠깐 방심하옵나니, 폐하의 일컬으심을 어찌 감히 당하리까? 불승황공(不勝惶恐)하와 대주(對奏)할 바를 알지 못 하리로소이다."

상이 웃으시고 다시 가라사대,

"천흥이 공주로 더불어 부부 윤의를 폐절치 않을진대, 공주 원간 천승지존(千乘之尊)과 왕희(王姬)[838]의 부귀를 가졌거니와, 제 국비 직첩은 주는 것이 옳으니, 차례를 줄진대 경씨 버금이라. 짐이 윤씨를 천흥의 원비를 정하여 조강을 고치지 않게 하매, 어찌 선후를 차착(差錯)게 하리오. 문양으로써 천흥의 제 오비를 봉하리라."

공이 주왈,

"성교 마땅하시나 공주의 존귀로써 경씨의 아래로 정하심이, 경녀 등으로 하여금 심히 불평한 마디니, 왕비 직첩을 나리오시면 선후를 의논치 마시고, 다만 제국비라 하시는 것이 주편(周偏)할까 하옵나니, 이러므로 신의 사실에서는 윤녀 등과 공주가 차례로 좌를 이루지 않아, 동서(東西)로 마주 앉게 하나이다."

제왕이 비로소 입을 열어 주왈,

"공주의 죄악을 생각하오면 터럭을 빼어 혜여도 궁진(窮盡)치 아니 하오리니, 신이 어찌 부부 윤의를 돌아보리까? 위로 성상의 여천대은(如天大恩)을 저버리지 못하옵고, 아래로 신의 미세한 자식들이 벌써 공주로 더불어 모자지의(母子之義)를 밝히오니, 신의 할미와 부모 공주의 적막한 신세를 염려하옴이 병이 되었사온 고로, 신자지도(臣子之道)에 군친(君親)의 뜻을 거스르지 못하온 바라. 도금(到今)하와 공주 전과를 잠깐 뉘우치는 지경이 되었다 하오니, 신의 여러 자녀를 농중(籠中)의 넣어 죽이는 일이나 없을까 그윽이 영행(榮幸)하옵는 바라. 이제 왕비 직첩을 내리고자 하실진대, 선후 차례를 명백히 하시는 것이 마땅하오대, 신의 아비 또한 이 일을 불안이 여기옵는 고로, 선후를 들추지 말고자

---

838) 왕희(王姬) : 왕녀. 왕의 딸.

하나이다.”

상이 금후와 제왕의 말마다 아름다이 여기사, 이 날 공주께 왕비 고명(告命)839)을 내리시되, 다만 '평제국왕비 문양공주'라 하시고, 공의 부자를 대하시어 연석(宴席)을 재촉하여 이르시되,

“짐이 사연(賜宴)을 명한 지 오래거늘 지금 연석을 개장치 아니하느뇨?”

금평후 사은 왈,

“신이 무슨 사람이관데 사연을 기뻐 않으리까마는, 그 사이 사고 연첩(連疊)하와 지금 연석을 베풀지 못하였삽더니, 성상이 여러 번 재촉하시니, 신이 일순지내(一旬之內)에 지친빈객(至親賓客)을 청하여 성은을 전하옵고, 배작(杯酌)을 날려 즐거움을 다 하리이다.”

상이 기뻐하시어 연석 개장할 날을 물으시니, 금후 대주 왈,

“금월이 신모(臣母)의 생일이니, 그 때에 연석을 베풀고자 하나이다.”

상이 즉시 각 부에 하조(下詔)하시어, 정부의 삼일대연(三日大宴)할 기구와 어악을 빌리시어, 순태부인 생진일(生辰日)에 예관을 보내어 공의 부부와 순태부인께 헌수(獻壽)하여, 제왕 같은 자손을 둠을 치하하려 하시니, 금평후 불감 황공함을 아뢰고 제왕으로 더불어 날이 늦은 후, 퇴하여 집의 돌아오니, 벌써 공주께 제국비 직첩(職牒)과 고명(告命)이 내리니, 공주 조금도 원비 직첩 아님을 애달아하는 뜻이 없어, 부비(副妃)라도 직첩이 새로 내리매 기쁨을 이기지 못하여, 금월부터 녹봉을 예같이 주라 하시니, 공주 녹봉이 없으므로 빈한(貧寒)할 것은 아니나, 황상이 공주로 대접치 않으시어 천륜자애 박하심을 애달아 하다가,

---

839) 고명(告命) : 사령장. 임명, 해임 따위의 인사에 관한 명령을 적어 본인에게 주는 문서.

차일 녹봉을 다시 얻고 왕비 고명을 받으매, 만사 바람 밖이로되, 오직 잃은 여아 곧 생각하면 심담(心膽)이 촌촌(寸寸)이 부서짐을 면치 못하더라.

금평후 모전의 고하여 가로되,

"소자 위거후백(位居侯伯)하고, 제아(諸兒) 층층이 자라 과갑을 응하여 청운에 고등하오되, 일찍 자위(慈闈) 탄일에 일가친척을 모아 즐긴 일이 없사옴은, 해아(孩兒)의 성효 천박하올 뿐 아니라, 자정이 매양 설연(設宴)하기를 엄금하시니, 능히 생의(生意)치 못하였삽더니, 이번은 성은이 빛냄을 더하시어 사연을 명하시되, 그간 사고 연첩(連疊)하와 연석을 베풀지 못하였삽더니, 금일 또 재촉하시니 소자 자정 탄일에 설연(設宴)하기를 아뢰고 나왔사오니, 자정은 자손의 갈망하는 마음을 돌아보시어 불열하여 마소서."

태부인이 추연 탄 왈,

"성주 사연하시는 바를 노모 능히 사양치 못하려니와, 석년(昔年)에 생일을 당하면 비록 여러 자손이 없어 너의 부부 따름이나, 잔을 부을 때에 선군과 한가지로 거우르며, 독자의 성효 타인의 용상(庸常)한 십자를 부러워 아니함으로, 수작하던 말을 생각하면 노모 혼자 세상이 지리함을 슬퍼 하나니, 무슨 흥황(興況)으로 일가를 모아 배작으로 즐길 의사 있으리오."

금평후 심리(心裏)의 감척(感慽)함을 이기지 못하나, 사색을 화(和)히 하여 위로하고, 제왕 등이 호언으로 조모의 위회(慰懷)하심을 요구하여, 춘양(春陽)이 무르녹는 화기와 문견기담(聞見奇談)이 이의 듣는 이로 하여금 절도한 일이 많으니, 태부인이 슬퍼하던 회포를 돌이켜, 또한 미미히 웃기를 마지않더라.

이러구러 홀홀히 칠팔일이 지나매, 삼월 십오일은 순태부인 탄일(誕日)이라. 위로 황상이 사연을 명하신 지 여러 해 만에 비로소 정부에서 연석을 개장할 새, 빈객을 크게 모을 뿐이요, 주육(酒肉)을 설판(設辦)840)하는 수고로움이 없으니, 각 부(部) 진심하여 연석 기구를 차려 향온미주(香醞美酒)와 팔진미찬(八珍味饌)의 산진해물(山珍海物)841)이 갖지 않은 것이 없는지라. 제국 진헌(進獻)하는 물건이 부지기수(不知其數)요, 기타는 불가승수(不可勝數)라. 왕공(王公) 부귀를 기울여 연석의 장(壯)함과 기구의 풍후(豊厚)함을 어찌 형언하리오. 그 번화함이 천자 버금이라. 평일에도 청검절차(淸儉切磋)842)하기를 위주 하여 의식지절(衣食之節)에 다다라는 겨우 기한(飢寒)을 면할 만하더니, 자손이 정성과 힘을 다하여 태부인의 한 번 즐기심을 절박하게 죄던 잔치라, 어찌 상시(常時)와 같이 공검(恭儉)하리오. 내외 당사(堂舍)를 통개(洞開)843)하고, 부계844)를 널리며 내외 빈객을 청할 새, 이 범연한 집 잔치와 달라 후백의 태부인이며 왕공의 조모로, 그 탄일을 당하여 황상이 사연하시고, 왕후의 부귀를 기우려 위친(爲親)하매, 갈망하여 즐기는 날이라. 황친(皇親) 국척(國戚)으로부터 만조거경(滿朝巨卿)과 열후군공(列侯君公)이 일제히 참예하여, 연혼가(連婚家) 절친(切親) 부인네와 인리(隣里) 붕배(朋輩)의 부인네 각각 여부(女婦)를 거느려, 성연(盛宴)을 구경코자 일시의 별 뭉기듯 모여드니, 그 수를 이루 혜기 어려운지라.

---

840) 설판(設辦) : 연회나 의식에 쓸 기구나 음식 따위를 준비하고 차리는 일.
841) 산진해물(山珍海物) : 산과 바다에서 나는 진기한 물건들.
842) 청검절차(淸儉切磋) : 청렴하고 검소한 생활을 애써 실천함.
843) 통개(洞開) : 문짝 따위를 활짝 열어 놓음.
844) 부계 : 비계. 높은 곳에서 일을 할 때에 딛고 다닐 수 있도록 긴 나무와 널판자로 다리나 난간처럼 매어 놓은 시설.

이날 금평후 의대를 정돈하고 오자를 거느려 빈객을 맞을 새, 백운차일(白雲遮日)은 반공(半空)에 임리(淋漓)하고, 금수포진(錦繡鋪陳)은 정제하여 노소제인(老少諸人)이 차례로 좌차(座次)를 가지런히 하니, 이날 취운산 곡중(谷中)에 사마쌍곡(駟馬雙曲)845)이 분분(紛紛)하여 인성(人聲)이 훤천(喧天)하고, 만마(萬馬)가 운집(雲集)하여 개미 쑤시며 벌이 뭉김846)이라도 이렇지 못할지라.

금평후 일가친척으로부터 만조거경(滿朝巨卿)을 향하여 연석(宴席)에 빛내 모임을 사례하매, 겸공(謙恭)하는 말씀과 근신(謹愼)하는 어짊이 반점 자중(自重)847)하는 일이 없거늘, 제왕 등 오곤계(五昆季) 부친을 모셔 존빈 귀객을 맞으며, 부형 면전에 경근하는 예를 잡으매 일동일정(一動一靜)이 근신(勤愼)함이 가득하여, 나아가매 거칠848) 듯이 하고, '여린 옥을 잡으며 가득한 것을 받듦'849) 같이 하여, 삼엄한 예모 숙숙(肅肅)한 가운데 완순(婉順)한 낯빛과 온화한 거동이 의연이 삼세 척동(尺童)같이 부드러우며, 금후께 시임(侍任)하는 바 서동배가 당할 수고를 하되, 염고(厭苦)하는 빛이 전혀 없어, 못 미칠 듯 응순(應順)함이 천승군왕(千乘君王)의 존귀함과 재열후백(宰列侯伯)의 위고(位高)함 같지 않아, 몸가짐을 제왕으로부터 척동아배(尺童兒輩)850)와 달리 하는 일이

---

845) 사마쌍곡(駟馬雙曲) : 네 필 말이 끄는 마차와 마차가 지나가는 데 방해받지 않도록 잡인의 통행을 금하는 피리나 나팔 등의 악기 소리.
846) 뭉기다 : 엉겨서 무더기를 이루다.
847) 자중(自重) : 남에 대해 자기를 중대하게 여김.
848) 거치다 : 무엇에 걸리거나 막히다.
849) 여린 옥을 잡으며 가득한 그릇을 받듦 : 집옥봉영지례(執玉奉盈之禮)를 말함. 즉 효자가 부모를 섬김에 있어, 값비싼 옥을 잡고 있는 것처럼 또는 물이 가득 담긴 그릇을 받들고 있는 것처럼, 조심하여 예(禮)를 다함.『소학(小學)』《명륜(明倫)》편에 나온다.
850) 척동아배(尺童兒輩) : 열 살 안팎의 어린아이들. =소동(小童). 소동배(小童輩)

없으니, 보는 자가 경앙칭복(敬仰稱福)함을 이기지 못하더라.

날이 반오(半午)는 하여 빈객이 빠진 이 없이 모이고, 금평후 주벽(主壁)851)에 좌를 이뤄 중객(衆客)으로 더불어 잔을 주고받으며, 내외로 풍악을 주(奏)하고 기녀(妓女) 등을 명하여 청가묘무(淸歌妙舞)로 연상(宴上)의 즐김을 다하더니, 예관 상서 진영문이 황명을 받자와 순 태부인과 금평후 부부께 헌수(獻壽)하러 이르렀으니, 금평후 제자(諸子)와 여서(女壻)로 더불어 예관을 데리고 내루(內樓)에 들어올 새, 내연(內宴)의 장함이 외연(外宴)으로 일반이라.

진부인이 존고를 모셔 자부 여아를 거느려 빈객을 맞으매, 차시 진부인 연기(年紀) 사십팔 세로되 조금도 쇠함이 없어, 천연한 태도와 색광이 삼오홍옥(三五紅玉)852)을 우습게 여김이 있거늘, 처신 행동이 유법단일(有法端壹)하여 삼엄한 예모 학리군자(學理君子)의 풍이 은은하니, 어찌 세속 무식한 여자 같으리오. 수풀 같은 분대홍장(粉黛紅粧)853)과 중년 부인네 경복칭앙(慶福稱仰) 하는 의사 가득하거늘, 순태부인의 숙숙(肅肅)한 덕화와 평활(平活)한 말씀이 사좌(四座)를 감열(感悅)케 하더라.

---

851) 주벽(主壁) : 사람을 양쪽에 앉히고 가운데 앉는 주가 되는 자리. 또는 그 자리에 앉은 사람.
852) 삼오홍옥(三五紅玉) : 열다섯 살 처녀의 붉은 얼굴.
853) 분대홍장(粉黛紅粧) : 홍장분대(紅粧粉黛). '붉게 연지를 찍고 분을 바른 얼굴과 먹으로 그린 눈썹'이란 뜻으로, 화장한 아름다운 여자를 비유적으로 이르는 말.

명주보월빙 권지구십

익설(益說)854) 순태부인의 숙숙한 덕화와 평활한 말씀이 사좌를 감열
케 하니, 비록 붕성(崩城)의 통(痛)855)이 있으나 금후 같은 대효의 아들
과 제왕 같은 현손(賢孫)을 두어, 호호(浩浩)한 복록을 누리며 무궁한
영효(榮孝)를 받음을 알지라. 만좌중빈(滿座衆賓)이 일시에 융융한 복록
을 하례하며, 윤의열 정숙렬을 눈을 쏘아, 전자에 보았던 부인네라도 새
로이 숨을 길게 쉬고 황홀할 뿐 아니라, 처음 보는 사람이 아님을 깨닫
지 못하거늘, 양(兩) 양씨와 소이씨며 경·소·한·하 등의 선풍아태
(仙風雅態)와 면모상광(面貌祥光)이 찬란이 바애여856) 일색(日色)을 가
리오고, 남창후의 부실(副室) 진·남·화 삼인과, 초공의 원비 윤씨며
동평후의 차비 장씨 등이, 하부인을 따라 이에 모이매, 천향아질(天香雅
質)과 월태옥용(月態玉容)이 정부 제 부인네를 족히 대두(對頭)할 바라.
만목(萬目)이 어린 듯이 바라보며 책책(嘖嘖) 칭선(稱善)하여, 윤·정

---

854) 익설(益說) : 고소설에서 새로 이야기를 시작할 때 쓰는 '화설(話說)' '화표(話
表)' '각설(却說)' 따위와 같은 화두사(話頭詞).
855) 붕성지통(崩城之痛) : 성이 무너질 만큼 큰 슬픔이라는 뜻으로, 남편이 죽은
슬픔을 이르는 말.
856) 바애다 : 빛나다. (눈이) 부시다.

·하 삼부에 절색숙완(絶色淑婉)이 다 모였다 하며, 아들을 두고 며느리를 구하는 부인네는 정·윤·하 삼부 숙녀 같기를 원하나, 어찌 세간에 여차 숙녀 흔하리오.

이날 유부인이 정부 연석에 오기를 참괴하여 아니 오고자 하더니, 순태부인으로부터 진부인이 간청하여 숙렬과 하부인이 여러 날을 즈음처[857] 본부 연석에 한 번 오심을 지극히 청함으로, 호람후 구태여 막지 않음은 정부 연인절친(連姻切親)[858]마다 범연한 부인네라도 다 모이는 즈음에, 위태부인과 조부인은 내외 완전치 못함으로 일가 연차(宴遮)[859]에도 가는 일이 없고, 다만 유부인이 무사(無事)한 사람으로 전일 과악을 부끄러워 정부 성연(盛宴)의 참예치 않으면, 양가 지극한 정분에 도리어 박함이 되는 고로 가지 말라 한 일이 없는지라.

유부인이 마지못하여 이에 이르매, 정국공 부인 조씨와 석 추밀 부인 철씨 와 다 모이고, 그 밖 윤부 연인절친가(連姻切親家) 부인네 아니 온 이 없고, 영능후의 재실 오씨 금장소고(襟丈小姑) 등으로 더불어 철부인을 모셔 연차의 참예하여, 윤·양 이비를 보매 피차의 활인사 고초를 생각하여 각별한 정이 있으니, 유부인이 자녀서(子女壻)가 공후의 복색으로 다 이에 모였을 뿐 아니라, 석부 제인이 노소 없이 다 모임을 보매, 홀로 여아는 석부 심당에 한낱 죄수 되어 머리를 내밀지 못함을 각골비절(刻骨悲絶)하더라.

순태부인과 진부인이 각별 후대함을 당하여는 자기 전과를 참괴하여 능히 말을 못하되, 총민한 재정(才情)과 영오한 기질(氣質)이 타류에 내

---

857) 즈음치다 : 가로막히다. 격(隔)하다.
858) 연인절친(連姻切親) : 인척과 가까운 친척을 함께 이른 말. 곧 혼인으로 맺어진 친척과 혈통으로 맺어진 가까운 일가를 말함.
859) 연차(宴遮) : 잔치 자리에 친 차일(遮日)이란 뜻으로 잔치를 이르는 말.

도하고, 묘려(妙麗)한 태도와 절세한 용화는 미옥(美玉)을 공교히 새기
고, 홍매화(紅梅花) 납설(臘雪)을 무릅쓴 듯, 한 쌍 가월미(佳月眉)는 먼
뫼에 내 흔적이 희미한 듯, 양안정채(兩眼精彩)는 추수(秋水)에 맑은 별
이 비친 듯, 연기(年紀) 사순을 넘은 지 오래되 홍옥초춘(紅玉初春)860)
을 묘시(貌視)하니, 그 자태의 공교로움이 경성경국(傾城傾國)할 색이
있는지라.

만좌 제인이 그윽이 눈 주어 서로 가만히 이르되,

"저 같은 용모 기질로써 차마 못할 악사를 어찌 그대도록 행하던고?
외모와 내재(內才) 같지 못하다 한들 저 유부인과 문양공주 같은 이 있
으리오. 저 부인이 비록 만악이 구비하나, 윤효문이 증증예불격간(蒸蒸
乂不格姦)861)하시던 대효로 지성(至誠)이 천지신명을 격감(激感)하니,
유부인 악심도 자연 감동함이 되었다."

하며, 윤부 세밀지사(細密之事)라도 거의 아는 자는 유부인이 윤효문
부부를 이상이 보채다가, 무슨 놀라온 꿈을 꾼 후 회심자책 하였다 하
고, 가만한 말과 시비는 논단치 아니하나, 유부인이 만사에 대접할 것
없으되, 효문 같은 아들과 하·장 같은 며느리며, 초공 부인 같은 딸을
두매, 사람마다 외면의 존경하기는 진부인이나 다르지 않고, 한 번 기동
(起動)에 하·장 두 자부와 정·진·남·화 사부인이 다 부호(扶護)하
며, 의열비와 초공 부인이 움직이니, 만좌 소년 부인네 다 일어남이 되
고, 사나움을 모르는 것이 아니로되 저마다 사귀고자 함은, 융융한 부귀
를 흠앙함이니, 인심이 세도(勢道)를 좇음이 이 같더라.

---

860) 홍옥초춘(紅玉初春) : 붉은 옥처럼 아름다운 처녀의 젊은 나이.
861) 증증예불격간(烝烝乂不格姦) : 차츰 어진 길로 나아가게 하여 간악한 데에 빠
　　지지 않게 함. 『동몽선습(童蒙先習)』 '부자유친(父子有親)'조에 나오는 말.

진부인이 연혼가(連婚家) 부인네 중에도 양평장 부인 화씨며, 경참정 부인 화씨, 화추밀 부인 주시, 이학사 부인 단시 등의 요조유한(窈窕有限)함을 심복하되, 구태여 사색치 않아, 오직 여러 빈객과 한가지로 대접할 뿐이라. 이때 이부인 친당이 임산을 떠나 경사 고택에 올라왔던 고로 단 부인이 연석의 참예하였더라.

화추밀 부인이 숙렬의 손을 잡고 반기는 정이 아무 곳으로 나는 줄 깨닫지 못하여, 웃음을 머금고 가로되,

"석년에 부인으로써 동상(東床)862)의 향객(香客)863)을 삼아, 태산같이 믿던 마음과 가득한 정이 백년(百年) 동방(洞房)에 깃들이는 자미를 길이 원하더니, 한 번 상경에 건곤이 바뀌니, 우리 미처 창후로써 동상을 삼지 않은 전에, 그 훌연(欻然)함이 잃은 것이 있는 듯하던 바를 어찌 다 이르리오. 이제 여아 부인으로 더불어 동렬(同列)의 정과 고구(故舊)의 친함을 가져, 비록 적인(敵人)이나 실위동기(實爲同氣) 같으니, 첩이 기쁜 마음을 견줄 곳이 있으리오."

정숙렬이 주부인을 배견(拜見)하매 또한 반가움을 이기지 못하여, 존후를 묻자오며 삼년 후휼(厚恤)한 은덕을 일컫다가, 주부인 말씀을 듣고 또 잠소 대왈,

"첩은 여행(女行)을 어긴 죄인이옵고, 음양을 변체하여 상공과 부인을 기망하고, 영녀소저의 용화기질(容華氣質)을 자세히 들으매, 타문에 보내기를 앗긴 고로, 어린 의사 가군(家君)의 성씨를 빌어 존택에 의지

---

862) 동상(東床) : '동쪽 평상'이라는 뜻으로, '사위'를 달리 이르는 말. 중국 진(晉)
 나라의 극감(郤鑒)이 사위를 고르는데, 왕도(王導)의 아들 가운데 동쪽 평상
 위에서 배를 들어내고 누워 있는 왕희지를 골랐다는 고사에서 유래한다.
863) 향객(香客) : 아름다운 손님. 여기서는 동상(東床)과 함께 쓰여 '사위'를 이르
 는 말로 쓰임.

하여, 소저와 여러 일월(日月)을 한가지로 지냄이 되었던 것이거니와, 부인과 상공이 첩의 암용불민(暗庸不敏) 함과 미약잔녈(微弱孱劣) 함이 여자임을 일안(一眼)에 아실 것이로되, 오히려 알지 못하시고 소저로써 유생(儒生)의 여러 째 부실을 배(配)하심이, 정히 하늘이 시키심이요, 본의(本意)가 아니신 듯한지라. 이제 첩의 소원을 이뤄 영아로 첩의 동렬(同列)을 삼고, 각각 생남하여 구고 존당의 슬하 적막하심을 위로하니, 기쁨을 범연한 곳에 비(比)치 못할지라. 첩이 존부에서 후휼(厚恤)하시던 은덕을 오매(寤寐)에 새김이 되었으니, 영녀와 한 덩을 타 존부에 나아가 현알코자 하정(下情)이 등한치 아니 하오되, 여자의 행거(行車)가 쉽지 못하여 은애를 저버림이 무궁하오니, 금일 뵈오매 참안황괴(慙顔惶愧)하도소이다."

순 태부인과 진부인이 여아를 삼년 무휼(撫恤)한 은혜를 일컬어 또한 사례하니, 주부인이 불감함을 칭사하고 종용이 담화할 새, 남창후 삼비(三妃)864) 모든 말이 그치기를 기다려, 주부인께 나직이 칭사 왈,

"첩의 명도 괴이하여 청평세계(淸平世界)의 난리를 만나, 역시 정처 없이 숙렬 부인을 의지하여 따라 다니다가, 존부에 삼년을 의지하와 그 윽한 당사를 빌리시고, 의식지절과 범사에 상공이 극진 후휼(厚恤)하심을 입사와 일명을 보전하오니, 숙렬 부인은 오히려 동상으로 무애하심이거니와, 첩은 소녀 평생 일면부지이되 돌아 갈 곳이 없음을 자닝하시어, 무휼하시던 바를 생각할수록 감은함을 이기지 못하나이다."

주부인이 집수 왈,

"부인 등을 다 남자로 알아 대접하던 바라. 여아의 동렬이 되었으니 첩심이 각별함을 형상치 못하나니, 하물며 나의 여아로 정의 지극하심

---

864) 삼비(三妃) : 세 번째 부인. 곧 남희주를 말한다.

이, 황영(皇英)의 자매 같음을 들으매 행열(幸悅)함을 이기지 못하나니, 일시 액경(厄境)으로 첩의 집에 잠깐 머무르신 것을 족히 일컬을 바 아니로소이다."

남부인이 흔연 칭사하더니, 시녀 등이 금평후 예관으로 더불어 들어옴을 고하니, 가득한 내객이 다 장내로 들어 헌수함을 구경할 새, 금평후 오자(五子)와 양서(兩壻)를 데리고 태부인 정전의 다다르니, 공수궤복(拱手跪伏)하여 예관이 이르렀음을 고하고, 진상서 멀리서 재배하매 태부인이 좌의 나 답배하니, 진 상서 상교(上敎)를 전하여 가로되,

"하늘이 송조를 도와 평제왕 천흥 같은 고굉지신(股肱之臣)을 내시매, 남정북벌(南征北伐)과 해평제멸(海平齊滅)865)한 공이 일세의 으뜸이요, 재덕(才德)이 만고의 희한(稀罕)하니, 짐의 총애함이 고종(高宗)866)의 부열(傅說867)과 문왕(文王)868)의 여상(呂尙)869) 같아서, 정문이 과(過)히 절검(節儉)함으로 인하여, 금은과 필백으로 그 마음을 더럽히지

---

865) 해평제멸(海平齊滅) : 북해를 평정하고 제(齊)나라를 멸함.

866) 고종(高宗) : 중국 은(殷)나라 제22대 임금. 이름은 무정(武丁). 꿈에 나타난 현신(賢臣)의 초상화를 그려 부열(傅說)이라는 훌륭한 신하를 등용하고 정사를 바로잡아 은나라를 부흥시켰다.

867) 부열(傅說 : 중국(中國) 은(殷)나라 고종(高宗) 때의 재상(宰相), 토목(土木) 공사(工事)의 일꾼이었는 데, 당시(當時)의 재상(宰相)으로 등용(登用)되어 중흥(中興)의 대업을 이루었음.

868) 문왕(文王) : 중국 주나라 무왕(武王)의 아버지. 이름은 창(昌). 기원전 12세기경에 활동한 사람으로 은나라 말기에 태공망 등 어진 선비들을 모아 국정을 바로잡고 융적(戎狄)을 토벌하여 아들 무왕이 주나라를 세울 수 있도록 기반을 닦아 주었다. 고대의 이상적인 성인 군주의 전형으로 꼽는다.

869) 녀상(呂尙) : '태공망(太公望)'의 다른 이름. 여(呂)는 그에게 봉해진 영지(領地)이며, 상(尙)은 그의 이름이고 성은 강(姜)이다. 중국 주나라 초기의 정치가로 무왕을 도와 은나라를 멸하고 천하를 평정하였다. 저서에 ≪육도(六韜)≫가 있다.

못하고, 지난 일이나 간인의 참해함을 좇아 합문(閤門)이 크게 놀람이 있고, 제왕 상원비 윤의열 곧 아니면 환난을 돌이켜 영복(榮福)을 삼기 어려운지라. 이러므로 경가(卿家)에 예우(禮遇)하는 뜻을 뵈며 제왕 등의 성효를 도와, 태부인 수석(壽席)을 당하여 짐이 특별이 예관을 보내어, 제국 증태왕비(贈太王妃) 순시로부터 상평왕(上平王) 부부에게 헌수(獻壽)하여, 기특한 자손 둠과 복록을 하례하노라."

태부인과 금평후 부부 부복하여 듣잡기를 마치매, 진상서 궐정에서 가져 온 바 옥배(玉杯)에 향온(香醞)을 받들어, 태부인께 연하여 삼작(三酌)을 올린 후, 금평후와 진부인께 헌수할 새 옥배를 들고 숙모 앞에 나아가 고하되,

"소질이 창백의 부귀를 칭앙(稱仰)하여 예관(禮官)을 자원(自願)하와 이의 이름은, 예단을 많이 징색고자 함이니, 한 필 깁도 장만하여 놓은 것이 없나이까?"

진부인이 함소 답왈,

"현질이 공후의 자제로 위거육경(位居六卿)[870]하여 남의 연석에 예관 되기를 그대도록 희망하고 사관을 자구(自求)하여, 예단을 많이 징색코자함이 실로 남 들리기 부끄럽도다. 우리 성은을 감골(感骨)할지언정 너는 일척 깁도 줄 일 없도다."

진상서 만면에 웃음이 넘쳐 가로되,

"소질이 춘경(春卿)[871]으로 있을 때 두루 예관을 다녀 한두 번이 아니

---

870) 위거육경(位居六卿) : 직위가 육경(六卿)의 반열에 있음. *육경(六卿); 육조판 서. 고려·조선 시대에, 국가의 정무(政務)를 나누어 맡아보던 여섯 관부(官府)의 으뜸벼슬. 이조, 호조, 예조, 병조, 형조, 공조의 판서를 이른다.

871) 춘경(春卿) : 예조판서(禮曹判書). 중국 예부상서. *춘조(春曹); 예조(禮曹)를 달리 이르는 말.

로되, 숙모처럼 예관 대접을 박히 함을 보지 못하였삽나니, 소질이 많이 희망하고 자구하여 왔던 것이 허사 되었는지라. 그윽이 애달아하나이다."

진부인이 낭연소지(朗然笑之)하고, 금평후 소왈,

"연석을 지내기 잠깐 종용키를 기다려, 일백 금을 봉하여 가만히 현질을 주리니, 하 애달아 말라."

진상서 소이사사(笑而謝辭) 왈,

"소질이 일필 깁도 얻지 못할까 가장 울울하더니, 숙부의 말씀을 듣자오니 크게 기쁘도소이다."

이리 이르며, 금후와 진부인께 삼배 헌수하기를 마치매, 금평후 태부인을 모셔 진부인으로 망궐(望闕) 사은(謝恩)하기를 마치매, 진상서 밖으로 나가려 할 새, 태부인이 진상서를 향하여 왈,

"석년의 상공이 연윤지세(年幼之歲)의 천흥으로 더불어 항상 노신의 곳에 출입하시니, 노신이 또한 손아 등과 달리 대접함이 없더니, 연광(年光)이 훌훌하여 상공네 장성하시니, 내외 격절하고 남녀가 유별한 고로 서로 보기를 청치 못하였더니, 오늘날 연석을 당하여 비록 황명이 계시나, 상공이 예관을 자원하여 이의 이르러 헌수의 수고로옴을 당하시니, 노인이 천은을 감골각심(感骨刻心)하는 가운데 다시 감사한 뜻이 없지 않도소이다."

진상서 염슬(斂膝) 복수 왈,

"소생이 칠팔 세까지는 창백을 따라 존하(尊下)에 뵈옴을 일가지친(一家至親)같이 하올 뿐 아니라, 존부인 무애하시며 가차(假借)하심이872)

---

872) 가차(假借)하다 : 가차(假借)하다. ①편하고 너그럽게 대하다. ②정하지 않고 잠시만 빌리다.

창백 등이나 다르게 않으시니, 소생 등의 우러르는 하정(下情)이 범연치 아니하되, 장성하온 후는 숙모를 뵈오러 혹 내루에 들어올 적이 있사오나, 연고 없이 뵙기를 청치 못하여, 존하에 배현함을 얻지 못하였삽더니, 오늘날 성지를 받자와 존전에 헌수하고 하교를 듣자오매, 자별하온 정성을 어찌 다 아뢰리까? 하물며 수십년지내(數十年之內)에 기력이 강건하시며 신색이 한결같사오니, 백세 향수를 기약하실까 하오며, 존문복경을 칭희(稱喜)하나이다."

태부인이 그 엄연한 재렬장자(宰列長者) 되었음을 기특히 여겨, 손아나 달리 아니하더라. 진상서 즉시 밖으로 나오매, 금평후 옥배를 받들어 모전에 나아가 '강능(岡陵)의 수(壽)'873)를 축(祝)하고, 북두(北斗)874)의 복(福)을 빌 새, 청음(淸音)이 반공(半空)에 어리고 기운이 화열하여, 하늘에 반점 운무(雲霧) 없으며, 안모(顔貌) 쇄락하여, 추월이 해곡(海谷)에 솟으며, 춘양(春陽)이 만방에 훈화(薰和)한 듯, 효순한 거동과 대군자의 태(態) 외모에 현출(顯出)하여, 너른 소매와 긴 의복 가운데, 수연(粹然) 장숙(壯肅)한 위의(威儀) 무궁한 존귀를 겸하여, 복덕이 완전한 상이 곽영공(郭令公)875)의 후를 이을지라.

태부인이 잔을 받고 아자의 손을 잡아, 추연 하루(下淚) 왈,

"노모의 세상이 지리한 고로, 자손의 무궁한 복경을 받으며, 오늘날

---

873) 강능(岡陵)의 수(壽) : 산(山)처럼 오래 삶. *강릉(岡陵) : 산. 산등성이. =남산수(南山壽). *남산수(南山壽); 남산이 오래도록 이 세상에 있듯이 그처럼 오래 사는 수명(壽命). 오래 살기를 빌 때에 쓴다.

874) 북두(北斗) : 북두칠성(北斗七星). 탐랑(貪狼), 거문(巨門), 녹존(祿存), 문곡(文曲), 염정(廉貞), 무곡(武曲), 파군(破軍) 따위 일곱 개의 별. 밀교에서, 이것을 섬기면 천재지변 따위를 미리 막을 수 있다고 함.

875) 곽영공(郭令公) : 곽자의(郭子儀). 697~781. 중국 당(唐)나라 중기의 무장(武將). 안녹산 사사명의 반란을 평정하고 토번을 쳐 큰 공을 세워 분양왕에 올랐다.

연석을 당하여 너의 가성(歌聲)을 들으니, 석년에 너의 엄군 재시에 배
작(杯酌)으로 즐기던 일이 절절이 생각날 따름이라. 이 두긋거옴을 서로
일러, 환열함을 나눌 곳이 없으니 이 심사를 비할 곳이 업도다. 금평후
척연(慽然) 감상(感傷)함을 이기지 못하니, 모친의 비회를 돕지 못하여
낯빛을 화(和)히 하고 위로 왈,

"석사는 생각할수록 비절하오나, 오늘날 수연(壽宴)을 당하와 자손이
갈망하여 즐기는 날이라. 원컨대 자정은 무익지비(無益之悲)를 요동치
마소서."

태부인이 울울히 석사를 감상하여 즐기지 않으니, 금평후 진부인을
향하여 가로되,

"부인이 어서 헌작하여 제아(諸兒)로 하여금 저희 부부(夫婦)로 쌍 지
어 헌수케 하소서."

진부인이 즉시 유리배를 들고 존고 앞에 나아 올새, 쌍봉관(雙鳳
冠)876)이 월액(月額)에 빗겨있고, 채금적의(彩錦翟衣)877)는 봉익(鳳
翼)에 한가하며, 청금수라상(靑錦繡羅裳)은 유요(柳腰)878)에 빛나니, 천
승모비(天乘母妃)879)의 복색(服色)을 알지라. 명모아태(明眸雅態)880)는
화월(花月)의 광휘(光輝)를 웃으며, 동용예모(動容禮貌)는 사군자(士君
子)의 화홍정숙(和弘貞淑)한 풍(風)이 있으니, 진중(鎭重)하고 침정온화
(沈靜溫和)하매 안일함이 열녀성염(烈女盛艶)이라. 태부인이 흔연이 잔

---

876) 쌍봉관(雙鳳冠) : 두마리 봉황(鳳凰)을 장식한 황후나 황태후가 쓰던 예관(禮冠).
877) 채금적의(彩錦翟衣) : 빛깔이 곱고 아름다운 비단 위에 꿩을 수놓은 왕비의 예
　　복. *적의(翟衣); 조선 시대에, 나라의 중요한 의식 때 왕비가 입던 예복. 붉은
　　비단에 청색의 꿩을 수놓아 만들었다.
878) 뉴요(柳腰) : 버들가지처럼 가느다란 허리.
879) 천승모비(天乘母妃) : 천승국(千乘國王)의 모비(母妃). 왕대비(王大妃).
880) 명모아태(明眸雅態) ; 밝은 눈동자와 아름다운 자태.

을 받고 칭찬하여 가로되,

"현부 내 집에 들어 온 지 삼십오 재(載)에 백행사덕(百行四德)이 인류에 초월하여, 노모 마침내 희미한 허물도 보지 못하고, 아자로 더불어 상경상화(相敬相和)하여 여러 자녀를 생산하매, 태임(太姙)881)이 태교하시어 문왕(文王)을 낳으며, 맹모(孟母) 삼천지교(三遷之敎)882)를 하여 맹자(孟子)883) 아성(亞聖)이 되심 같아서, 천흥 등의 기특함이 한갓 현부의 태교 잘함이라. 하물며 의열 소부(少婦)의 아름다움은 현부의 위니, 석새(夕死)884)나 한 조각 남은 한이 없고, 구천타일(九泉他日)885)에 쾌한 낯으로 선군을 뵈오리로다."

진부인이 재배사사 하고 날호여 물러나매, 금평후 제왕 등을 돌아보아,

"여등 부부 각각 부부 쌍으로 자정께 헌수하여 자위의 척연하심을 위로하라."

하니, 제왕 등이 일시에 재배수명 하매, 제왕이 먼저 홍금망농포(紅錦蟒龍袍)886)를 부치고 머리에 통천관(通天冠)887)을 쓰며, 허리에 백옥사

---

881) 태임(太姙) : 중국 주(周)나라 문왕(文王)의 어머니. 부덕(婦德)이 높아 며느리 태사(太姒: 문왕의 비)와 함께 성녀(聖女)로 추앙된다.

882) 삼천지교(三遷之敎) : 맹자의 어머니가 아들을 가르치기 위하여 세 번이나 이사를 하였음을 이르는 말.

883) 맹자(孟子) : B.C.372~289.중국 전국 시대의 사상가. 자는 자여(子輿)·자거(子車). 공자의 인(仁) 사상을 발전시켜 '성선설(性善說)'을 주장하였으며, 인의의 정치를 권하였다. 유학의 정통으로 숭앙되며, '아성(亞聖)'이라 불린다.

884) 석새(夕死) : 저녁에 죽음, 곧 죽음.

885) 구천타일(九泉他日) ; 죽어 저승에 간 날.

886) 홍금망농포(紅錦蟒龍袍) : 붉은 빛의 비단으로 지은 임금의 정복. 가슴과 등과 어깨에 용의 무늬를 수놓았다. 곤룡포(袞龍袍)를 망룡포(蟒龍袍)라고도 한다.

887) 통천관(通天冠) : 황제가 정무(政務)를 보거나 조칙을 내릴 때 쓰던 관. 검은 깁으로 만들었는데 앞뒤에 각각 열두 솔기가 있고 옥잠(玉簪)과 옥영자(玉纓

자대(白玉獅子帶)888)를 두르고 아홉 줄 면류(冕旒)889)를 드리워, 옥수에 자금배(紫金盃)를 들고 비의 나옴을 기다리니, 금후 명하여,

"천흥이 삼배주(三盃酒)를 하여 처음 의열 현부로 쌍 짓고, 버거는 이·양·경 삼인과 헌작하며, 제삼은 공주로 헌수케 하라."

잔 붓는 시녀 금후의 명을 좇아 윤비께 잔을 드리니, 윤비 공주의 위에 내닫기를 실로 불안하여 즉시 나오지 못하니, 제왕이 봉안을 흘겨보며 왈,

"겸퇴(謙退)도 할 일이 있으니, 위로 황명(皇命)과 엄위(嚴威) 비를 벌써 조강(糟糠)을 변하신 일이 없거늘, 어찌 되지 못할 의사를 내어 예모를 착란케 하느뇨?"

윤씨 청파에 마지못하여 즉시 잔을 들고 왕께 가까이 나아가나, 옥면(玉面)에 수색(羞色)이 있어, 팔채아황(八彩蛾黃)890)이 제제히 나직하며, 추파명목(秋波明目)이 미미히 가늘어, 백련(白蓮) 같은 얼굴이 도화(桃花)의 홍광(紅光)을 띠었으니, 그 절염숙덕(絶艶淑德)함이 더욱 황홀기이(恍惚奇異)하더라. 태부인이 잔을 잡고 왈,

"너희 부부는 종사(宗嗣)의 중함을 가져, 위인의 기특함이 세대에 독보하니, 손아(孫兒)는 출장입신(出將立身)하여 위진해내(威震海內)하며 녈토봉왕(列土封王)하여 국가의 충량(忠良)이 되고, 집의 효자 되어 조선(祖先)을 현양(顯揚)하고, 윤현부는 효의절행(孝義節行)이 금수(錦繡)

子)을 갖추었다.

888) 백옥사자대(白玉獅子帶) : 사자(獅子) 가죽에 백옥을 붙여 만든 띠.

889) 면뉴(冕旒) : 면류관의 앞뒤에 늘어뜨린 구슬꿰미.

890) 팔채아황(八彩蛾黃) : 아름답게 화장한 눈썹과 얼굴. *팔채(八彩); 팔(八)자 모양의 눈썹에서 나는 광채 *아황(蛾黃);예전에 여자들이 얼굴에 바르던 누런빛이 나는 분으로, 분바른 얼굴을 뜻함.

위에 꽃을 더하는 빛남을 겸하여, 백사천행(百事天行)이 녀중성인(女中 聖人)이니, 주가(周家)891) 팔백년(八百年) 기업을 일으키신 임사(姙 似)892)를 기특타 못할지라. 제국의 원비(元妃)로 후적(后籍)의 존귀를 누리며, 옥동을 연하여 생산하여 백자천손(百子千孫)을 기약하리니, 어 찌 기쁘지 않으리오."

제왕과 윤비 배사하고 물러나매, 왕이 다시 잔을 들고 양·이·경 삼 비를 청하여 태부인께 헌수하매, 양비의 염모(艶貌)와 경비의 천연월태 (天然月態), 왕의 풍신용화를 도와 어깨를 갈와893) 헌작하매, 그 기특 함이 태을진군(太乙眞君)894)이 왕모(王母)895)와 월녀(月女)896)를 곁 지은897)듯 하거늘, 이씨의 험모흉상(險貌凶狀)이 박색누질(薄色陋質)을 볼수록 괴이(怪異)하되, 예모동용(禮貌動容)이 유한(幽閑)하여 사군자 (士君子) 열장부(烈丈夫) 풍이 있으니, 이것이 가히 일컬음직 한지라.

태부인이 흔연이 잔을 받고 순순이 사랑하는 정을 이기지 못하니, 양 ·이·경 삼비 배사이퇴(拜謝而退)한 후, 왕이 또 공주로 더불어 옥배 를 나오매, 태부인이 공주의 손을 잡고 가로되,

"어나 사람이 허물이 없으리오마는 고치미 귀(貴)타하니, 이는 성교

---

891) 주가(周家) : 중국 주(周)나라 국성(國姓).
892) 임사(姙似) : 중국 주(周)나라 현모양처(賢母良妻)인 문왕의 어머니 태임(太姙) 과 무왕(武王)의 어머니 태사(太姒)를 함께 이르는 말.
893) 갈오다 : 나란히 하다.
894) 태을진군(太乙眞君) : =태을성군(太乙星君). 음양가에서, 북쪽 하늘에 있는 별 인 태을성(太乙星)의 성군(星君)으로서 병란·재화·생사 따위를 맡아 다스린 다고 하는 천상선관(天上仙官).
895) 왕모(王母) : 서왕모(西王母). 중국 신화에 나오는 신녀(神女)의 이름. 불사약 을 가진 선녀라고 하며, 음양설에서는 일몰(日沒)의 여신이라고도 한다.
896) 월녀(月女) : 달 속에 있다고 하는 전설 속의 선녀. 항아(姮娥)[=상아(嫦娥)]
897) 곁짓다 : 짝짓다. 더불다. 옆에 두다.

(聖敎)의 허하신 바라. 귀주의 개과천선하시는 덕이 사람의 일컬을 바니, 노모 아름다움을 이기지 못하나니, 모름지기 한결같이 덕을 기르고 행실을 닦으시어 소년 과실을 씻으시고, 옥동화녀(玉童花女)를 생산하여 슬하에 적막한 탄이 없게 하소서."

공주 사사(謝辭)하매 옥태화질(玉態花質)이 자약기려(自若奇麗)하여 묘묘(妙妙)한 자태 황홀비상(恍惚非常)하니, 태부인이 그 용태를 사랑하고 범사 즐겁지 못함을 가련(可憐)이 여기더라.

제왕이 날호여 물러나매, 예부상서(禮部尙書) 문연각태학사(文淵閣太學士) 인흥이 자포옥대(紫袍玉帶)에 금관(金冠)을 숙이고 부인 소이씨로 더불어 옥배를 들고 나아오매, 예부의 청고쇄락(淸高灑落)한 기상은 나이 차니 완연이 금평후의 거동이라. 현인군자지풍(賢人君子之風)과 거세명인(擧世名人)의 골격(骨格)이 부귀를 누리며 복록을 향(享)할 바요, 수려한 용안은 진상국(晋相國)898)의 관옥지모(冠玉之貌)899)를 웃으며, 이부인의 숙자인품(淑姿人品)과 선연월태(嬋娟月態)는 남전(藍田)900)의 미옥(美玉)을 기화(奇花)로 채색(彩色)한 듯, 안일한 덕도(德度)와 요조(窈窕)한 심정이 진정 하주숙녀(河洲淑女)901)라.

부부 함께 나아와 작(酌)을 헌하고, 예부 축수가사(祝壽歌詞)를 창(唱)할새, 성음(聲音)이 청상(淸爽)하며 화열(和悅)하여 인심을 즐겁게 하는지라. 조모와 부모 예부의 가성(歌聲)을 처음으로 들으매, 웃는 입이 열

---

898) 진상국(晋相國) : 중국 서진(西晉)의 미남자 반악(潘岳).
899) 관옥지모(冠玉之貌) : 관옥처럼 아름다운 모습. 관옥은 관(冠)을 꾸미는 옥.
900) 남전(藍田) : 중국(中國) 섬서성(陝西省)에 있는 산 이름으로 옥의 명산지.
901) 하주숙녀(河洲淑女) : 강물 모래톱 가운데 있는 숙녀라는 뜻으로 주(周)나라 문왕(文王)의 비(妃)인 태사(太姒)를 말한다. 문왕과 태사 부부의 사랑을 노래한 『시경』〈관저(關雎)〉장의 "관관저구 재하지주 요조숙녀 군자호구(關關雎鳩 在河.之洲 窈窕淑女 君子好逑)"의 '하주(河洲)' '숙녀(淑女)'에서 따온 말.

림을 깨닫지 못하여, 가로되,

"인흥이 평생의 섭신수행(攝身修行)하매 가사(歌詞)붙이에 생소한가 하였더니, 오늘날 가사를 들으매 일생 익히던 유(類)라도 이렇지 못하리니, 각각 재주에 달렸도다."

예부 함소퇴사(含笑退謝)하매, 태부인이 재삼 일컬어 이르되,

"너희 부부는 부모의 팔자를 닮음이 되어, 초년으로부터 이때까지 한 조각 근심이 없으니, 내외 상경여빈(相敬如賓)하고 유자생녀(有子生女)하여 층층한 자녀의 아름다움이 옥수신월(玉樹新月)같으니, 노모 더욱 두긋기노라."

예부와 이부인이 재배이퇴(再拜而退)하매, 형부상서(刑部尙書) 동월후 세흥이 부인 양·소·한 삼인으로 더불어 유리배(琉璃盃)를 들고 나아올새, 월후의 풍류신광은 이날 더욱 쇄락하여, 두렷한 면모는 제월(霽月)이 천지의 명광을 흘리며, 양미정화(兩眉精華)는 추수(秋水)에 햇발이 비추는 듯하고, 늠름한 신장은 금당(金塘)[902]의 일만 버들이 휘늘어진 듯, 이리[903] 허리에 옥대(玉帶)를 두르고, 월액(月額)의 오사(烏紗)를 숙이고 표일한 신위에 품복이 제제한데, 양·소·한 삼인으로 함께 진헌하니, 양부인의 빙자아질(氷姿雅質)과 일만광염(一萬光艷)이 승절기려(勝絶奇麗)하여 향련(香蓮)이 청엽(靑葉)에 솟으며, 해상명월주(海上明月珠)가 보광(寶光)을 토함 같거늘, 소부인의 빙정수려(氷晶秀麗)한 용화는 자약선연(自若嬋娟)하여 맑고 좋음이 해상청빙(海上淸氷)이라. 한 부인의 흐억[904] 찬란한 옥모는 금분(金盆)의 목단이 동풍에 웃으며,

---

902) 금당(金塘) : 연꽃이나 버드나무 등을 심어 아름답게 가꾼 연못.
903) 이리 : 늑대.
904) 흐억하다 : 흐벅지다. 탐스럽게 두툼하고 부드럽다.

월계(月桂)905) 석로(夕露)906)에 젖어있는 듯, 풍완호질(豊婉好質)이 이 가운데 더욱 찬연윤택(燦然潤澤)하여, 만복이 낯 위에 어리고 화기 움킴직907)하며, 너그럽고 상활(爽闊)함이 보름달 같으니, 사람으로 하여금 대하매 마음이 화평한지라. 양·소·한 삼위 숙녀의 성행사덕(性行四德)이 청수빙옥(淸水氷玉)같으니, 장부의 쾌활할 바라. 부부 사인이 헌작을 다하니, 동월후 이에 축수가(祝壽歌) 일곱을 부르니, 성음이 웅건활낭(雄建活朗)하고 엄중쇄락(嚴重灑落)하여 구만리(九萬里) 장공(長空)에 사무칠 듯, 음률이 화평하여 남훈전(南薰殿)908) 상에 화기를 이룰지라. 존당 부모 마음에 가득이 두굿기고 아름다움을 이기지 못하여, 태부인이 동월후의 등을 두드리며 양·소·한 등의 옥수를 어루만져 이르되,

"너희 부부 사인의 풍화기질(豊和氣質)은 실로 하늘이 유의하여 내신 바라. 세아가 차시를 당하여는 제가(齊家)의 위덕(威德)이 천흥의 아래 되지 않고, 양소부 광부(狂夫)의 보채는 욕을 받았으나, 백행사덕을 어질게 닦으매, 천신이 복을 주시어 손아가 쾌히 깨달음을 얻고, 두 낱 동렬을 얻으나 하나는 종제(從弟)요, 하나는 비록 남이나 화우하는 덕이 각각 갈담풍화(葛覃風化)909)를 효칙하여 '주아(周雅)의 풍(風)'910)이 있

---

905) 월계(月桂) : 월계수(月桂樹).
906) 석로(夕露) : 저녁이슬.
907) 움키다 : 손가락을 우그리어 물건 따위를 놓치지 않도록 힘 있게 잡다.
908) 남훈전(南薰殿) : 순임금이 오현금(五絃琴)으로 남풍시(南風詩)를 타 백성들의 불만을 어루만져주던 전각.
909) 갈담풍화(葛覃風化) : 갈담의 교화. 갈담은 『시경』〈주남(周南)〉갈담장(葛覃章)에 나오는 말로,주나라 문왕비인 태사(太姒)의 덕을 길이는 시.
910) '주아(周雅)의 풍(豊)' : 중국 주(周)나라 문왕의 비(妃)인 태사(太姒)의 부덕(婦德)과 같은 덕이 있다는 말. 곧 태사는 현모양처(賢母良妻)로 문왕을 잘 내조하여 성군(聖君)이 되게 하였는데, 특히 남편의 많은 후궁들을 덕으로 잘 거느려 화목한 가정을 이룬 일로, 후대의 무수한 글들에 그녀의 부덕이 칭송되고

으니, 내 집의 적지 않은 복경이라. 노모 심중의 즐거움을 측량치 못하노라. 손아는 모름지기 한결같이 옛 일을 뉘우쳐 행실을 가다듬고, 양·소·한 삼부는 마침내 화우하여 규문의 화기를 상해오지 말고 손아의 내조를 빛내라."

월후와 삼부인이 배사이퇴(拜謝而退)하매 이부시랑(吏部侍郎) 중서사인(中書舍人) 유흥이 부인 주씨로 더불어 옥배를 받들어 헌하고, 강능(岡陵)의 수(壽)를 빌 새, 가성(歌聲)이 요량(嘹喨)하여 원천(遠天)에 행운(行雲)이 머물고, 풍골(風骨)이 쇄락(灑落)하여 신선의 골격이요, 진세속인(塵世俗人)이 아니거늘, 주씨 옥태화용(玉態花容)이 찬연하여 복록이 비추고, 부부의 기질이 겸금(兼金)911)과 양옥(良玉) 같으며 군자와 숙녀의 풍이 가즉하니, 부인이 흔연이 잔을 받고 두굿기는 웃음을 머금어 애련함을 마지않으니, 사인 부부 재배사사 하고 물러 매, 한림학사 필흥이 부인 두·화 양인으로 더불어 옥배를 헌하고, 남산수(南山壽)912)를 축(祝)하니, 한림의 좋은 풍채는 이날 더욱 기이하니, 늠름한 기상과 고은 용화는 두목지(杜牧之)913)의 호일(豪逸)함을 나무라고, 반악(潘岳)914)의 미묘함을 낮게 여기니, 동용행지(動容行止)에 대현의 기상이 나타나는지라. 청월(淸越)한 가성(歌聲)은 할연(豁然)한 위인을 알

있다.

911) 겸금(兼金) : 품질이 뛰어나 값이 보통 금보다 갑절이 되는 좋은 황금.

912) 남산수(南山壽) : 남산(南山)이 다 닳아 없어질 때까지의 영원한 시간의 수명(壽命). 오래 살기를 빌 때 쓴다.

913) 두목지(杜牧之) : 803~852. 이름은 두목(杜牧). 당나라 만당(晩唐)때 시인. 미남자로, 두보(杜甫)에 상대하여 '소두(小杜)'라 칭하며, 두보와 함께 '이두(二杜)'로 일컬어지기도 한다.

914) 반악(潘岳) : 247~300. 중국 서진(西晉) 때의 문인. 자는 안인(安仁). 미남이었고 망처(亡妻)를 애도한 〈도망시(悼亡詩)〉가 유명하다.

것이오. 두씨는 비록 용모행사를 일컬을 것이 없으나 명부 복색이 휘황하고, 화씨의 풍영(豊盈)한 용모는 옥이 윤찌고 꽃이 봉오리 채 벌기를 당하여, 숙덕명행이 출어외모(出於外貌)하고, 온순 화열함은 삼춘양기(三春陽氣)를 거두었거늘, 신중한 체위와 정숙한 예모가 자유법도(自有法度)하니, 존당이 두굿거움915)을 이기지 못하여, 흔연이 잔을 받고 손을 잡아 애중함을 만금에 비할 바 아니라. 다만 이르대,

"손아는 행실에 다시 허물할 것이 없고, 두씨 양순하여 명달한 여자라, 가히 화평하여 자손의 창성함을 보지 않아 알리로다. 노모 다행하고 기쁨을 측량치 못하노라."

한림 부부 배사이퇴(拜謝而退)하여 좌에 드니, 금평후 위국공과 동평후를 향하여 이르되,

"사원의 형제 내 집 동상이 된 지 여러 세월이 바뀌었고, 오늘날 수석(壽席)을 당하여 일배 헌수로 반자지정(半子之情)을 펴는 것이 옳을까 하노라. 하애 비록 우리 기출(己出)이 아니나, 부녀 남매지정을 맺은 지 오래고, 저희 우리를 향한 정성과 우리 저를 아는 마음이 친녀에 감함이 없는지라. 차고로 일배(一杯)를 사빈도 폐치 못하리라."

위공과 태부 몸을 굽혀 대왈,

"소생 등이 한갓 구생(舅甥)916)으로 생각할 뿐 아니오라, 악장은 선인의 동기 같은 친우시고, 양가 정분이 자별함으로써, 연석에 일배 진헌으로 하정을 펴지 않으면, 도리어 무신불의(無信不義)에 가까우리니, 명하시는 바를 어찌 사양하리까? 다만 부녀(婦女)로 더불어 어깨를 나란히

---

915) 두굿겁다 : 자랑스럽다. 대견스럽다. 기뻐하다.
916) 구생(舅甥) : ①외삼촌과 생질을 아울러 이르는 말. ②장인과 사위를 아울러 이르는 말.

하며, 걸음을 가지런히 행함을 원치 아니 하옵나니, 소생 형제는 부부
다 각각 헌배(獻杯)하리이다."

금평후 소왈,

"내 천흥의 부부로부터 함께 헌수를 시켜 자위의 즐기심을 보고자 함
이니, 이 구태여 행신(行身)이 휴손(虧損)할 바 아니라. 현서 등이 괴로
우나 마지못하리라."

창후 함소 대왈,

"소생의 형제 부녀와 한가지로 헌수함을 원치 않더니, 악장의 명이 이
같으시니 또 다시 거스르지 못하나니, 영녀를 재촉하시어 어서 잔을 들
고 나오라 하소서."

제왕이 미미히 웃고 창후를 향하여 이르되,

"사원이 소매로 수유불니(須臾不離)코자 하는 마음에, 소매 예 온 지
여러 날이 되매, 정히 울울하다가 대인이 한가지로 헌작함을 이르시니,
그 다행함이 청천(靑天)에 비등(飛騰)함 같으니 어찌 우습지 않으리오."

창후 소왈,

"형은 저저와 여러 부인네로 더불어 헌작함을 경사로 알거니와, 나는
실로 원치 않는 바로되, 악장이 부디 그리 하고자 하시니, 매몰이 떼치
지 못하나 무엇이 다행하리오."

이르며, 자포옥대(紫袍玉帶)로 일어서니, 숙렬이 선명한 예복으로 옥
배를 들어 창후와 한가지로 나아 올새, 창후의 척탕(滌蕩)한 풍류와 수
앙(秀昂)한 격조가 호호(浩浩)이 용린(龍鱗)[917]의 기습(氣習)을 가졌으
니, 태산(泰山)이 암암(巖巖)한 위의와, 천일(天日)이 외외(巍巍)한 상모
(相貌) 당당이 천승을 기필(期必)할지라. 금관은 월액(月額)에 빛나고

---

917) 용린(龍鱗) : ①용의 비늘. ②천자나 영웅의 위엄을 비유적으로 이르는 말.

재상의 관자(貫子)918)는 백년빈상(白蓮鬢上)919)에 두렷하니, 영준의 기상과 대현지풍(大賢之風)이 일신에 오로지 겸하였으니, 은하만리(銀河萬里)에 그음 없는 도량과 천지의 가없는 너름을 가져, 대장부의 위풍이 천고에 희한(稀罕)하거늘, 숙렬비의 일월명광과 추수 같은 정신이 천연이 진속에 벗어나, 강산의 수출한 정화를 일편되이 타 났으니, 외모 광염은 입으로 형언치 못하고 붓으로 모사(模寫)치 못할지라. 이상히 고우며 아름다움이 사람 가운데 섞이매 오작중봉황(烏鵲中鳳凰)920)이요, 화중왕(花中王)이라. 나상(羅裳)이 움직이는 바에 기이한 향기를 뱉는 듯, 보보(步步)마다 연송이921) 떨어지고, 의수(衣袖) 사이에 옥결(玉玦)922)이 쟁쟁하니, 팔좌(八座)의 존(尊)과 공후 내자(內子)의 귀(貴)를 아울렀으니, 상모(相貌)에 영복(榮福)이 어리고, 체위(體位)의 특이함이 휘적의 존귀를 누릴지라. 스스로 재주와 덕을 나타내지 않으나, 신명하고 특이함이 현출하니 진정 창후의 백년가우 (百年佳偶)러라.

부부 상광이 서로 비추어 당상(堂上)에 현명(顯明)하니, 만목이 어린 듯이 관경(觀景)을 삼았는지라. 이에 배작(杯酌)을 헌하고 다시 절하매, 태부인이 숙렬의 손을 잡고 창후를 향하여 칭사 왈,

"군후가 오늘날 연석을 당하여 손녀로 더불어 헌작의 수고로움을 사양치 아니하니, 내 자손의 수헌(壽獻)은 예사이거니와, 군후의 헌수(獻壽)는 인가의 희귀한 일 같을 뿐 아니라, 감사함을 이기지 못하나니, 군

---

918) 관자(貫子) : 망건에 달아 당줄을 꿰는 작은 단추 모양의 고리. 신분에 따라 금(金), 옥(玉), 호박(琥珀), 마노, 대모(玳瑁), 뿔, 뼈 따위의 재료를 사용하였다.
919) 백년빈상(白蓮鬢上) : 백련처럼 하얀 귀밑머리.
920) 오작중봉황(烏鵲中鳳凰) : 까마귀와 까치들 가운데 들어 있는 봉황새라는 말로, 많은 사람 가운데서 우뚝 뛰어난 인물을 이르는 말.
921) 년송이 : 연꽃송이.
922) 옥결(玉玦) : 옥으로 만들어 허리에 차는 고리.

후가 초년 화액을 진정하고 당차시(當此時) 하여는 부귀 복록이 구전하
시니, 노신의 환심함이 비할 곳이 없도다. 남창후 배사 왈,

"소생이 부재우용지인(不才愚庸之人)으로 악장(岳丈)의 지우를 힘입사
와 동상(東床)에 참예하와 세월이 오래고, 존당의 관인후의(寬仁厚意)가
소생의 박녈(薄劣)함을 허물치 않으시고 자손같이 대접하시니, 소생의
언사 소활(疎豁)하고 언어 둔미(鈍微)하와 일찍 하정(下情)을 펴지 못하
고, 감은하옴과 우러르옵는 하정이 등한치 아니하옵더니, 금일 수석(繡
席)을 당하와 어찌 일 배 헌수를 폐할 것이라, 이같이 일킬으시나이까?"

태부인이 두굿기며 아름다움을 이기지 못하여, 숙렬의 등을 두드려, 왈,
"길이 영복을 누려 초년 액경을 일장춘몽으로 이르라."

하니, 숙렬과 창후 배사이퇴(拜謝而退) 하매, 태부 마지못하여 하부인
으로 더불어 잔을 들고 나아 올새, 태부의 선풍옥골(仙風玉骨)과 쇄락한
명광(明光)은 중추망월(中秋望月)이 청공(靑空)에 한가하며, 양미정화
(兩眉精華)는 빈빈(彬彬)한 문질(文質)을 감추고, 봉안광채(鳳眼光彩)는
숙숙(肅肅)한 정화 현출(顯出)하니, 좋은 기품과 맑은 골격이 일분도 홍
진(紅塵)의 물들지 않아, 표표히 학을 몰아 운간(雲間)에 향하는 옥청상
선(玉淸上仙)923)이라도 이에서 더하지 못할 것이요, 명성대군자의 유유
한 도행이 일신에 온전하여, 공안(孔顔)924)의 성행(聖行)과 증맹(曾
孟)925)의 효(孝)를 아울러, 도덕이 일세의 독보하고 수신섭행(修身攝行)
이 천고에 희한하니, 이른 바 낭묘(廊廟)926)의 좋은 재목(材木)이요, 화
각(畫閣)의 큰 그릇이라. 낯 위에 경운화기(慶雲和氣)와 동일지애(冬日

---

923) 옥청상선(玉淸上仙) : 옥황상제가 사는 옥청궁의 신선(神仙)
924) 공안(孔顔) : 공자(孔子)와 안자(顔子)를 함께 이르는 말.
925) 증맹(曾孟) : 증자(曾子)와 맹자(孟子)를 함께 이르는 말.
926) 낭묘(廊廟) : ①의정부(議政府). ②조정의 정무(政務)를 돌보던 궁전(宮殿).

之愛)를 겸하여, 사람으로 하여금 매양 보고자 뜻이 있거늘, 단엄정숙
(端嚴整肅)한 위의와 삼엄한 예모(禮貌), 견자(見者)로써 개용치경(改容
致敬)할 바요, 하부인의 천자혜질(天姿惠質)은 나이 차고 근심을 떨치고
시름을 잊으매, 더욱 풍영수려(豊盈秀麗)하여 곤산(崑山)927)의 미옥(美
玉)이 다사한 향기를 겸하고, 연지(蓮池)의 부용(芙蓉)이 남풍을 만난
듯, 아름다운 자태와 보배로운 모양의 출류(出類)한 체지(體肢)928) 만
고를 기우려 희한한지라. 삼촌금년(三寸金蓮)을 예예(芮芮)히929) 옮겨
나아와, 부부 함께 헌배하매, 태부인이 하부인 운환을 어루만져 태부를
향하여, 칭사 왈,

"하아와는 이름이 양손녀(養孫女)나 정인즉 혈손(血孫)에 감치 않은지
라. 이제 군후가 반자지례(半子之禮)를 다하여, 노신의 앞에 잔을 나오
니, 천흥 등의 잔은 예사(例事)이거니와, 군후 형제의 수배(壽杯)는 각
별히 감사하고 희귀함을 이기지 못하나이다. 하아가 비상변고(非常變
故)하고 녁경화란(歷經禍亂)하였으나, 태운(泰運)을 만나 만사 무흠하
니, 길이 화락하여 만복이 구전함을 바라나이다."

동평후 염슬(斂膝) 사사(謝辭) 왈,

"소생이 불민누질(不敏陋質)로 존부 동상(東床)에 모첨(冒添)하온 지
연광(年光)이 오래고, 합하 내외와 존부인의 은애를 받자와 감골하온 뜻
이 헐치 아니하오되, 소생이 만사 무능용우(無能庸愚)하와 심곡에 품은
바를 베풀지 못하옵더니, 금일 연석을 당하와 헌수(獻壽)하옴이, 이 또

---

927) 곤산(崑山) : 곤륜산(崑崙山). 중국 전설상의 높은 산. 중국의 서쪽에 있으며,
　　　옥(玉)이 난다고 한다. 전국(戰國) 시대 말기부터는 서왕모(西王母)가 살며 불
　　　사(不死)의 물이 흐른다고 믿어졌다.
928) 체지(體肢) : 몸과 사지(四肢). *사지(四肢); 두 팔과 두 다리를 이르는 말.
929) 예예(芮芮)히 : 유연(柔然)히.

한 예사라. 성히 일컬으심을 듣자오니 황괴(惶愧)함을 이기지 못하리로
소이다."

태부인이 하부인의 손을 잡고 만복을 누리라 하니, 하부인 부부 절하
여 사사(謝辭)하고 퇴하여 좌에 들어가매, 금평후 부부 좌를 가까이 하
여, 제자제부(諸子諸婦)와 양녀이서(兩女二壻)의 수배(壽杯)를 거우르
매, 진부인은 일작불음(一酌不飮)이라. 순순이 잔을 받아 접구(接口)만
할 뿐이요, 금후는 평생 처음으로 극취(極醉)하니, 면모에 홍광(紅光)이
찬란(燦爛)하되, 태부인 면전이라 관을 수렴하고 띠를 도도와 의관이 부
정(不正)할까 염려하고, 예를 잡음이 봉영집옥(奉盈執玉)930) 같으니,
태부인이 자손의 영효를 받아 연석의 장(壯)함과 기구의 풍화(豊華)함을
보니, 석사를 생각고 추연비절(惆然悲絶)하여 혹탄혹비(或嘆或悲)함을
마지않으니, 어원풍악(御苑風樂)과 모든 기녀의 초요월미(楚腰越眉)931)
로 재주를 다하여, 무수(舞袖)는 표표(飄飄)하고932) 홍상채삼(紅裳彩衫)
은 섯돌아933), 가성(歌聲)의 열렬(烈烈)함이934) 인심을 즐겁게 하되,
태부인이 구태여 즐김이 없으니, 금후 제왕을 돌아보아 가로되,

고인은 칠십에 반의(班衣)를 입고 춤추어 친의를 깃기더라 하되, 여부
는 오순(五旬)이 채 못하였으나, 성효의 천박(淺薄)함이 한 일도 자위의
희열하실 바를 이루지 못하니, 실로 대인(對人)할 낯이 없는지라. 내 이

---

930) 봉영집옥(奉盈執玉) : 효자는 가득찬 물그릇을 받들어 드는 것처럼, 보배로운
    옥을 집는 것처럼 조심하고 삼가며 부모를 섬겨야 한다는 뜻. 『예기(禮記)』
    〈祭儀〉편의 "효자여집옥여봉영(孝子如執玉如奉盈)…"에서 나온 말.
931) 초요월미(楚腰越眉) : 중국 초나라 미인의 가는 허리와 월나라 미인의 아름답
    게 화장한 눈썹.
932) 표표(飄飄)하다 : 팔랑팔랑 가볍게 나부끼거나 날아오르다.
933) 섯돌다 : 섞여 돌다.
934) 열렬(烈烈)하다 : 어떤 것에 대한 애정이나 태도가 매우 맹렬하다.

제 춤추어 자정의 웃으심을 보고자 하되, 무수(舞袖)란 것은 혼자 못하고, 대무(對舞) 있어야 되는 것이로되, 여부 팔자 박함이 한낱 동기 서로 안항(雁行)을 차릴 사람이 없으니, 너와 세흥이 대무하고 인흥이 현금(弦琴)을 농(弄)하여 곡조를 맞추라."

제왕 등이 배사수명 하고 즉시 일어나 대무하여 한 번 웃으심을 보려 할 새, 후백의 복색(服色) 인수(印綬)와, 천승(千乘)의 위를 겸하여 망룡포를 부치며 백옥사자대(白玉獅子帶)를 두르고, 면뉴(冕旒)를 드리오며 금관을 숙여 편편(翩翩)한 광수(廣袖)를 펴니, 늠연한 신채에 쇄락한 신광은 일월(日月)이 쟁영(爭榮)하여 명광(明光)을 토(吐)하며, 추천의 계수(桂樹) 씩씩한 듯, 그 풍채 서로 방불하니, 맑은 안광은 사좌(四座)에 쏘이니 추수(秋水)에 사양(斜陽)이 비꼈으며, 양미(兩眉)는 천지건곤(天地乾坤)의 정화(精華)를 거두었고, 화(和)한 덕량(德量)이 빈빈하니 외모의 군자대도(君子大道)와 영웅의 풍채를 알지라. 어찌 용류지풍(庸類之風)935)을 일컬으며 이 두 사람으로 의논하리오. 소매를 떨치매 우주를 광보(廣步)하며 신기로운 재주 교룡(蛟龍)이 서로 희롱하고, 난봉(鸞鳳)과 학(鶴)이 서로 다투어 춤춤이라. 기이한 풍류기상과 표치귀격(標致貴格)936)이 천고의 일인이요, 세대의 독보하니, 제왕의 대현의 품질과 월후의 영걸위풍이 진실로 난형난제(難兄難弟)라.

신광이 일호 더하며 못함이 없고 용화기질이 서로 같으니, 우연이 보매는 분변키 어렵되, 제왕은 하일지위(夏日之威)와 동일지애(冬日之愛)와 경운(慶雲)의 화기(和氣)를 겸하였고, 월후는 호호발양(浩浩發揚)하여 산해(山海)를 넘뛸 듯, 즐김을 당하여 거칠 것이 없이 즐기거늘, 예

---

935) 용뉴지풍(庸類之風) : 평범한 사람의 이렇다 할 특징이 없는 풍채.
936) 표치귀격(標致貴格) : 아름다운 풍채와 귀한 격조.

부 현금(弦琴)을 농하며 가성(歌聲)을 늘여 켜매937), 육뉼(六律)938)이 조화하고 오음(五音)939)이 청화(淸和)하여 장공(長空)의 어리고 화평한 기운은 춘양(春陽)이 무르녹으니, 경운(慶雲)이 화(和)하여 남풍(南風)에 빛나며 혜풍(惠風)940)이 만물을 회생하는 조화 있거늘, 봉안(鳳眼)이 나직하고 옥수(玉樹)로 금현(琴絃)을 어루만져 곡조를 맞추매, 성현의 예악(禮樂)이 다시 돌아온 듯, 무수와 현가의 기특함이 만고를 기울여 짝이 없을지라. 장내의 수 없는 부인네 눈을 쏘아 황홀히 바라보매 인사를 잃고, 순태부인이 악공의 공교한 재주와 기녀 등의 묘묘한 무수(舞袖)를 보되 조금도 웃는 빛이 없더니, 삼손(三孫)의 신기롭고 청쾌(淸快)한 가성(歌聲)을 들으며 보매, 자연이 웃는 입이 열리고 두긋거온 정이 무궁하여, 만면에 희열한 빛을 감추지 못하고, 금평후의 정엄(正嚴)함과 진부인의 단묵(端默)함으로도 두긋기며 아름다움을 모양치 못하는지라. 가장 이윽한 후 무수(舞袖)와 가곡(歌曲)을 그치고 존당 부모께 배사하니, 태부인이 제왕과 월후의 등을 어루만져 두드리며 예부의 손을 잡아 이르되,

"노모 연기 육순을 지낸 지 오래되, 금일 광경이 세대에 다시없는 장관인 듯싶으니, 너희 무수(舞袖)941) 그대도록 신기로움을 어찌 알았으리오. 하물며 인흥이 가곡에 심히 소여(疎如)한 자이거늘, 오늘날 금현을 농하매 음률이 맞갖아 비상코 기이함이, 본 바 처음이라. 노모 세상이 지

---

937) 늘여 켜다 : 노래를 느린 장단으로 길게 부르고 그 노래 곡조에 맞춰 거문고를 타다.

938) 뉵뉼(六律) : 『음악』 십이율 가운데 양성(陽聲)에 속하는 여섯 가지 소리. 황종, 태주, 고선, 유빈, 이칙, 무역을 이른다. 늑양률(陽律)

939) 오음(五音) : 『음악』 궁(宮), 상(商), 각(角), 치(徵), 우(羽)의 다섯 음률.

940) 혜풍(惠風) : 온화하게 부는 봄바람.

941) 무수(舞袖) : ①춤추는 사람의 옷소매. ②춤사위. ③춤추는 사람.

리한 연고로 기특한 거동을 갖추 보니, 도리어 살았던 줄이 다행하도다."

제왕과 월후 기이배사(起而拜謝) 왈,

"왕모 소손 등의 용렬한 무수를 도리어 기특하다 하시니, 잘 못할수록 웃으심을 돕사올지라. 이제란 날마다 춤추어 태모의 희열하심을 이루시게 하리이다."

예부 배사(拜謝) 왈,

"소손이 금현을 농함이 생후 처음이라, 음늉이 오죽하리까마는 잘 못하는 현가(絃歌)942)를 들음직하다 하시니, 차후란 소손이 공부하와 금가(琴歌)를 익혀 보사이다."

태부인이 두굿김을 이기지 못하여 웃는 입을 줄이지 못하더니, 외당의 빈객이 모여 금평후 부자의 나오기를 청하니, 금평후 내청(內廳) 하(下)에 촉나장(蜀羅帳)943)을 둘러 잠깐 막고, 밖에서는 풍류를 죄오고 기녀로 재주를 다하여 모든 부인네 보시게 하고, 자서(子壻)를 거느려 밖으로 나가매, 장내(帳內)에 들었던 부인네 일시에 나와 태부인 진부인께 융융한 복록을 새로이 칭하고, 저마다 탄복 갈채하여 부러워 않을 이 없더라.

태부인 진부인이 좌수우응(左酬右應)에 불감함을 사사하고, 자부와 여아를 거느려 빈객을 접대하매, 공경하는 예를 극진히 잡아 조금도 자중교오(自重驕傲)함이 없으니, 사좌(四座) 중빈이 경앙 칭복 하여 그 성덕 혜화를 감열(感悅)하더라.

금평후 외루(外樓)의 나오매 정국공과 낙양후 웃고 이르되,,

---

942) 현가(絃歌) : 거문고 따위의 현악기에 맞추어 부르는 노래.

943) 촉나장(蜀羅帳) : 촉라(蜀羅)로 만든 장막. *촉라(蜀羅) : 중국 촉(蜀) 지방에서 생산한 비단.

"윤보, 한 번 들어가매 오래도록 나오지 아니하니, 우리 주인 없는 연석에 즐김이 가치 않아 부름이라."

금평후 답 왈,

"헌작 후 즉시 나올 것이로되 편친이 옛 일을 생각하시고 즐겨 않아하시니, 소제 우민함을 이기지 못하여, 천흥과 세흥으로 대무 시켜 보시게 하니, 그 사이 더디이다."

제객이 일시의 가로되,

"죽청 죽암이 현가(絃歌)와 무수(舞袖)에 소여(疎如)치 않을 듯하되, 소생 등이 일찍 구경치 못하였으니, 합하는 청컨대 다시 시키소서."

금평후 소왈,

"풍악과 무수를 열위 종일토록 대하여, 다시 돈아의 용렬한 춤을 무엇이 보고싶으뇨? 제좌 소년배 스스로 창기 등으로 더불어 대무(對舞)할 이 있거든, 한 번 재주를 다하여 나로 하여금 구경케 하라."

제객이 왕과 월후의 묘무(妙舞) 못 봄을 애달아하되 다시 청치 못하고, 저마다 취안이 몽롱하매 호흥(豪興)이 백장(百丈)이나 높아, 각각 부형이 재좌(在坐)로되 삼가지 못하고, 소년 명류는 지기(知己)로 희롱하며, 혹 창녀 등의 손을 이끌어 정을 이기지 못하는 자 가득하되, 다만 제왕의 오곤계(五昆季) 종일토록 의관이 정돈하여 취색이 낯 위에 오르지 않아, 술이 오면 오히려 접구(接口)하나 거우르지 않고, 희롱이 오면 오직 미미히 웃을 뿐이언정, 부형 면전에 방자히 희학(戲謔)을 발치 않아, 삼엄정숙 한 예절이 군전(君前)에 시위함과 조금도 다르지 않더라.

제빈이 역시 부형을 뫼신 이 마다 경근지례(敬謹之禮)를 잡으니, 좌복야 초국공 하학성이 정국공 면전에 일찍 경근함을 다하여, 희학에 참예하는 일이 없거늘, 호람후 재좌하였으니 창후 같은 주량으로도 통음할 의사를 못하니, 과히 취하는 일이 없고 언소를 삼가, 충천지기(衝天之

氣)를 장축(藏縮)하고 늠연(凜然)이 경근하는 예를 잡아, 한 걸음 한 말씀이 방일함이 없고, 윤 태부의 탁탁지용(卓卓之容)944)과 빈빈(彬彬)한 예모는 이 가운데 더욱 솟아나니, 부공 면전에 경근하는 거동이 문왕(文王)945)이 왕계(王季)946)를 뫼심 같으니, 당시의 자질의 행검(行檢)947)이 남달리 기특함은, 윤·하·정 삼문과 진문 같은 집이 없는지라.

이 날도 자질을 거느리고 온 자가, 그 아들의 행실이 각각 집에 있을 때는 허물 된 줄을 알지 못하더니, 이의 이르르는 제왕의 오곤계와 창후 형제와 하학성과 제진을 보매는, 자기 등 훈자(訓子)의 불엄(不嚴)하며, 그 아들들의 부형 면전에 삼가지 못함이, 부형 섬기는 도리를 알지 못함 같아, 참괴함을 이기지 못하고, 혹 그 아들의 단아하고 온중한 품도가 있는 이라도, 간간이 술을 취하며, 혹 질타 망언도 하는 이 있으며, 존전에 언소(言笑)를 삼가지 않고 문득 희해(戲諧) 방탕하며, 술을 마음대로 마시고 의관이 부정하며, 좀 재용을 자랑하여 부형의 일을 우습게 여기는 자도 있어, 공근지례를 잡지 아니하니, 그 부숙 된 자가 혹 부끄러워 눈으로써 자질을 보아, 윤·정·진 자질 같기를 그윽이 죄는 바 있으니, 천성이 우용(愚庸)치 않은 유(類)는 그 부숙의 기색을 보고, 남의 부형 섬기는 예모를 보아, 또한 자괴(自愧)하여 잠깐 삼감이 있으되, 취(醉)하기를 매우 하여 눈치를 모르는 유는, 다함948) 즐기기를 으뜸 하

944) 탁탁지용(卓卓之容) : 여럿 가운데서 뛰어나게 우뚝한 용모.
945) 문왕(文王) : 중국 주나라 무왕의 아버지. 이름은 창(昌). 기원전 12세기경에 활동한 사람으로 은나라 말기에 태공망 등 어진 선비들을 모아 국정을 바로잡고 융적(戎狄)을 토벌하여 아들 무왕이 주나라를 세울 수 있도록 기반을 닦아 주었다. 고대의 이상적인 성인군주(聖人君主)의 전형으로 꼽힌다.
946) 왕계(王季) : 중국 주 문왕(文王) 창(昌)의 아버지. 이름은 계력(季歷). 자손이 왕업(王業)을 이룰 수 있는 기초를 닦았다.
947) 행검(行檢) : 품행이 점잖고 바름. 또는 그 품행.

여 행실을 돌아보지 못하더라.

정국공이 그 자서(子壻)의 출류(出類)한 위인을 더욱 두굿겨, 동평후를 향하여 웃고 가로되,

"금일 정부 연석의 장려(壯麗)함을 당하여 풍류의 요량(嘹喨)함과 미녀의 절묘함이 소년 남자의 호흥(好興)으로 즐길 바로되, 영백(令伯)이 전혀 유의하여 즐기는 바 없고, 사빈의 무심무려(無心無慮)함은 도 닦는 고승 같으니, 내 실로 사빈의 너무 저러함을 볼 적마다 진욕(塵慾)이 없어 해로움이 있을까 염려하나니, 어찌 남같이 즐기지 아니하느뇨?"

동평후 부전의 화기는 고치지 아니랴 하는 고로, 미미한 웃음을 띠여 가로되,

"소생이 풍채 매몰하고 성(性)이 졸한 연고로, 악장이 서랑을 권하여 여악(女樂)을 즐기라 하시되, 소생이 능히 받들지 못하오니, 위인의 용우함이 심히 부끄럽거니와, 사좌 존빈이 뉘 사위를 권하여 창악에 물들라 하는 이 있나니까?"

하공이 대소 왈,

"내 구태여 사빈으로 창악에 물들라 함이 아니로되, 빙악이 되어 사위더러 않을 말을 이른다 하여, 사빈이 우이 여기거니와, 원간 사빈이 너무 물욕 없음을 실로 기뻐 아니하나니, 전일 들으매 영백(令伯)은 창악 붙이를 배척치 않는다 하더니, 또 어찌 저렇듯 무심무려하뇨?"

창후와 태부 대답지 못하여서, 호람후 소왈,

"우리 자질 등은 원간 즐거운 아해들이 아니거니와, 희천은 본디 여색을 불관이 여기고, 광아로 일러도 전일엔 방일하였으나 이때에 이르러는 나이 차고, 근래에 숙렬 질부의 내조(內助)가 있으니, 다시 여색을

---

948) 다함 : 다만. 또한. 그저.

유의하여 행실을 휴손할 리 있으리오."

하공이 칭선 왈,

"명강의 자질은 실로 군자라. 타인의 많은 자질이 어찌 미치리오. 사원이 비록 규내의 숙녀 현배(賢配)949)를 두었으나, 연소호신지심(豪身之心)950)을 이를진대 어찌 금일 연차(宴遮)에 창기 등을 지내 보리요마는, 그 정숙한 뜻이 사람의 항복할 바로다."

호람후 구태여 사양치 않아 왈,

"돈아는 행실이 성현을 모셔도 부끄럽지 않고, 광아는 연소 호신하나 허랑경박(虛浪輕薄)한 품질이 아니라, 비록 대군자의 품질을 감당치 못하나, 인류의 하등은 되지 않을까 하노라."

진평장이 참지 못하여 잠깐 웃고, 호람후께 고하되,

"합하의 질자가 허랑 경박하든 않되, 소매의 헛 부음(訃音)951)을 듣고, 반야삼경(半夜三更)에 장원(牆垣)을 뛰어 들어와, 시녀의 관을 붙들고 울어, 만항비루(萬行悲淚)가 좌석에 사무치고, 체읍통도(涕泣痛悼)함이 하마 엄홀할 듯하며, 비자(婢子)의 관(棺) 앞에서 자문이사(自刎而死)하여 설움을 잊고자 하다가, 흉흉한 놈더러 뉘 소매를 살았다 일렀던지, 일야지내(一夜之內)에 제 우리를 속이고자 소매를 데려다가 채설동에 감추고, 내도히 모르는 체하던 일은 일월이 오랠수록 우습고 망측하더이다."

호람후 잠소왈,

"현계(賢契)952) 오질(吾姪)의 흔극(釁隙)953)을 못내 이르거니와, 현

---

949) 현배(賢配) : 어진 아내.
950) 호신지심(豪身之心) : 몸을 사치스럽고 화려하게 꾸미고자 하는 마음.
951) 부음(訃音) : 사람이 죽었다는 것을 알리는 말이나 글.
952) 현계(賢契) : 문인(門人), 제자, 친구 등을 존중해서 이르는 말.

계 오질(吾姪)을 여러 날 경영하여 속이려 하던 바를, 오질은 하룻밤 내로 현계(賢契)954) 등을 속였으니, 그 능함이 뉘 더하뇨?"

진평장이 웃음을 띠어 만좌에 고하여, 창후 천비 시신 넣은 관을 붙들고 따라 죽고자 하던 바를 이연(怡然)이 전하니, 사좌 빈객이 대소하고, 소년 명류가 창후를 일시의 보채되, 창후 미미히 웃고 계부의 말씀 그치심을 기다려, 자기는 진평장에게 속지 않고 진부 합문이 자기게 많이 속은 곡절을 이르니, 제인이 또 진평장을 희롱하여 일야지내의 매제를 잃고 슬퍼하던 바를 웃으니, 정예부 죽현이 소왈,

"나는 그 때 표형의 하는 거동과 사원의 마음을 다 알았으니, 표매 죽음을 곧이듣지 않았노라 말도 못할 말이고, 비자의 관을 안고 자문이사(自刎而死) 하려더란 말도 되지 못 한 말이라. 사원의 말인즉 표매를 죽지 않은 것으로 치되, 실유령구(實有靈柩)955)하매 진가(眞假)를 불식(不識)하여 살아있는 표매를 죽었는가 여겨 정례(正禮)956)를 극진히 함이요, 반야삼경(半夜三更)에 신고(辛苦)히 담을 넘어 들어가, 숙낭 천비의 관을 어루만지며, '백인(伯仁)이 유아이사(由我而死)'957)라 함은, 표매 사원을 만난 연고로 감수(減壽)하여 일찍 죽으니 '어찌 자기 손으로 죽임과 다르리오.' 하여, 실성체읍(失性涕泣)함을 면치 못하였나니, 표매의 살아있는 곡절은 어찌하여 알았건 대, '급급히 채설동에서 옮겨 감추

---

953) 흔극(釁隙) : 틈. 흠.
954) 현계(賢契) : 문인(門人), 제자, 친구 등을 존중해서 이르는 말.
955) 실유령구(實有靈柩) : 실제로 영구(靈柩)가 있음.
956) 정녜(正禮) : 신랑, 신부가 첫날밤을 치름. 또는 그런 절차.
957) 백인(伯仁)이 유아이새(由我而死)라 : 백인(伯仁; 중국 동진 때 사람)은 나로 인해 죽었다'는 뜻으로, 직접적으로 사람을 죽이지는 않았지만 죽은 사람에 대해 자신이 적극적으로 구하지 않은 책임이 있음을 안타까워하거나, 어떤 사건에 간접적으로 연관되어 있는 것을 비유적으로 나타낸 말.

고 표문 합가를 다 속인고?' 알지 못하노라."

창후 미소하고 만좌 웃기를 마지않으니, 진평장이 또 월후의 여지없이 속은 줄을 일러, 양부인을 붙들고 양령(-靈)이라 일컬으며 그릇한 바를 사죄하던 줄을 보는 듯이 설파하니, 사좌(四座)가 대소왈,

"이는 오히려 진적(眞的)히 흉음(凶音)을 듣고 그 빈연(殯筵) 배설한 것이나 보았으면 슬퍼함이 괴이치 않되, 여백은 인귀(人鬼)를 분별치 못하고 완연이 살아있는 부인을 대하여 죽었음으로 치던 것은, 고금에 듣지 못한 불명(不明)인가 하노라."

월후 잠소왈,

"내 평생 잔958)호의(-狐疑) 없는 마음이거늘, 형이 생각 밖 속임을 이상이 하매, 잠깐 속았던 것이거니와 어찌 그러듯 미치게 굴었으리요. 표형의 허언을 곧이듣지 마소서."

호람후 소왈,

"아무리 발명하여도 예백의 속기는 우습게 하였거니와, '창백은 소년 호신이 범연치 않되, 한 번도 사람에게 그렇듯 속은 일이 없는가?', 일찍 듣지 못하였나니, 행신만사(行身萬事) 청천백일(靑天白日) 같으니, 어찌 아름답지 않으리오."

좌간에 대사도 경춘기 소왈,

"윤·하 양 합하(閤下)께서는 창백을 행신만사(行身萬事)가 다 기특타 하시나, 호신(豪身)이 남다른 고로 벽유정 삼삭(三朔)에 애를 퍽 살랐다959) 하니, 창백에게 속기로서는 좀 아니960) 속았나니, 어찌 일시 희

---

958) 잔- : '가늘고 작은' 또는 '자질구레한'의 뜻을 더하는 접두사.
959) 사르다 : 불사르다. 애를 태우다.
960) 좀 아니 : 적지 않게.

롱으로 속음과 비하리오. 이제 양위 합하는 창백의 소행을 들어보소서. 대군자의 소행이 무상하여 불고이취(不告而娶)도 잘하고, 사람에게 변수(便水) 씌우기도 잘하더니, 이제 기특하여 군자 되었는데 처음부터 군자인 듯 하는 양을 보매, 소생이 홀로 밉게 여기나이다.”

제왕이 미미히 웃으며 왈,

“천유가 대군자의 변수 맛 본 후로 행신이 적이 인도에 돌아가고 인사가 무던하더니, 근간은 구습(舊習)이 있으니 종용이 즘기961)를 모아 병을 고치게 하라. 형이 나의 변수 맛봄이 극한 약이거니와, 어찌 친소 간 사람을 만난즉 선단(仙丹)을 맛보며 영약(靈藥)을 먹은 듯이 이르느뇨?”

경사도 꾸짖어 왈,

“네 변수 맛 본 일은 세월이 오랠수록 늑늑한 비위를 정치 못하나니, 그 때 통해하던 일이 잊히지 않아, 사람을 만나면 너의 무상함을 이르노라. 변수 일절이 자연 일컫는 것이 되거니와, 어찌 이제조차 미운 말을 하느뇨?”

제왕이 함소 부답하니, 하·윤 양공이 변수 일절을 자세히 물으니, 경사도 제왕의 행사를 일일이 고하여 불고이취(不告而娶)하던 바와, 자기 신방을 들이밀어 규시(窺視)하다가, 변수를 머리로부터 발뒤축까지 끼치던 바를 설파하니, 제인이 대소하고, 윤·하 양공과 낙양후 소왈,

“천유가 속기를 측량없이 하였는 고로 세월이 오래되 잊지 못하거니와, 그 무슨 자랑이라고 만좌중에 변수 맛봄을 일컫느뇨?”

경사도 소이대 왈,

“자랑함이 아니라 창백의 무상하던 바를 고하오매, 자연 그런 말이 나

---

961) 즘기 : 요강. 방에 두고 오줌을 누는 그릇. 놋쇠나 양은, 사기 따위로 작은 단지처럼 만든다.

나이다."

금평후 소왈,

"돈애 그 때 무상턴 행사는 천유가 이르지 않아도 알았거니와, 붕우(朋友)의 책선(責善)이 예부터 있으니, 누이 가연(佳緣)을 허랑객(虛浪客)의 제사부실을 삼아 혼례를 이루고, 탕자의 바쁜 행거(行車)를 멈추게 하고, 사창(四娼)을 천거하여 광객의 욕심을 맞추다가, 기쁜 치사도 듣지 못하고 그 욕을 보니, 돈아의 행사인 즉 절절(切切)이 무상(無狀)커니와, 천유도 나 같은 장자를 천흥과 한가지로 동모하여 속이려 하매, 자연한 가운데 신명(神明)이 벌하는 도리 있어, 변수를 쓰는 욕을 보니, 차후란 경심계지(警心戒之)하여 어른을 속이려 말라"

하더라.

최길용

문학박사
전북대학교 겸임교수
전북대학교 인문학연구소 전임연구원

❋ 논 문
〈연작형고소설연구〉외 50여편

❋ 저 서
『조선조연작소설연구』등 13종

현대어본 명주보월빙 9

초판 인쇄   2014년 4월 20일
초판 발행   2014년 4월 30일

역   주 | 최길용
펴 낸 이 | 하운근
펴 낸 곳 | 學古房

주   소 | 서울시 은평구 대조동 213-5 우편번호 122-843
전   화 | (02)353-9907   편집부(02)353-9908
팩   스 | (02)386-8308
홈페이지 | http://hakgobang.co.kr/
전자우편 | hakgobang@naver.com,   hakgobang@chol.com
등록번호 | 제311-1994-000001호

ISBN   978-89-6071-392-5   94810
              978-89-6071-383-3   (세트)

값 : 17,000원

이 도서의 국립중앙도서관 출판시도서목록(CIP)은 서지정보유통지원시스템 홈페이지
(http://seoji.nl.go.kr)와 국가자료공동목록시스템(http://www.nl.go.kr/kolisnet)에서 이용하실 수
있습니다.(CIP제어번호: CIP2014014240)